D1291016

Plato's Meno

Greek Text with Facing Vocabulary and Commentary

Geoffrey Steadman

Plato's Meno
Greek Text with Facing Vocabulary and Commentary

First Edition

© 2017 by Geoffrey Steadman

All rights reserved. Subject to the exception immediately following, this book may not be reproduced, in whole or in part, in any form (beyond that copying permitted by Sections 107 and 108 of the U.S. Copyright Law and except by reviewers for the public press), without written permission from the publisher.

The author has made an online version of this work available (via email) under a Creative Commons Attribution-Noncommercial-Share Alike 3.0 License. The terms of the license can be accessed at creativecommons.org.

Accordingly, you are free to copy, alter, and distribute this work under the following conditions:

(1) You must attribute the work to the author (but not in any way that suggests that the author endorses your alterations to the work).
(2) You may not use this work for commercial purposes.
(3) If you alter, transform, or build upon this work, you may distribute the resulting work only under the same or similar license as this one.

The Greek text is the edition by John Burnet first published in 1903.

ISBN-13: 978-0-9991884-0-8

Published by Geoffrey Steadman
Cover Design: David Steadman

Fonts: Times New Roman, GFS Porson, New Athena Unicode

geoffreysteadman@gmail.com

Table of Contents

Text and Commentary

I. The Testing of Meno's Knowledge (70a-80e)

II. The Theory of Recollection (80a-86c)

III. The Teachability of Virtue (86c-100c)

Preface to the Series

The aim of this commentary is to make Plato's *Meno* as accessible as possible to intermediate and advanced Greek readers so that they may experience the joy, insight, and lasting influence that comes from reading one of the greatest works in classical antiquity in the original Greek.

Each page of the commentary includes 10-15 lines of Greek text (one-half of an OCT page) from John Burnet's 1903 Oxford Classical Text with all corresponding vocabulary and grammar notes below the Greek on the same page. The vocabulary contains all words occurring 9 or fewer times, arranged alphabetically in two columns. The grammatical notes are organized according to line numbers and likewise arranged in two columns. The advantage of this format is that it allows me to include as much information as possible on a single page and yet insure that entries are distinct and readily accessible to readers.

To complement the vocabulary within the commentary, I have added a list of words occurring 10 or more times at the beginning of this book and recommend that readers review this list before they read each section. An alphabetized form of the core list can be found in the glossary. Together, this book has been designed in such a way that, once readers have mastered the core list, they will be able to rely solely on the Greek text and commentary and not need to turn a page or consult dictionaries as they read.

The grammatical notes are designed to help beginning readers read the text, and so I have passed over detailed literary and philosophical explanations in favor of short and concise entries that focus exclusively on grammar and morphology. The notes are intended to complement, not replace, an advanced-level commentary, and so I recommend that readers consult an advanced-level commentary after each reading from this book. Assuming that readers finish elementary Greek with varying levels of ability, I draw attention to subjunctive and optative constructions, identify unusual aorist and perfect forms, and in general explain aspects of the Greek that they should have encountered in first year study but perhaps forgotten. As a rule, I prefer to offer too much assistance rather than too little.

Better Vocabulary-Building Strategies

One of the virtues of this commentary is that it eliminates time-consuming dictionary work. While there are many occasions where a dictionary is absolutely necessary for developing a nuanced reading of the Greek, in most instances any advantage that may come from looking up a word and exploring alternative meanings is outweighed by the time and effort spent in the process. Many continue to defend this practice, but I am convinced that such work has little pedagogical value for intermediate and advanced students and that the time saved by avoiding such drudgery can be better spent reading more Greek, reviewing morphology, memorizing vocabulary, mastering principal parts of verbs, and reading advanced-level commentaries and secondary literature.

As an alternative to dictionary work, this commentary offers two approaches to building knowledge of vocabulary. First, I isolate the words that occur 10 or more times for immediate drilling and memorization. Second, I include the number of occurrences of each Greek word at the end of each definition entry. I encourage readers who have mastered the core vocabulary list to single out, drill and memorize moderately common words (e.g. 5-9 times) as they encounter them in the reading and devote comparatively little attention to words that occur once or twice. Altogether, I am confident that readers who follow this regimen will learn the vocabulary more efficiently and develop fluency more quickly than with traditional methods.

Geoffrey Steadman Ph.D.
geoffreysteadman@gmail.com
www.geoffreysteadman.com

How to Use this Commentary

Research shows that, as we learn how to read in a second language, a combination of reading and direct vocabulary instruction is statistically superior to reading alone. One of the purposes of this book is to encourage active acquisition of vocabulary.

1. Master the list of words occurring 10 or more times as soon as possible.

A. Develop a daily regimen for memorizing vocabulary before you begin reading. Memorize the words in the running list that occur 10 or more times *before* you read the corresponding pages in Greek. When done, single out and memorize words that occur 5 to 9 times as they appear the the corresponding vocabulary.

B. Use online flashcards to review vocabulary. Research has shown that you must review new words at least seven to nine times before you are able to commit them to long term memory, and flashcards are efficient at promoting repetition. If cards are not available, simply copy and paste a list of vocabulary from this pdf onto an online site such as Quizlet or Anki, which will convert the list into flashcards.

2. Read actively and make lots of educated guesses

One of the benefits of traditional dictionary work is that it gives readers an interval between the time they encounter a questionable word or form and the time they find the dictionary entry. That span of time often compels readers to make educated guesses and actively seek out understanding of the Greek.

Despite the benefits of corresponding vocabulary lists there is a risk that without that interval of time you will become complacent in your reading habits and treat the Greek as a puzzle to be decoded rather than a language to be learned. *Your challenge, therefore, is to develop the habit of making an educated guess under your breath each time before you consult the commentary.* If you guess correctly, you will reaffirm your understanding of the Greek. If incorrectly, you will become aware of your weaknesses and more capable of correcting them.

3. Reread a passage immediately after you have completed it.

Repeated readings not only help you commit Greek to memory but also promote your ability to read the Greek as Greek. You learned to read in your first language through repeated readings of the same books. Greek is no different. The more comfortable you are with older passages, the more easily you will read new ones.

4. Reread the most recent passage immediately before you begin a new one.

This additional repetition will strengthen your ability to recognize vocabulary, forms, and syntax quickly, bolster your confidence, and most importantly provide you with much-needed context as you begin the next selection in the text.

5. Consult an advanced-level commentary for a more nuanced interpretation

After your initial reading of a passage and as time permits, consult another commentary. Your initial reading will allow you to better understand the advanced commentary, which in turn will provide a more insightful literary analysis than is possible in this volume.

Grammar Boxes

Read through the boxes casually and then return to them as you encounter each construction in the *Meno*. Declensions, a verb synopsis, and notes on the types and frequency of optatives and subjunctives are available in the glossary.

The gender of ἀρετή, ἀρετῆς, ἡ: excellence [120]

While ἡ ἀρετή is feminine singular, Plato regularly treats the word as a neuter object and refers to it with neuter pronouns (eg. αὐτό, αὐτῷ) and neuter adjectives in the *Meno*.

Prolepsis

Prolepsis, "anticipation," is a common rhetorical and philosophical term that in the *Meno* refers to very specific aspects of Plato's style: (1) the positioning of a relative clause before its antecedent and, more frequently, (2) the positioning of the subject of a subordinate clause before the subordinate clause itself. Consider the following examples:

...εἰπεῖν ἀρετὴν ὅ τι ἐστίν	*...to say virtue what it is*
	→ *...to say what virtue is*
...εἰπεῖν ἀρετῆς πέρι ὅ τι ἐστίν	*...to say concerning virtue what it is*
	→ *...to say what virtue is*

While ἀρετή is logicially the subject of the indirect questions above, Plato draws the subject out of the subordinate clause and makes it the object of the main clause.

Three Common Translations for ἔχω, εἶχον, ἔσχον [50]

In addition to the common meaning of ἔχω, "have," this verb is used on 25 other occasions with the following three translations:

1. ἔχω + infinitive [11]	→ *to be able* + inf. *(have the power to)*	ἔχεις εἰπεῖν	*you are able to say*
2. ἔχω + adverb [12]	→ *to be* + adj. *(holds, is disposed)*	καλῶς ἔχει	*it is good*
3. ἔχω + obj./inf. [2]	→ *to know (grasp)*	οὐκ ἔχω	*I do not know*

Two Common Translations for τυγχάνω, τεύξομαι, ἔτυχον [11]

τυγχάνω, "chance upon," and its compounds are found 17 times. In seven instances, Plato uses a complementary participle which must be translated as an infinitive in English:

1. τυγχάνω + participle [8]	→ *happen* + inf.	τυγχάνω εἰδώς	*I happen to know*
2. τυγχάνω + partitive gen. [3]	→ *attain* + obj.	τῶν αὐτῶν τυχόντες	*attaining the same things*

The difference between ὅτι[85] and ὅτι (ὅ τι)[34]

Both the conjunction ὅτι, "that/because" and the neuter pronoun ὅτι (ὅ τι), "what," come from the relative pronoun ὅστις, ἥτις, ὅτι. The former introduces indirect discourse and the latter indirect questions and relative clauses. To distinguish these two words, I have added a space to the relative pronoun (ὅτι → ὅ τι). Be sure to translate ὅ τι as a single word:

| οἶδα **ὅτι** τοῦτο ἀρετή ἐστιν. | I know **that** this is virtue. |
| οἶδα **ὅ τι** ἀρετή ἐστιν. | I know **what** virtue is. |

ἔρομαι[7 times], ἐρωτάω[12], ἐρέω[4], εἴρηκα[6]

Readers often have trouble distinguishing the ἐρ- verbs above. The first three verbs all occur on pg. 2. The middle verb ἔρομαι (the present finite forms are not used), ἐρήσομαι, ἠρόμην and α-contract ἐρωτάω, ἐρωτήσω, ἠρώτησα both mean "ask" or "inquire." The ε-contract ἐρέω, "will say," and εἴρηκα, "have said," are often used as the future and perfect forms repectively for the verb λεγω.

Independent Subjunctives are employed 23 times in four different ways in the dialogue. Three different uses occur in the first four pages of the commentary.

1. Hortatory (1st sg. or pl.)[11 times]	ποιῶμεν	*Let us do it.*
2. Prohibitive (μὴ + 2s aor.)[1]	μὴ ποιήσῃς	*Don't do it!*
3. Deliberative (dir./ind. question)[8]	ποιῶμεν;	*Are we to do it?*
4. Doubtful Assertion (μὴ + subj.)[1]	μὴ ποιῇς	*(I suppose/Surely) you are doing it.*
Negation (μὴ οὐ + subj.)[2]	μὴ οὐ ποιῇς	*(I suppose/Surely) you are not doing it.*

Hortatory: p. 4, 15, 25. 39, 50, 52, 54, 54, 60,72, 76; Prohibitive: p. 4; Deliberative (dir. and ind. question): p. 3, 15, 19, 30, 50, 66, 68, 83; Doubtful Assertion: p. 58; Doubtful Negation: p. 73, 74

Plato uses οἶδα[79] far more often than ἐπίσταμαι[10], and the inf. εἰδέναι, pple εἰδώς, and opt. εἰδείην are all used in the initial pages. Intermediate level readers often confuse the stems of οἶδα (stems: εἰδ, ἰδ, οἰδ) with the aor. stem ἰδ in ὁράω, ὄψομαι, εἶδον, "see." Note, however, that Plato uses ὁράω only six times in the *Meno* and the aor. stem ἰδ only once (ἴδωμεν). And so, readers can be assured that any verb that starts with the stem εἰδ is from the verb οἶδα.

οἶδα: to know (pf. with pres. sense)[79]

	Perfect		Pluperfect		Future	
Active	οἶδα[10]	ἴσμεν[2]	ἤδη	ᾖσμεν	εἴσομαι[1]	εἰσόμεθα
	οἶσθα[11]	ἴστε	ᾔδησθα[2]	ᾖστε	εἴσῃ[1]	εἴσεσθε
	οἶδε[13]	ἴσασι[1]	ᾔδει[3]	ᾖσαν	εἴσεται	εἴσονται
Imp	ἴσθι	ἴστε				
Pple	εἰδώς, εἰδυῖα, εἰδός[16]					
	εἰδότος, εἰδυίᾱς, εἰδότος					
Inf.	εἰδέναι[16]					
subj/opt	εἰδῶ	εἰδῶμεν	εἰδείην[1]	εἰδεῖμεν		
	εἰδῇς	εἰδῆτε	εἰδείης[1]	εἰδεῖτε		
	εἰδῇ[1]	εἰδῶσι	εἰδείη	εἰδεῖεν		

εἰμί (to be, exist)[445 times]

Review all the forms of εἰμί in the glossary thoroughly. In 11 instances, ἔστιν (note the accent) will mean (a) "it is possible"[4] and (b) "is the case/is true"[7] (e.g. ἔστι ταῦτα, "these things are the case").

Constructions with οἷος

1. οἷός τε εἰμί[14], "to be the sort to," is regularly translated as "be able" or "be possible" + inf. The τε is likely a connective and left untranslated (cf. ὥστε). This construction is used more often than similar constructions ἔχω + inf.[11] and δύναμαι[9].

   ἐὰν οἷός τ᾽ ὦ ἡμᾶς προβιβάσαι… (74b2-3)
   if I am able (I am the sort) to move us forward…

2. οἷον[8], "in respect to such" is often translated as "for example" or "for instance." The form is an acc. of respect introducing a relative clause of comparison. Because the verb in this clause is the same as the verb in the main clause, the verb following οἷον is almost always omitted and must be supplied by the context.

   οἷον (διαφέρουσιν) ἢ κάλλει ἢ μεγέθει ἢ ἄλλῳ τῳ τῶν τοιούτων (72b5-6)
   …for example, (they differ) either in beauty or in size or in some other of such ways

3. οἷος[1], "fit to" or "the sort to" + infinitive regularly expresses result (S2497).

   οἷος καὶ ἄλλον ποιῆσαι πολιτικόν
   fit to make another a stateman also

οἷός τε εἰμί: p. 3, 3, 9, 10, 12, 21, 25, 27, 33, 34, 50, 51, 69, 90; οἷον: p. 6, 11, 11, 17, 25, 51, 52, 55; οἷος: p. 92

ἅτε /ὡς + participle

ἅτε (*inasmuch as…, since…*) + participle[5] expresses a cause from the speaker's point of view.

ὡς (*on the grounds/belief that…, since…*) + participle[7] offers a cause from a character's point of view. Since the speaker may or may not agree, this explanation is an "alleged cause."

ἅτε…παρέχων αὑτὸν	*inasmuch as offering himself…*	(p. 2)
ὡς οὐκ εἰδὼς	*on the grounds that not knowing…*	(p. 3)

The translation "since" is possible but often avoided in order to preserve the distinction between the speaker and character's point of views in English.

Πῶς λέγεις; *What do you Mean?*

λέγω is often translated as "mean(s)" in the *Meno* and governs two accusatives. Note the varieties of translation below. The double accusative construction (i.e. acc. obj. and acc. pred.) is particularly difficult to translate and is often conveyed in English idiom with the word "by."

πῶς + λέγω	πῶς λέγω;	*In what sense (How) do you say?*	(p. 4)
		→ *What do you mean?*	
πῶς + obj. + λέγω	πῶς τοῦτο λέγω;	*In what sense do you say this?*	(p. 10)
		→ *What do you mean by this?*	
obj. + obj. + λέγω	τὸ δὲ χρῶμα τί λέγεις;	*What do you say (that) color (is)?*	(p. 18)
		→ *What do you mean by color?*	

The difference between δέω, δήσω[5] and δέω, δεήσω[34]

The verb δέω, δήσω "bind, tie down," occurs five times in the discussion of true belief and knowledge (pp. 84-5) but nowhere else in the dialogue. The verb δέω, δεήσω, "need, be lacking; ask" occurs 34 times and requires specific translations depending on the form.

In general, δέω in the active voice means 'need, lack" and governs a gen. of separation (i.e. to be lacking from...). In the middle voice (and passive dep.), δέομαι means "to ask, request, beg, want, or have need of" (i.e. have a need for oneself) and governs a number of constructions. Impersonal δεῖ means "it is necessary" and governs an infinitive. Below are uses specific to the *Meno*:

1. impersonal δεῖ (impf. ἔδει) + infinitive [25]

   δεῖ τοῦτο ποιῆσαι.   *It is necessary to do this.*

2. δέω + πολλοῦ + infinitive [3]

   δέω πολλοῦ τοῦτο ποιῆσαι.   *I am far (lacking from much) from doing this.*

3. middle δέομαι: *I ask, need* [3]

   δέομαι σου τοῦτο   *I ask this from you*

4. rare impersonal passive dep. δεῖται: *there is a need of...* [3]

   δεῖται τούτου   *there is a need of this*

δέω + πολλοῦ: p. 3, 28, 66; middle δέομαι: p. 6, 27, 28; impersonal passive δεῖται (middle voice does not allow impersonal constructions): p. 28, 28, 29

Yes/No questions in Plato

ἆρα may be left untranslated and introduces a yes/no question that does not anticipate the interlocutor's reply.

πότερον...ἤ... (*either...or...*) introduces an alternative question. πότερον is almost always left untranslated. In indirect questions, ὁπότερον is translated as 'whether.'

οὐ (*is it not...?*) introduces a yes/no question that anticipates and elicits a 'yes' reply.

μή, μῶν (*surely...not?*) introduce a yes/no question that anticipates and elicits a 'no' reply.

ἄλλο τι ἤ (*is something other the case than...?*) introduces a yes/no question that elicits a 'yes' reply. Often this translation is omitted and translated as if introduced by οὐ (*is it not...?*).

---

72 Complete Conditions: A similar list with examples is available in the glossary.

Type of Condition	Protasis (if-clause)	Apodosis (then-clause)
Simple[4]	εἰ+ any indicative	any indicative
Present General (Indefinite)[9]	εἰ + ἄν + subj. (*if ever*)	present indicative
Past General (Indefinite)[0]	εἰ + optative (*if ever*)	past indicative
Future More Vivid[12]	εἰ + ἄν + subjunctive	future indicative
Future Less Vivid[16+ 2 mixed]	εἰ+ optative (*should*)	ἄν + optative (*would*)
Present Contrary to Fact[13]	εἰ + impf. indicative (*were*)	ἄν + impf. indicative (*would*)
Past Contrary to Fact[12 +3 mixed]	εἰ + aor. indicative (*had*)	ἄν + aor. indicative (*would have*)

A Few Common Particles

ἀλλά [115]   (1) *but* (adversative after a positive clause)

        (2) *rather, but (rather), on the contrary* (adversative after a negative clause)

        (3) *well, well then* (in replies)

        (4) *come!* (preceding an imperative)

   ἀλλὰ μὴν [1]   *well certainly, but certainly,* (in replies, offering a new point)

     ἀλλὰ μὴν...γε [4]   *well certainly...(indeed), but certainly...(indeed)*

   ἀλλὰ οὖν...γε [1]   *but at any rate...(indeed)*

   ἀλλὰ γάρ [3]   *(no), for on the* contrary; *on the contrary for; but; and yet*

   ἀλλὰ δὴ [1]   *come now* (preceding an imperative)

δή [65] (1) *just, precisely, exactly, very* (intensive)

     ...with relative pronouns, e.g. ἃ δὴ 'exactly which...,,., the very things which...'

     ...with demonstratives, e.g. τούτων δὴ 'precisely these things, these very things'

     ...with interrogatives, e.g. τί δὴ 'why exactly?, just why?'

     ...with adverbs, e.g. οὕτω δὴ 'in exactly this way, in just this way'

     ...with imperatives, e.g. πειρῶ δὴ 'just try, try now'

     (2) *then, now, accordingly* (inferential)

γάρ [83] (1) *for, since, (yes/no) for, (yes/no), since*   γάρ is difficult to translate because,

     whereas in English we express an affirmative or negation and leave out the causal

     conjunction (e.g. 'Are you leaving?' 'Yes, (for) I have to buy milk'), Greek leaves

     out the affirmative and expresses the conjunction (e.g. '(Yes), for I have to buy

     milk'). In English translation, it is often necessary to add 'yes' or 'no' or express the

     same affirmative with the translation 'in fact.'

     (2) *(yes/no) for, (yes/no), since* (in replies, often with ellipsis of the verb)

     e.g. εἶπον γὰρ 'yes, (for) I said it'   οὐδὲν γὰρ 'yes, (for) not at all'

γε [115] (1) *indeed, in fact* (an intensive, often left untranslated and expressed by using italics

     in print or changing the intonation of the preceding words in speech)

     (2) *at least, at any rate* (restrictive)

     (3) *yes; indeed* (in replies, expressing affirmation)

   πάνυ γε [27]   *quite so, yes quite* (common reply in Plato)

   δὲ γε [12]   *and indeed; yes and...* (used to join this clause in response to a previous clause: δέ

     joins the clauses, and γε modifies the entire clause but is placed after postpositive δέ)

καί [461] (1) *and, both...and...* (conjunction)

     (2) *also, even, too; in fact, actually* (adverb)

   καὶ δὴ καί [2]   *and in particular, and indeed also*

   καὶ γάρ [6]   *for in fact, (yes) for in fact*

   καί...γε [6]   *yes, and...; and...indeed* (emphasizes the intervening word, affirmative in replies)

   καὶ μὴν... γε [4]   *and certainly...indeed,* καὶ μὴν [1]   *and yet*

   καὶ μὲν δή [1]   *and indeed*

οὖν [65]   *and so, then, at all events* (inferential)

   πάνυ μὲν οὖν [6]   *quite certainly* (a common reply, μὲν οὖν expresses positive certainty)

Impersonal Verbs and Constructions

δῆλον ἐστίν [12]	*it is clear that*	συμβαίνει [1]	*it happens*
ἀνάγκη ἐστιν [6]	*it is necessary*	λυσιτελεῖ [1]	*it profits*
εἰκός ἐστιν [3]	*it is reasonable*	verbal adjectives	
χαλεπόν ἐστιν [1]	*it is difficult*	προθμητέον (ἐστίν) [1]	*it must be pursued*
ἄξιον ἐστιν [1]	*it is worthwhile*	ζητητέον (ἐστίν) [2]	*it must be sought*
δεῖ [25]	*it is necessary*	σκεπτέον (ἐστίν) [1]	*it must be examined*
μέλει [2]	*it is a concern*	προσεκτέον (ἐστίν) [1]	*it must be paid attention*

Plato's *Meno*
Core Vocabulary (10 or more times)

The following is a running list of all 165 words that occur ten or more times in the *Meno*. An alphabetized list is found in the glossary of this volume. These words are not included in the commentary and therefore must be reviewed as soon as possible. The number of occurrences, indicated at the end of the dictionary entry, were tabulated by the author. The left column indicates the number of the page where the word first occurs.

01 ἀλλά: but, 115
01 ἄλλος, -η, -ο: other, one...another, 92
01 ἄνθρωπος, ὁ: human being, man, 30
01 ἆρα: introduces a yes/no question, 21
01 ἀρετή, ἡ: excellence, goodness, virtue, 120
01 γάρ: for, (yes) for; since, because, 83
01 δέ: but, and, on the other hand, 198
01 διδακτός, -όν: acquired through teaching 42
01 δοκέω: to seem (good); think, decide, 88
01 ἐγώ: I, 124
01 εἰμί: to be, exist, 423
01 εἰς: into, to, in regard to (acc.), 21
01 ἐν: in, on, among. (+ dat.), 56
01 ἐπί: upon (gen.), to (acc.), near, at (dat.), 12
01 ἔχω: to have, hold; be able; be disposed, 50
01 ἤ: or (either...or); than, 110
01 καί: and; also, even, too; in fact, actually 461
01 λαμβάνω: to take, receive, catch, grasp, 10
01 λέγω: to say, speak (aor. εἶπον) 206
01 μέν: on the one hand, 115
01 Μένων, Μένωνος ὁ: Meno, 48
01 νῦν: now; as it is, 27
01 ὁ, ἡ, τό: the, 679
01 ὅς, ἥ, ὅ: who, which, that, 140
01 οὐ, οὐκ, οὐχ, οὐχί: not, 230
01 οὔ-τε: and not, neither...nor, 15
01 οὗτος, αὕτη, τοῦτο: this, these, 271
01 πόλις, -εως ἡ: a city-state, city, 17
01 σοφία, ἡ: wisdom, skill, intelligence 11
01 σύ: you, 128
01 Σωκράτης, -ους ὁ: Socrates, 57
01 τε: and, both, 65
01 τις, τι: anyone, -thing, someone, -thing, 93
01 τρόπος, ὁ: manner, way; turn, direction, 12
01 φύσις, -εως ἡ: nature, natural qualities, 14
01 ὦ: O, oh, 122

01 ὡς: as, thus, so, that; when, since, 48

02 ἄν: modal adv., 153

02 ἀπο-κρίνομαι: to answer, reply, 15

02 αὐτός, -ή, -ό: he, she, it; same; -self, 166

02 βούλομαι: to wish, be willing, desire, 40

02 γίγνομαι: come to be, become, be born, 65

02 δή: indeed, certainly; just, exactly, 65

02 ἐάν (ἤν): εἰ ἄν, if (+ subj.), 11

02 ἑαυτοῦ, -ῆς, -οῦ: himself, her-, it-, them-, 22

02 ἐθέλω: to be willing, wish, want, 12

02 εἰ: if, whether, 104

02 εἴ-τε: either...or; whether...or, 22

02 ἐκ, ἐξ: out of, from (+ gen.), 22

02 ἐρωτάω: to ask, inquire, question, 12

02 ξένος, ὁ: guest, foreigner, stranger, 10

02 ὅδε, ἥδε, τόδε: this, this here, 37

02 οἶδα: to know, 79

02 ὅστις, ἥτις, ὅ τι: whoever, whichever, whatever, 54

02 οὐδ-είς, οὐδε-μία, οὐδ-έν: no one, nothing, 51

02 οὕτως: in this way, thus, so, 36

02 παρά: from, at, to (the side of); contrary, 26

02 ὥσπερ: as, just as, as if, 22

03 ἀληθής, -ές: true, 25

03 γιγνώσκω: to learn, realize; know, 14

03 δέω (1), δεήσω: need, lack (gen.); _mid._ ask; _impers._ δεῖ, it is necessary (inf.) 34

03 καλός, -ή, -όν: beautiful, fair, noble, fine, 21

03 μή: not, lest, 73

03 οἷος, -α, -ον: of what sort, who, 33

03 οὐ-δέ: and not, but not, nor; not even, 33

03 οὖν: and so, then; at all events, 65

03 περί: around, about, concerning (acc/gen) 55

03 ποτέ: ever, at some time, once, 19

03 πρᾶγμα, τό: deed, act; matter, affair, 20

03 πῶς: how? in what way?, 16

03 τίς, τί: who? which?; why? 82

03 τυγχάνω: to chance upon, get; meet; happen, 11

03 ὥστε: so that, that, so as to, 14

04 ἀνα-μιμνήσκω: remind; _mid._ recall, remember, 11

04 γε: at least, indeed, at any rate, 115

04 δή-που: perhaps, I suppose, 11

04 ἔγω-γε: I for my part, 58

04 ἐκεῖνος, -η, -ον: that, those, 22

04 ἐπει-δή: when, after, since, because, 14

04 ἴσως: perhaps, probably; equally, likely, 18

04 μόνος, -η, -ον: alone, only, solitary, 19
04 ὅσπερ, ἥπερ, ὅπερ: the very one who, very thing which, 12
04 ὅτι: that; because, 85
04 πάνυ: quite, entirely, exceedingly, 44
04 πρός: to (acc.), near, in addition to (dat.), 23
04 τοί-νυν: well then; therefore, accordingly 13
04 φαίνω: show; *mid.* appear, seem, 19
04 φημί: to say, claim, assert, 51
05 ἀνήρ, ἀνδρός, ὁ: a man, 46
05 γυνή, γυναικός ἡ: woman, wife, 11
05 ἕκαστος, -η, -ον: each, every one, 13
05 εὖ: well, 15
05 ἡμεῖς: we, 31
05 κακός, -ή, -όν: bad, base, cowardly, evil, 27
05 κατά: according to, over (acc); down, against (gen), 25
05 οἴομαι (οἶμαι): suppose, think, imagine, 38
05 ποιέω: to do, make; bring about, treat, 37
05 πράττω: to do, accomplish; exact (money), 12
05 τοιοῦτος, -αύτη, -οῦτο: such, this sort 39
06 δια-φέρω: differ; surpass, be superior to, 12
06 εἷς, μία, ἕν: one, single, alone, 14
06 ἔοικα: to seem, seem likely, be like (dat.), 16
06 ἕτερος, -α, -ον: other, different, 15
06 ζητέω: to seek, look for, investigate, 32
06 μετά: with (gen.); after (acc.), 20
06 πολύς, πολλή, πολύ: much, many, 35
07 διά: through (gen); on account of, 17
07 καλῶς: well, nobly, 19
07 μανθάνω: to learn, understand, 27
07 ὅστισ-οῦν, ἥτισουν, ὅτι-οῦν: whosoever, 11
07 πότερος, -α, -ον: whether, which (of two)? 12
07 που: anywhere, somewhere; I suppose, 14
08 οὐκοῦν: therefore, then, accordingly, 42
09 ἀγαθός, -ή, -όν: good, brave, capable, 76
09 ἄρα: then, therefore, it seems, it turns out 32
09 δικαιοσύνη, ἡ: justice, righteousness, 11
09 εἴ-περ: if really, 13
09 ναί: yes, yea, 41
09 πᾶς, πᾶσα, πᾶν: every, all, the whole, 41
10 ἔτι: still, besides, further; in addition, 12
10 μήν: truly, surely, 10
10 σκοπέω: to look at, examine, consider, 16
11 ὀρθῶς: rightly, correctly, 28
11 σχῆμα, -ατος τό: form, figure, appearance 17
13 ἀεί: always, forever, in every case, 12

13 λόγος ὁ: word, speech, account, 21
14 μᾶλλον: more, rather, 11
14 ὅταν: ὅτε ἄν, whenever, 14
15 καλέω: to call, summon, invite, 19
19 μάλιστα: most of all; certainly, especially 10
20 δόξα, ἡ: opinion, reputation, 27
21 ἐπι-θυμέω: to desire, long for (gen) 12
21 ὅλος, -η, -ον: whole, entire, complete, 10
22 ἡγέομαι: to be a leader, lead (gen); believe 25
23 βλάπτω: to hurt, harm, 12
23 δῆλος, -η, -ον: clear, evident, 12
26 μή-τε: and not; neither…nor, 16
26 μόριον, τό: piece, portion, section, 10
27 ὁμο-λογέω: to agree, 20
27 πρότερος, -α, -ον: previous, earlier, 11
29 ἐπι-χειρέω: to attempt, try´ put a hand on, 10
30 ἀκούω: to hear, listen to, 12
30 ψυχή, ἡ: breath, life, spirit, soul, 19
32 ποῖος, -α, -ον: of a some sort or kind, 10
32 σκέπτομαι: to examine, consider, look at, 11
33 τοτέ: at one time, 16
35 διδάσκω: to teach, instruct, 20
35 ἐπίσταμαι: to know (how), understand. 10
36 Ζεύς, ὁ: Zeus, 10
37 ἴσος, -η, -ον: equal to, the same as, like, 10
37 νοῦς, ὁ: mind, sense, attention, understanding, 10
37 τέτταρες, -α: four, 12
37 γραμμή, ἡ: line, 14
37 πούς, ποδός, ὁ: a foot, 14
37 χωρίον, τό: area, space; figure, 25
38 διπλάσιος, -α, -ον: double, two-times, 19
38 δύο: two, 19
38 ὀκτώ-πους, ὀκτώ-πουν: of eight feet 10
39 ἀπό: from, away from. (+ gen.), 25
47 ἐπιστήμη, ἡ: knowledge, understanding, 40
53 ὠφέλιμος, -η, -ον: profitable, beneficial, helpful, 21
54 ὀρθός, -ή, -όν: straight, upright, right, 16
55 φρόνησις, -εως ἡ: prudence, intelligence, 14
59 διδάσκαλος, ὁ: a teacher, instructor, 33
60 Ἄνυτος, ὁ: Anytus, 13

Abbreviations

abs.	absolute	impf.	imperfect	pl.	plural
acc.	accusative	impers.	impersonal	plpf.	pluperfect
act.	active	ind.	indicative	pred.	predicate
adj.	adjective	ind.	indirect	prep.	preposition
adv.	adverb	inf.	infinitive	pres.	present
aor.	aorist	m.	masculine	reflex.	reflexive
dat.	dative	mid.	middle	rel.	relative
dep.	deponent	neut.	neuter	S1517	Smyth §1517
dir.	direct	nom.	nominative	seq.	sequence
disc.	discourse	obj.	object	sg.	singular
f.	feminine	opt.	optative	subj.	subject,
fut.	future	pple.	participle	subj.	subjunctive
gen.	genitive	pass.	passive	superl.	superlative
imper.	imperative	pf.	perfect	voc.	vocative

1s, 2s, 3s denote 1st, 2nd, and 3rd singular.   1p, 2p, 3p denote 1st, 2nd, and 3rd plural.

Stephanus Page Numbers

The universal method for referring to pages in any of Plato's dialogues is through Stephanus page numbers. This paging system was developed by Henri Estienne (Lat., *Stephanus*), who published a multi-volume edition of Plato's dialogues in 1578. Stephanus divided each page in his edition into roughly equal sections, which he labeled with the letters a, b, c, d, and e. This system allowed his readers to locate a particular passage not only by the page number but by the section letter as well (e.g. 71a, 71b, 71c, 71d, 71e, 72a...). Many modern editions, including the Greek text in this volume, have adopted this system and gone one step further by dividing the sections into individual lines (e.g. 71a1, 71a2, 71a3...). This paging system offers the same advantages as chapters and verses in the Christian Bible. Since most editions of Plato include the Stephanus page numbers in the margins of the text, a reader can pick up any volume of Plato—in Greek or in translation—and easily locate a particular passage in the dialogue.

Because Stephanus placed the *Meno* on pages 70-100 in his second volume of Plato, the *Meno* begins on Stephanus page 70a1 and ends on page 100c2. In this commentary all of the grammatical notes are arranged and labeled according to this paging system. Since most of the entries on a given page of commentary have the same Stephanus page number, I identify the page number and section letter only once and labeled all subsequent grammatical note entries by the line number (e.g. 72a, 2, 3...b1, 2, 3, 4...).

The historical Meno was so vicious in so many ways that even his fellow mercenary, Xenophon, applauds his being tortured for a year and then executed horribly. The historical Anytus, Meno's Athenian host, flip-flipped politically, invented a new form of jury bribery, and became one of Socrates' accusers. Plato must have had some sense of humor to set a conversation on virtue between Socrates and those two reprobates.

- Debra Nails

To make the ancients speak, we must feed them with our own blood.

- von Wilamowitz-Moellendorff

ΜΕΝ. ἔχεις μοι εἰπεῖν, ὦ Σώκρατες, ἆρα διδακτὸν ἡ **70**
ἀρετή; ἢ οὐ διδακτὸν ἀλλ' ἀσκητόν; ἢ οὔτε ἀσκητὸν οὔτε
μαθητόν, ἀλλὰ φύσει παραγίγνεται τοῖς ἀνθρώποις ἢ ἄλλῳ
τινὶ τρόπῳ;

ΣΩ. ὦ Μένων, πρὸ τοῦ μὲν Θετταλοὶ εὐδόκιμοι ἦσαν 5
ἐν τοῖς Ἕλλησιν καὶ ἐθαυμάζοντο ἐφ' ἱππικῇ τε καὶ πλούτῳ,
νῦν δέ, ὡς ἐμοὶ δοκεῖ, καὶ ἐπὶ σοφίᾳ, καὶ οὐχ ἥκιστα οἱ τοῦ **b**
σοῦ ἑταίρου Ἀριστίππου πολῖται Λαρισαῖοι. τούτου δὲ ὑμῖν
αἴτιός ἐστι Γοργίας· ἀφικόμενος γὰρ εἰς τὴν πόλιν ἐραστὰς
ἐπὶ σοφίᾳ εἴληφεν Ἀλευαδῶν τε τοὺς πρώτους, ὧν ὁ σὸς

αἴτιος, -α, -ον: responsible, blameworthy, 1
Ἀλευάδαι, οἱ: Aleuadae (a Thessalian clan) 1
Ἀρίστιππος, -ου ὁ: Aristippus, 2
ἀσκητός, -όν: acquired through practice, 2
ἀφ-ικνέομαι: to come, arrive, 5
Γοργίας, ὁ: Gorgias, 8
Ἕλλην, Ἕλληνος, ἡ: Greece, 1
ἐραστής, -οῦ ὁ: a lover, 3
ἑταῖρος, ὁ: comrade, companion, mate, 6
εὐδόκιμος, -ον: well-reputed, well-respected, 1
ἥκιστος, -η, -ον: least; not at all, 2

θαυμάζω: wonder, marvel at, admire, 7
Θετταλός, ὁ: Thessalian, 2
ἱππική, ἡ: horsemanship, horse-riding, 1
Λαρισαῖος, -α, -ον: of Larisa, Larissaean, 1
μαθητός, -ή, -όν: acquired through learning, 1
παρα-γίγνομαι: come (to, near), be present, 8
πλοῦτος, ὁ: wealth, riches, 4
πολίτης, ὁ: citizen, 4
πρό: before, in front; in place of (gen.), 2
πρῶτος, -η, -ον: first, earliest, 9
σός, -ή, -όν: your, yours, 6

καί: also; adv.
ἐπί...: dat. of cause, see above,
ἥκιστα: superlative adv. is often, as here,
an adverbial acc. in the neut. pl.

77a ἔχεις: *are you able...?*; + inf.
ἆρα: *whether...*; ind. question
διδακτὸν...ἀσκητόν: see the box below
ἡ ἀρετή (ἐστιν): add a linking verb
3 φύσει: *by...*; φύσε-ι, dat. of means, φύσις
τοῖς ἀνθρώποις: *to...*; dat. of compound
verb
5 τοῦ: *this (time)*; translate as demonstrative
(οἱ) Θετταλοί: Attic authors often omit
the article for national groups
ἦσαν: impf. εἰμί
6 ἐθαυμάζοντο: passive
ἐφ'...: *for...*; ἐπί...; a dat. of cause with a
verb of emotion (S1517) may sometimes be
preceded by ἐπί (S1689c)
b1 ὡς...: *as...*; a parenthetical clause

2 πολῖται: *(fellow)-citizens*; assume a form
of θαυμάζω as the verb
τούτου: *for...*; gen. of charge with αἴτιος
(S1425, S1375)
ὑμῖν: *for you all*; i.e. for Meno and his
fellow Thessalians; dat. of interest
3 ἐράστὰς: *as lovers*
4 ἐπί...: see above; take closely with ἐράστὰς
εἴληφεν: 3s pf. λαμβάνω
τοὺς πρώτους: i.e. the leading men
ὧν: *among...*; relative pronoun and
partitive gen.

διδάκτον, ἀσκητόν and μαθητὸν

These verbal adjectives are (1) neut. sg. predicates (ἡ ἀρετή is treated as neuter in the *Meno*) and (2) substantives. They may be translated as perfect passive participles ('taught' 'practiced') or as adjectives expressing possibility ('teachable' 'acquired through practice') (S472). Therefore, διδάκτον, for example, an be translated a number of ways: 'something taught,' 'a thing taught,' 'something teachable,' or 'a teachable thing.'

ἐραστής ἐστιν Ἀρίστιππος, καὶ τῶν ἄλλων Θετταλῶν. καὶ 5
δὴ καὶ τοῦτο τὸ ἔθος ὑμᾶς εἴθικεν, ἀφόβως τε καὶ μεγαλο-
πρεπῶς ἀποκρίνεσθαι ἐάν τίς τι ἔρηται, ὥσπερ εἰκὸς τοὺς
εἰδότας, ἅτε καὶ αὐτὸς παρέχων αὑτὸν ἐρωτᾶν τῶν Ἑλλήνων c
τῷ βουλομένῳ ὅ τι ἄν τις βούληται, καὶ οὐδενὶ ὅτῳ οὐκ
ἀποκρινόμενος. ἐνθάδε δέ, ὦ φίλε Μένων, τὸ ἐναντίον
περιέστηκεν· ὥσπερ αὐχμός τις τῆς σοφίας γέγονεν, καὶ κιν-
δυνεύει ἐκ τῶνδε τῶν τόπων παρ' ὑμᾶς οἴχεσθαι ἡ σοφία. εἰ 71
γοῦν τινα ἐθέλεις οὕτως ἐρέσθαι τῶν ἐνθάδε, οὐδεὶς ὅστις οὐ
γελάσεται καὶ ἐρεῖ· 'ὦ ξένε, κινδυνεύω σοι δοκεῖν μακάριός
τις εἶναι—ἀρετὴν γοῦν εἴτε διδακτὸν εἴθ' ὅτῳ τρόπῳ παρα-

Ἀρίστιππος, -ου ὁ: Aristippus, 2
ἅτε: inasmuch as, since (+ pple.), 5
αὐχμός, ὁ: drought, dearth, shortage, 1
ἀφόβως: fearlessly, 1
γελάω: to laugh, 1
γοῦν (γε οὖν): at any rate; *a reply*: yes, well 7
ἐθίζω: to make (acc) accustomed; accustom, 1
ἔθος, -εος, τό: custom, habit, 2
εἰκός -ότος τό: likely, probable, reasonable, 3
Ἕλλην, Ἕλληνος, ἡ: Greece, 1
ἐναντίος, -α, -ον: opposite, contrary, 8
ἐνθάδε: hither, here; thither, there, 7
ἐραστής, -οῦ ὁ: a lover, 3

ἔρομαι (not in pres.): ask, inquire, question, 7
Θετταλός, ὁ: Thessalian, 2
κινδυνεύω: to run the risk, be likely (inf.), 6
μακάριος, -α, -ον: blessed, happy, 1
μεγαλοπρεπῶς: magnificently, 2
ξένος, ὁ: guest, foreigner, stranger, 10
οἴχομαι: have gone, have departed; be gone, 1
παρα-γίγνομαι: come (to, near), be present, 8
παρ-έχω: to provide, furnish, supply, 3
περ-ίστημι: turn out, come round; set around 1
τόπος, ὁ: place, region, 1
ὑμεῖς: you, 5
φίλος, -η, -ον: dear, friendly; a friend, kin, 6

5 καὶ δὴ καί: *and in particular*; 'and indeed also,' the second καί is an adv. (S2890)

6 εἴθικεν: *he has made...accustomed to this custom*; 3s pf. ἐθίζω ; Gorgias is the subject; τοῦτο τὸ ἔθος is a cognate acc.
ἀφόβως...ἀποκρίνεσθαι: *(namely) that (they)...*; ind. disc. with missing acc. subj.

7 ἐάν...ἔρηται: a pres. general condition (ἐάν + subj., pres.) with mid. subj. ἔρομαι; τίς is indefinite τις
εἰκός (ἐστιν): *(it is)...*; impersonal, add verb
τοὺς εἰδότας (ἀποκρίνεσθαι): *that those...*; ind. disc. with acc. pl. pple οἶδα

c1 ἅτε...παρέχων: *inasmuch as...*; or 'since,' ἅτε + pple indicates a cause from the speaker's point of view
καί: *in fact, actually*; adv.
(ἑ)αυτὸν: note accent; 3rd pers. reflexive
ἐρωτᾶν: *for questioning*; 'to be questioned' an epexegetical (explanatory) inf. is often

active in Greek where English prefers the passive (S2006); pres. α-contract inf.
τῷ βουλομένῳ (ἐρωτᾶν): *to (anyone)...*

2 ὅ τι ἄν...: *whatever...*; general relative clause, neut. sg. ὅστις (ὅ τι is equiv. to ὅτι)
οὐδενὶ ὅτῳ οὐκ: *to anyone whosoever*; 'to no one who not;' dat. ὅστις; see (S2534)

3 ἐνθάδε δέ: i.e. in Athens

4 περιέστηκεν, γέγονεν: 3s pf., γίγνομαι
κινδυνεύει...οἴχεσθαι, *runs the risk of having gone..., is likely to have gone...*

71a παρ(ὰ)...: *to...*; acc. place to which

2 τῶν ἐνθάδε: *of those here*; partitive gen.
οὐδεὶς ὅστις οὐ: *everyone*; '(there is) no one who not,' treat as one pronoun (S2534)

3 ἐρεῖ: fut. λέγω (ἐρέω)
ἀρετὴν...εἰδέναι: *(namely) to know whether virtue (is)...*; 'to know virtue whether...' proleptic use of ἀρετὴν; inf. οἶδα

4 ὅτῳ τρόπῳ: *in whatever way*; dat. ὅστις

γίγνεται εἰδέναι—ἐγὼ δὲ τοσοῦτον δέω εἴτε διδακτὸν εἴτε 5
μὴ διδακτὸν εἰδέναι, ὥστ' οὐδὲ αὐτὸ ὅ τι ποτ' ἐστὶ τὸ παράπαν
ἀρετὴ τυγχάνω εἰδώς.'

ἐγὼ οὖν καὶ αὐτός, ὦ Μένων, οὕτως ἔχω· συμπένομαι b
τοῖς πολίταις τούτου τοῦ πράγματος, καὶ ἐμαυτὸν κατα-
μέμφομαι ὡς οὐκ εἰδὼς περὶ ἀρετῆς τὸ παράπαν· ὃ δὲ μὴ
οἶδα τί ἐστιν, πῶς ἂν ὁποῖόν γέ τι εἰδείην; ἢ δοκεῖ σοι
οἷόν τε εἶναι, ὅστις Μένωνα μὴ γιγνώσκει τὸ παράπαν ὅστις 5
ἐστίν, τοῦτον εἰδέναι εἴτε καλὸς εἴτε πλούσιος εἴτε καὶ
γενναῖός ἐστιν, εἴτε καὶ τἀναντία τούτων; δοκεῖ σοι οἷόν τ'
εἶναι;

ΜΕΝ. οὐκ ἔμοιγε. ἀλλὰ σύ, ὦ Σώκρατες, ἀληθῶς
οὐδ' ὅ τι ἀρετή ἐστιν οἶσθα, ἀλλὰ ταῦτα περὶ σοῦ καὶ οἴκαδε c
ἀπαγγέλλωμεν;

ἀπ-αγγέλλω: to report, announce, 1
γενναῖος, -α, -ον: noble-born, well-bred, 1
ἐμαυτοῦ, -ῆς, -οῦ: myself, 6
ἐναντίος, -α, -ον: opposite, contrary, 8
κατα-μέμφομαι: to find fault with, blame, 1
οἴκα-δε: homeward, home, 1

ὁποῖος, -α, -ον: what sort or kind, 5
παράπαν, τό: altogether, absolutely, at all, 5
πλούσιος, -α, -ον: rich, wealthy, opulent, 3
πολίτης, ὁ: citizen, 4
συμ-πένομαι: to be poor along along with, 1
τοσοῦτος, -αύτη, -οῦτο: so great/much/long 9

c5 **τοσοῦτον δέω**: *I am far from* + inf.; 'I
lack so much from;' adv. acc. (inner acc.)
εἴτε...εἴτε...: *whether (it is)...or...*; add verb
οὐδὲ: *not even*; adv., not conjunction
ὅ τι ποτ(ε) ἐστι...ἀρετὴ: *what in the
world...*; ind. question with neuter ὅστις;
a common idiom with ποτε (S346)
τὸ παράπαν: adv., often with article
6 **τυγχάνω εἰδὼς**: *happen to...*; τυγχάνω
+ complementary pple; nom. sg. pf. οἶδα
b1 **καὶ**: *too, also*; adv.
οὕτως ἔχω: *I am...*; ἔχω ('is disposed' or
'holds') + adv. is often equiv. to εἰμί + adj.
τοῖ πολίταις: *with...*; dat. of compound
τούτου πράγματος: *in...*; a gen. of
separation with a verb of need/lack (S1396)
3 **ὡς...εἰδὼς**: *on the grounds that...*; 'since...'
ὡς + pple expresses alleged cause
ὃ δὲ...ἐστιν: *(that) which...*; (τοῦτο) ὃ...:
Greek often omits a antecedent of a relative
clause if it is a demonstrative; that missing
τοῦτο is either (1) an acc. of respect ('in

respect to that...' or 'as for that...' or (2) the
subject of τί ἐστιν used proleptically as
obj. of οἶδα; μή indicates that the clause is
conditional in sense (equiv. to 'if I do not
know, how...?)
ὁποῖόν γέ (ἐστιν) τι: *what sort at all (it is)*;
ind. question; τις, τι often follow pronouns,
often to add emphasis (S1268)
ἂν...εἰδείην: *would...*; 1s potential opt. οἶδα
4 **ἢ δοκεῖ...**: *or does it...*; a question
οἷόν τε εἶναι: *to be possible*; 'to be the sort
to;' οἷός τε εἰμί + inf. is a common idiom
for 'to be able' or 'to be possible'
5 **ὅστις...**: τοῦτον is antecedent; μή, see b3
6 **τοῦτον εἰδέναι**: *that this one...*; ind. disc.,
inf. οἶδα governed by οἷόν τε εἶναι
καὶ: *in fact, actually*; adv., here and in l. 7
τὰ (ἐ)ναντία: adv. acc.
9 **ἔμοιγε**: dat. ἔγωγε
c1 **οὐδὲ ὅ τι**: *not even what...*; adverbial οὐδέ
2 **ἀπαγγέλλωμεν**: *are we to...?*; deliberative
subj.; καί 'also' modifies the verb

ΣΩ. μὴ μόνον γε, ὦ ἑταῖρε, ἀλλὰ καὶ ὅτι οὐδ' ἄλλῳ πω
ἐνέτυχον εἰδότι, ὡς ἐμοὶ δοκῶ.

MEN. τί δέ; Γοργίᾳ οὐκ ἐνέτυχες ὅτε ἐνθάδε ἦν;   5

ΣΩ. ἔγωγε.

MEN. εἶτα οὐκ ἐδόκει σοι εἰδέναι;

ΣΩ. οὐ πάνυ εἰμὶ μνήμων, ὦ Μένων, ὥστε οὐκ ἔχω
εἰπεῖν ἐν τῷ παρόντι πῶς μοι τότε ἔδοξεν. ἀλλ' ἴσως
ἐκεῖνός τε οἶδε, καὶ σὺ ἃ ἐκεῖνος ἔλεγε· ἀνάμνησον οὖν   10
με πῶς ἔλεγεν. εἰ δὲ βούλει, αὐτὸς εἰπέ· δοκεῖ γὰρ δήπου   **d**
σοὶ ἅπερ ἐκείνῳ.

MEN. ἔμοιγε.

ΣΩ. ἐκεῖνον μὲν τοίνυν ἐῶμεν, ἐπειδὴ καὶ ἄπεστιν· σὺ
δὲ αὐτός, ὦ πρὸς θεῶν, Μένων, τί φῂς ἀρετὴν εἶναι; εἶπον   5
καὶ μὴ φθονήσῃς, ἵνα εὐτυχέστατον ψεῦσμα ἐψευσμένος ὦ,

ἄπ-ειμι: to be away, be absent, 1
Γοργίας, ὁ: Gorgias, 8
ἐάω: to permit, allow, let be, leave alone, 4
εἶτα: then, next, and so, therefore, 4
ἐνθάδε: hither, here; thither, there, 7
ἐν-τυγχάνω: to chance upon, meet (dat) 5
ἑταῖρος, ὁ: comrade, companion, mate, 6
εὐτυχής, -ές: successful, fortunate, 1
θεός, ὁ: a god, divinity, 2
ἵνα: in order that, so that (subj.); where, 9

μνήμων, -ονος: mindful, having a good
memory, 1
ὅτε: when, at some time, 3
πάρ-ειμι: to be near, be present, be at hand, 2
πω: yet, up to this time, 5
τότε: at that time, then, 6
φθονέω: begrudge, bear ill-will, envy (dat) 2
ψεύδω: to lie; *pass.* be deceived, mistaken 1
ψεῦσμα, -ατος, τό: lie, falsehood, 1

c3 μὴ μόνον...ἀλλὰ καί: *not only...but also...*
   γε: *indeed;* or 'yes;' often used in replies
   both positive and negative (S2825, D130)
   ὅτι: *that...*; ind. disc.
   ἄλλῳ...εἰδότι: *another...*; dat. obj. of
   compound verb; pple οἶδα
4 ὡς: *as...*; parenthetical
5 τί δέ: *What?*; 'what about this?' expresses
   surprise and introduces another question
   ἦν: 3s impf. εἰμί
6 ἔγωγε: i.e. I did meet him; Greeks often
   repeat part of the question in their reply to
   express affirmation and use ναί, 'yes'
8 μνήμων, ὦ Μένων: a clever word play
   ἔχω: *I am able;* + aor. inf. λέγω
9 ἐν τῷ παρόντι: *in the present (moment)*;
   i.e. at present; pple πάρ-ειμι
10 ἀνάμνησον: aor. imper. ἀναμιμνήσκω

d1 πῶς...: *what he meant*; 'in what sense...'
   βούλει: βούλε(σ)αι, 2s pres. mid.
   εἰπέ: aor. imper. λέγω, > 2nd aorist εἶπον
2 ἅπερ (δοκεῖ) ἐκείνῳ: *just as...*; 'the very
   (things) which;' (ταῦτα) ἅπερ, a relative
   clause with missing verb; the missing neut.
   pl. antecedent is subject of 3s δοκεῖ
4 ἐῶμεν: *let us...*; hortatory subj. ἐάω
   καί: *in fact, actually*; adv.
5 πρὸς θεῶν: *by the gods!*; expressed in oaths
   or, as here, in entreaties (S1695)
   φῂς: 2s pres. φημί
   εἶπον: aor. imper. λέγω, > 1st aorist εἶπα
6 μὴ φθονήσῃς: *don't...*; prohibitive aor. subj.
   ἵνα...ψευσμένος ὦ: *so that I may prove to
   have made a most fortunate mistake*;
   purpose with periphrastic pf. mid. subj. (pf.
   pple + 1s subj. εἰμί) and a cognate acc.

ἂν φανῇς σὺ μὲν εἰδὼς καὶ Γοργίας, ἐγὼ δὲ εἰρηκὼς μηδενὶ
πώποτε εἰδότι ἐντετυχηκέναι.

ΜΕΝ. ἀλλ' οὐ χαλεπόν, ὦ Σώκρατες, εἰπεῖν. πρῶτον e
μέν, εἰ βούλει ἀνδρὸς ἀρετήν, ῥάδιον, ὅτι αὕτη ἐστὶν ἀνδρὸς
ἀρετή, ἱκανὸν εἶναι τὰ τῆς πόλεως πράττειν, καὶ πράττοντα
τοὺς μὲν φίλους εὖ ποιεῖν, τοὺς δ' ἐχθροὺς κακῶς, καὶ αὐτὸν
εὐλαβεῖσθαι μηδὲν τοιοῦτον παθεῖν. εἰ δὲ βούλει γυναικὸς 5
ἀρετήν, οὐ χαλεπὸν διελθεῖν, ὅτι δεῖ αὐτὴν τὴν οἰκίαν εὖ
οἰκεῖν, σῴζουσάν τε τὰ ἔνδον καὶ κατήκοον οὖσαν τοῦ ἀνδρός.
καὶ ἄλλη ἐστὶν παιδὸς ἀρετή, καὶ θηλείας καὶ ἄρρενος, καὶ
πρεσβυτέρου ἀνδρός, εἰ μὲν βούλει, ἐλευθέρου, εἰ δὲ βούλει,
δούλου. καὶ ἄλλαι πάμπολλαι ἀρεταί εἰσιν, ὥστε οὐκ 72
ἀπορία εἰπεῖν ἀρετῆς πέρι ὅ τι ἐστίν· καθ' ἑκάστην γὰρ
τῶν πράξεων καὶ τῶν ἡλικιῶν πρὸς ἕκαστον ἔργον ἑκάστῳ
ἡμῶν ἡ ἀρετή ἐστιν, ὡσαύτως δὲ οἶμαι, ὦ Σώκρατες, καὶ ἡ
κακία. 5

ἀ-πορία, ἡ: a lack of resources, bewildering, 6
ἄρσην, -ενος, ὁ: male, masculine, 1
Γοργίας, ὁ: Gorgias, 8
δι-έρχομαι: to go or pass through, 2
δοῦλος, ὁ: slave, 3
ἐλεύθερος, -α, -ον: free, 2
ἔνδον: within, at home, 1
ἐν-τυγχάνω: to chance upon, meet (dat) 5
ἔργον, τό: deed, act; work; result, effect, 6
εὐλαβέομαι: to be cautious, beware, 2
ἐχθρός, -ά, -όν: hated, hostile; enemy, 1
ἡλικία, ἡ: age, time of life, 2
θῆλυς, -εια, -υ: female, feminine, 1
ἱκανός, -ή, -όν: enough, sufficient; capable, 3
κακία, ἡ: vice, wickedness, cowardice, 3
κατ-ήκοος,-όν: heeding, hearing, obedient 1

μηδ-είς, μηδ-εμία, μηδ-έν: no one, nothing, 8
οἰκέω: to manage a household, inhabit, live, 1
οἰκία, ἡ: a house, home, dwelling, 6
παῖς, παιδός, ὁ, ἡ: child, boy, girl; slave, 9
πάμπολυς, -πολλη, -πολυ: very many 4
πάσχω: to suffer; allow, experience, 4
πρᾶξις, -εως ἡ: action, activity, transaction, 8
πρεσβύτης (πρέσβυς), ὁ: old man, elder, 6
πρῶτος, -η, -ον: first, earliest, 9
πώ-ποτε: ever yet, ever, 3
ῥάδιος, -α, -ον: easy, ready, 6
σῴζω: to save, preserve, maintain, 1
φίλος, -η, -ον: dear, friendly; a friend, kin, 6
χαλεπός, -ά, -όν: difficult, hard, harsh, 3
ὡσαύτως: in the same manner, just so, 6

d7 ἂν φανῇς: *if you are shown*; (ἐ)άν + 2s aor.
pass. subj. + pple (S2143); ~fut. more vivid
εἰδὼς: nom. sg. pf. pple οἶδα
(φανῶ) εἰρηκὼς: *(I am shown)* ...; pf. λέγω
(ἐμὲ) μηδενί...ἐντετυχηκέναι: *that (I)...*; ind.
disc. with pf. inf. + dat. sg. pf. pple οἶδα
e1 χαλεπόν (ἐστι): *(it is) difficult*; impersonal
2 βούλει: βούλε(σ)αι, 2s pres. mid.
ῥάδιον (ἐστί εἶπειν): *(it is)...*; supply verbs
αὕτη: *this*; τοῦτο attracted into f. by pred.

3 εἶναι...ποιεῖν...εὐλαβεῖσθαι: *(namely that
he) be...;* ind. disc. in apposition to αὕτη
τὰ τῆς πόλεως: *the affairs of the city*
4 εὖ ποιεῖν...κακῶς: *treat well...(treat) badly*
6 αὐτὴν...οἰκεῖν: *that she...;* ind. disc.
7 τὰ ἔνδον: *affairs within (the house)*
a2 ἀπορία (ἐστί): *it is bewildering;* + inf.
ἀρετῆς πέρι: περὶ ἀρετῆς; anastrophe
καθ' ἑκάστην: *according to each...;* + gen.
3 πρὸς...ἔργον: *in regard to...*

5

ΣΩ. πολλῇ γέ τινι εὐτυχίᾳ ἔοικα κεχρῆσθαι, ὦ Μένων,
εἰ μίαν ζητῶν ἀρετὴν σμῆνός τι ἀνηύρηκα ἀρετῶν παρὰ σοὶ
κείμενον. ἀτάρ, ὦ Μένων, κατὰ ταύτην τὴν εἰκόνα τὴν
περὶ τὰ σμήνη, εἴ μου ἐρομένου μελίττης περὶ οὐσίας ὅ τι   b
ποτ᾽ ἐστίν, πολλὰς καὶ παντοδαπὰς ἔλεγες αὐτὰς εἶναι, τί
ἂν ἀπεκρίνω μοι, εἴ σε ἠρόμην· ᾽ἆρα τούτῳ φῂς πολλὰς
καὶ παντοδαπὰς εἶναι καὶ διαφερούσας ἀλλήλων, τῷ μελίττας
εἶναι; ἢ τούτῳ μὲν οὐδὲν διαφέρουσιν, ἄλλῳ δέ τῳ, οἷον   5
ἢ κάλλει ἢ μεγέθει ἢ ἄλλῳ τῳ τῶν τοιούτων;᾽ εἰπέ, τί ἂν
ἀπεκρίνω οὕτως ἐρωτηθείς;

MEN. τοῦτ᾽ ἔγωγε, ὅτι οὐδὲν διαφέρουσιν, ᾗ μέλιτται
εἰσίν, ἡ ἑτέρα τῆς ἑτέρας.

ΣΩ. εἰ οὖν εἶπον μετὰ ταῦτα· ᾽τοῦτο τοίνυν μοι   c
αὐτὸ εἰπέ, ὦ Μένων· ᾧ οὐδὲν διαφέρουσιν ἀλλὰ ταὐτόν

ἀλλήλος, -α, -ον: one another, 3
ἀν-ευρίσκω: to find out, discover, 4
ἀτάρ: but; not then, 1
εἰκών, -όνος, ἡ: image, likeness; statue, 2
ἔρομαι (not in pres.): ask, inquire, question, 7
εὐτυχία, ἡ: good fortune, success, 1
κάλλος, -εος, ὁ: beauty, 2

κεῖμαι: to lie down, 1
χράομαι: to use, employ, experience (dat.) 4
μέγεθος, -εος, τό: size, length, magnitude, 3
μέλιττα, ἡ: bee, honey-bee, 3
οὐσία, ἡ: being, essence, nature, substance, 1
παντο-δαπός, -ή, -όν: of every kind/sort, 3
σμῆνος, -εος, τό: swarm of bees, beehive 2

6   πολλῇ γέ τινι...: *some great...indeed*; γε is
    emphatic; the pronoun τινι is also
    emphatic—see 97e3
    κεχρῆσθαι: pf. mid. χράομαι + dat.
7   ζητῶν: *(while)...*; pres. pple ζητέω
    ἀνηύρηκα: 1s pf.
    παρα...: *beside...*; dat. of place where
8   κείμενον: mid. pple modifying σμῆνος
    ἀτάρ: *now*; marking a new point (S2801)
    κατά...: *according to...*; i.e. the metaphor
b1 περί...: *regarding...*; in the attributive
    position modifying εἰκόνα
    εἰ...ἔλεγε, ἂν ἀπεκρίνω: *if you were...*,
    would you...; contrary to fact condition (εἰ
    + impf., ἂν + aor.); ἀπεκρίνα(σ)ο, 2s aor.
    μου ἐρομένου: gen. abs. with mid. ἔρομαι
    ὅ τι ποτ(ε)...: *what in the world it...*; S346
2   αὐτὰς εἶναι: *that they...*; ind. disc., inf. εἰμί
    εἰ...ἠρόμην: *if I were...*; a 2nd protasis

τούτῳ: *because of this*; dat. of cause
φῂς: 2s φημί
4   ἀλλήλων: *from...*; gen. of separation
    τῷ...εἶναι: *(namely) because of (their)*
    being...; an articular inf. as dat. of cause in
    apposition to τούτῳ; translate as a gerund
5   οὐδὲν: *not at all*; inner acc.: 'no difference'
6   ἄλλῳ δέ τῳ: *but because of...*; alternative
    form for indef. τινί; one of many dat. of
    cause forms to follow
    οἷον: *for example*; common acc. of respect
7   ἐρωτηθείς: nom. aor. pass. pple ἐρωτάω
8   τοῦτ(ο): *(I would say) this, (namely that)*
    ᾗ: *by which...*; relative with 3p εἰμί
9   τῆς ἑτέρας: *from another*; gen. separation
c1 εἰ εἶπον...: *if I had...*; contrary to fact
2   ᾧ: *because of what...*; dat. cause; relative
    clause preceding the antecedent τοῦτο
    ταὐτόν: *the same*; τ(ὸ) αὐτό, crasis

εἰσιν ἅπασαι, τί τοῦτο φῇς εἶναι;' εἶχες δήπου ἄν τί μοι
εἰπεῖν;

ΜΕΝ. ἔγωγε.   5

ΣΩ. οὕτω δὴ καὶ περὶ τῶν ἀρετῶν· κἂν εἰ πολλαὶ καὶ
παντοδαπαί εἰσιν, ἕν γέ τι εἶδος ταὐτὸν ἅπασαι ἔχουσιν
δι' ὃ εἰσὶν ἀρεταί, εἰς ὃ καλῶς που ἔχει ἀποβλέψαντα τὸν
ἀποκρινόμενον τῷ ἐρωτήσαντι ἐκεῖνο δηλῶσαι, ὃ τυγχάνει
οὖσα ἀρετή· ἢ οὐ μανθάνεις ὅ τι λέγω;   d

ΜΕΝ. δοκῶ γέ μοι μανθάνειν· οὐ μέντοι ὡς βούλομαί
γέ πω κατέχω τὸ ἐρωτώμενον.

ΣΩ. πότερον δὲ περὶ ἀρετῆς μόνον σοι οὕτω δοκεῖ, ὦ
Μένων, ἄλλη μὲν ἀνδρὸς εἶναι, ἄλλη δὲ γυναικὸς καὶ τῶν   5
ἄλλων, ἢ καὶ περὶ ὑγιείας καὶ περὶ μεγέθους καὶ περὶ ἰσχύος
ὡσαύτως; ἄλλη μὲν ἀνδρὸς δοκεῖ σοι εἶναι ὑγίεια, ἄλλη
δὲ γυναικός; ἢ ταὐτὸν πανταχοῦ εἶδός ἐστιν, ἐάνπερ ὑγίεια
ᾖ, ἐάντε ἐν ἀνδρὶ ἐάντε ἐν ἄλλῳ ὁτῳοῦν ᾖ;   e

ἅπας, ἅπασα, ἅπαν: every, quite all, 7
ἀπο-βλέπω: to look (away) at, gaze, 2
δηλόω: to show, reveal, make clear, 2
ἐάν-περ: if really, 4
ἐάντε...ἐάντε: whether...or, 8
εἶδος, -εος, τό: form, shape, figure, 4
εἷς, μία, ἕν: one, single, alone, 14
ἰσχύς, ἰσχύος ὁ: strength, power, force, 6

κατ-έχω: to possess; hold fast, hold back, 3
μέγεθος, -εος, τό: size, length, magnitude, 3
μέν-τοι: however, moreover; certainly, 6
παντα-χοῦ: everywhere, in all places, 1
παντο-δαπός, -ή, -όν: of every kind/sort, 3
πω: yet, up to this time, 5
ὑγίεια, ἡ: health, soundness, 6
ὡσαύτως: in the same manner, just so, 6

c3 φῇς: 2s φημί
εἶχες ἄν: *you would be able*...; ἄν + impf.
ind., apodosis in a mixed contrary to fact
τί: indefinite τι, obj. of εἰπεῖν
6 δή: *just, exactly*; intensive with οὕτω
καί: *also*
κἂν εἰ: *even if*; καὶ ἂν εἰ; the ἄν belongs
with the preceding clause: do not translate
7 ἕν γέ τι εἶδος τ(ὸ) αὐτό: a very important
phrase; γε modifies the entire phrase and is
emphatic
8 δι(ὰ): *on account of*...; + acc.; introducing a
relative clause
εἰς ὅ: *(and) at which*...; relative clause

καλῶς ἔχει: *it is good*; translate ἔχω ('is
disposed' or 'holds') + adv. as εἰμί + adj.
τὸν...δηλῶσαι: *that (the one)*...; the true
subject of ἔχει; aor. inf. δηλόω
τυγχάνει οὖσα: *happen to*...; τυγχάνω
+ complementary pple; fem. sg. pple. εἰμί
d3 οὐ...γέ: *not...at least*; restricting the
clause of comparison that intervenes
3 τὸ ἐρωτώμενον: *what is being asked*
5 ἄλλη...ἄλλη: *one (virtue)...another (virtue)*
8 ἐάνπερ...ᾖ: *if...there is*; ἄν + 3s subj. εἰμί
in a pres. general condition (ἐάν subj., pres)

MEN. ἡ αὐτή μοι δοκεῖ ὑγίειά γε εἶναι καὶ ἀνδρὸς καὶ γυναικός.

ΣΩ. οὐκοῦν καὶ μέγεθος καὶ ἰσχύς; ἐάνπερ ἰσχυρὰ γυνὴ ᾖ, τῷ αὐτῷ εἴδει καὶ τῇ αὐτῇ ἰσχύϊ ἰσχυρὰ ἔσται; τὸ 5 γὰρ τῇ αὐτῇ τοῦτο λέγω· οὐδὲν διαφέρει πρὸς τὸ ἰσχὺς εἶναι ἡ ἰσχύς, ἐάντε ἐν ἀνδρὶ ᾖ ἐάντε ἐν γυναικί. ἢ δοκεῖ τί σοι διαφέρειν;

MEN. οὐκ ἔμοιγε.

ΣΩ. ἡ δὲ ἀρετὴ πρὸς τὸ ἀρετὴ εἶναι διοίσει τι, ἐάντε 73 ἐν παιδὶ ᾖ ἐάντε ἐν πρεσβύτῃ, ἐάντε ἐν γυναικὶ ἐάντε ἐν ἀνδρί;

MEN. ἔμοιγέ πως δοκεῖ, ὦ Σώκρατες, τοῦτο οὐκέτι ὅμοιον εἶναι τοῖς ἄλλοις τούτοις. 5

ΣΩ. τί δέ; οὐκ ἀνδρὸς μὲν ἀρετὴν ἔλεγες πόλιν εὖ

ἐάν-περ: if really, 4
ἐάντε...ἐάντε: whether...or, 8
εἶδος, -εος, τό: form, shape, figure, 4
ἰσχυρός, -ά, -όν: strong, powerful; severe, 2
ἰσχύς, ἰσχύος ὁ: strength, power, force, 6
μέγεθος, -εος, τό: size, length, magnitude, 3

ὅμοιος, -α, -ον: like, resembling, similar (dat) 5
οὐκ-έτι: no more, no longer, no further, 1
παῖς, παιδός, ὁ, ἡ: child, boy, girl; slave, 9
πρεσβύτης (πρέσβυς), ὁ: old man, elder, 6
πως: somehow, in any way, 5
ὑγίεια, ἡ: health, soundness, 6

e2 ἡ αὐτή ὑγίεια: αὐτός in the attributive position (after the article) means 'same'
4 οὐκοῦν: *accordingly*; this inferential particle is used 42 times while οὔκουν, 'certainly not,' (note accent!) is used once
ἐάνπερ...ᾖ, ἔσται: *if... is, ...will be*; a fut. more vivid condition (ἐάν subj., fut.) εἰμί
5 τῷ αὐτῷ εἴδε-ι: *because of..., by...*; dat. of cause εἶδος; for αὐτῷ see note for l. e2
ἔσται: fut. dep. εἰμί
6 τὸ τῇ αὐτῇ τοῦτο λέγω: *(by the word) 'the same' I mean this*; λέγω governs a double acc. hard to express in English; the neuter article τό is here equiv. to quotation marks for the word that follows and may be translated as 'the word' or 'the phrase'

οὐδὲν: *not at all*; inner acc.: 'no difference'
πρὸς τὸ...εἶναι: *in regard to...*; + articular inf. of εἰμί: translate as gerund (-ing)
7 ᾖ: 3s pres. subj. εἰμί; pres. general condition
τί: *at all*; τι, inner acc., 'some difference'
73a πρὸς τὸ...εἶναι: see above in d6
διοίσει: 3s fut. διαφέρω (οἴσω)
τι: see line d7
4 τοῦτο...εἶναι: *that this...*; ind. disc.
6 τί δέ: *What?*; 'what about this?' or 'well then' expresses surprise and introduces another question
οὐκ...ἔλεγες: *were you not...?*; a question without interrogatives often suggests surprise; the imperfect refers to an earlier passage in the dialogue

διοικεῖν, γυναικὸς δὲ οἰκίαν; ΜΕΝ. ἔγωγε. ΣΩ. ἆρ᾽
οὖν οἷόν τε εὖ διοικεῖν ἢ πόλιν ἢ οἰκίαν ἢ ἄλλο ὁτιοῦν,
μὴ σωφρόνως καὶ δικαίως διοικοῦντα; ΜΕΝ. οὐ δῆτα.
ΣΩ. οὐκοῦν ἄνπερ δικαίως καὶ σωφρόνως διοικῶσιν, δι- b
καιοσύνῃ καὶ σωφροσύνῃ διοικήσουσιν; ΜΕΝ. ἀνάγκη.
ΣΩ. τῶν αὐτῶν ἄρα ἀμφότεροι δέονται, εἴπερ μέλλουσιν
ἀγαθοὶ εἶναι, καὶ ἡ γυνὴ καὶ ὁ ἀνήρ, δικαιοσύνης καὶ σω-
φροσύνης. ΜΕΝ. φαίνονται. ΣΩ. τί δὲ παῖς καὶ πρε- 5
σβύτης; μῶν ἀκόλαστοι ὄντες καὶ ἄδικοι ἀγαθοὶ ἄν ποτε
γένοιντο; ΜΕΝ. οὐ δῆτα. ΣΩ. ἀλλὰ σώφρονες καὶ
δίκαιοι; ΜΕΝ. ναί. ΣΩ. πάντες ἄρ᾽ ἄνθρωποι τῷ αὐτῷ c
τρόπῳ ἀγαθοί εἰσιν· τῶν αὐτῶν γὰρ τυχόντες ἀγαθοὶ γί-
γνονται. ΜΕΝ. ἔοικε. ΣΩ. οὐκ ἂν δήπου, εἴ γε μὴ ἡ
αὐτὴ ἀρετὴ ἦν αὐτῶν, τῷ αὐτῷ ἂν τρόπῳ ἀγαθοὶ ἦσαν.
ΜΕΝ. οὐ δῆτα. 5

ἄ-δικος, -ον: unrighteous, unjust, 3
ἀκόλαστος, -ον: intemperate, licentious, 1
ἀμφότερος, -α, -ον: both, each of two, 2
ἀνάγκη, ἡ: necessity, force, constraint, 6
δῆτα: certainly, surely, of course, 7
δι-οικέω: to manage, manage a house, 6
δίκαιος, -α, -ον: just, right, lawful, fair, 8
μέλλω: to be going to, intend to, 4

μῶν: but surely...not? (expects 'no' reply), 3
οἰκία, ἡ: a house, home, dwelling, 6
παῖς, παιδός, ὁ, ἡ: child, boy, girl; slave, 9
πρεσβύτης (πρέσβυς), ὁ: old man, elder, 6
σωφρόνως: temperately, moderately, 2
σωφροσύνη, ἡ: temperance, moderation, 7
σώφρων, -ονος: temperate, moderate, 2

a7 γυναικὸς δὲ (ἀρετὴν ἔλεγες) οἰκίαν (εὖ
 διοικεῖν): heavy ellipsis
8 οἷον τε (ἐστίν): *it is possible*; οἷός τε εἰμί +
 inf. is an idiom for 'to be able/possible'
 ὁτιοῦν: *whatsoever*; neuter ὅσ-τισ-οῦν
9 μὴ...διοικοῦντα: *(if) not...*; μή indicates that
 this participial phrase is conditional in
 sense; the acc. pple agrees with the
 missing acc. subj. of διοικεῖν
 οὐ δῆτα: *of course not*; δῆτα is either δή +
 an article or a lengthened form of δή
 (D269); in replies, it affirms another word,
 which is repeated from the question, S2851
b1 ἄνπερ...διοικῶσιν,...διοικήσουσιν : *if...*;
 (ἐ)άνπερ; a fut. more vivid (ἐάν subj., fut.)
 δικαιοσύνῃ...: *with...*; dat. of means
2 ἀνάγκη (ἐστίν): *(it is)...*; impersonal
3 τῶν αὐτῶν: *from...*; gen. of separation;
 ἄρα: *then, it turns out*; note that ἄρα is an

inferential particle while ἄρα (ἦ ἄρα) is a
particle which introduces a yes/no question
αὐτός in the attributive position: 'same'
δέονται: *need* + gen.; the definition 'lack'
will not suffice in this context; mid. δέω
4 καὶ ἡ γυνὴ...: in apposition to ἀμφότεροι
δικαιοσύνης, σωφροσύνης: in apposition
5 τί δέ: *what...?*; 'what about...?'
6 μῶν: anticipates and elicits a 'no' response
ἀκόλαστοι ὄντες...ἄδικοι: a participial
phrase conditional in sense; pple εἰμί
ἂν γένοιντο: *would...*; potential aor. opt.
c1 τῷ αὐτῷ τρόπῳ: *in...*; dat. of manner
2 αὐτῶν in the attributive position: 'same'
τυχόντες: pple τυγχάνω, 'attain' + gen.
3 εἴ...ἦν, ἂν..ἦσαν: *if...were, would be*; pres.
contrafactual (εἰ impf., ἂν impf.); ἂν is
repeated to emphasize what intervenes
εἴ γε: γε emphasizes the entire clause

ΣΩ. ἐπειδὴ τοίνυν ἡ αὐτὴ ἀρετὴ πάντων ἐστίν, πειρῶ
εἰπεῖν καὶ ἀναμνησθῆναι τί αὐτό φησι Γοργίας εἶναι καὶ
σὺ μετ' ἐκείνου.

ΜΕΝ. τί ἄλλο γ' ἢ ἄρχειν οἷόν τ' εἶναι τῶν ἀνθρώπων;
εἴπερ ἔν γέ τι ζητεῖς κατὰ πάντων. **d**

ΣΩ. ἀλλὰ μὴν ζητῶ γε. ἀλλ' ἆρα καὶ παιδὸς ἡ αὐτὴ
ἀρετή, ὦ Μένων, καὶ δούλου, ἄρχειν οἵω τε εἶναι τοῦ δε-
σπότου, καὶ δοκεῖ σοι ἔτι ἂν δοῦλος εἶναι ὁ ἄρχων;

ΜΕΝ. οὐ πάνυ μοι δοκεῖ, ὦ Σώκρατες. 5

ΣΩ. οὐ γὰρ εἰκός, ὦ ἄριστε· ἔτι γὰρ καὶ τόδε σκόπει.
ἄρχειν φῂς οἷόν τ' εἶναι. οὐ προσθήσομεν αὐτόσε τὸ
δικαίως, ἀδίκως δὲ μή;

ΜΕΝ. οἶμαι ἔγωγε· ἡ γὰρ δικαιοσύνη, ὦ Σώκρατες,
ἀρετή ἐστιν. 10

ΣΩ. πότερον ἀρετή, ὦ Μένων, ἢ ἀρετή τις; **e**

ΜΕΝ. πῶς τοῦτο λέγεις;

ἄ-δικος, -ον: unrighteous, unjust, 3
ἄριστος, -η, -ον: best, most excellent, noble, 5
ἄρχω: to begin; rule, be leader of (gen), 8
αὐτό-σε: to the very place, to here/there, 1
Γοργίας, ὁ: Gorgias, 8
δεσπότης, -ου ὁ: master, lord, 1
δίκαιος, -α, -ον: just, right, lawful, fair, 8

δοῦλος, ὁ: slave, 3
εἰκός -ότος τό: likely, probable, reasonable 3
ἐπι-θυμητής, ὁ: desirer, lover, follower, 1
παῖς, παιδός, ὁ, ἡ: child, boy, girl; slave, 9
πειράω: to try, attempt, endeavor, 9
προσ-τίθημι: to add, impose, attribute. 4

d6 ἐπειδὴ: causal
πειρῶ: πειρά(σ)ο; sg. mid. imperative
ἀναμνησθῆναι: aor. dep. inf. ἀναμιμνήσκω
7 τί αὐτό...εἶναι: *what very thing...*; ind. disc.
governed by 3s φήμι; the interrogative is
acc. subj.;
8 μετ(ὰ): *along with...*; + gen.; μέτα means
'after' when followed by acc. '
9 τί ἄλλο γ' (ἐστίν) ἢ: *what else (is it) than...*
οἷον τ(ε) εἶναι: *to be able*; supply φησι
Γοργίας from above
d1 εἴπερ: *if really*; for περ, see S2965
κατὰ: *over...*
2 ἀλλὰ μὴν...γε: *well certainly...indeed*; in
replies, ἀλλὰ serves as a mild adversative,
'well' and with μήν introduces a new point
(S2786) (D344); γε is emphatic
καὶ...καὶ...: *both for...and for...*

ἡ αὐτὴ ἀρετή (ἐστιν): *is...?*; supply a verb
3 ἄρχειν οἵω τε εἶναι...δεσπότου: *(namely)
that (those two)...*; ind. disc. in apposition
to ἡ ἀρετή; οἵω is dual acc. of οἷος,
agreeing with a missing dual acc. subject
4 ἂν εἶναι: *that (he) would...*; ind. disc., ἂν +
inf. is equiv. to ἂν + potential opt. εἰμί
6 εἰκός (ἐστιν): *(it is)...*; impersonal, add verb
καὶ: *also*
σκόπει: *keep..., continue to...*; σκόπε-ε:
ε-contract pres. (ongoing action) imperative
7 προσθήσομεν: fut. προστίθημι
τὸ δικαίως, ἀδίκως δὲ μή: *the phrase
'justly and not unjustly;'* for το, see 72e6
e1 ἀρετή...τις: *Virtue or a certain virtue?*;
virtues/vices often lack an article (S1132)
2 πῶς...λέγεις: *What do you mean by this?*;
'in what sense do you say this?'

ΣΩ. ὡς περὶ ἄλλου ότουοῦν. οἷον, εἰ βούλει, στρογ-
γυλότητος πέρι εἴποιμ' ἂν ἔγωγε ὅτι σχῆμά τί ἐστιν, οὐχ
οὕτως ἁπλῶς ὅτι σχῆμα. διὰ ταῦτα δὲ οὕτως ἂν εἴποιμι, 5
ὅτι καὶ ἄλλα ἔστι σχήματα.

ΜΕΝ. ὀρθῶς γε λέγων σύ, ἐπεὶ καὶ ἐγὼ λέγω οὐ μόνον
δικαιοσύνην ἀλλὰ καὶ ἄλλας εἶναι ἀρετάς.

ΣΩ. τίνας ταύτας; εἰπέ. οἷον καὶ ἐγώ σοι εἴποιμι ἂν 74
καὶ ἄλλα σχήματα, εἴ με κελεύοις· καὶ σὺ οὖν ἐμοὶ εἰπὲ
ἄλλας ἀρετάς.

ΜΕΝ. ἡ ἀνδρεία τοίνυν ἔμοιγε δοκεῖ ἀρετὴ εἶναι καὶ
σωφροσύνη καὶ σοφία καὶ μεγαλοπρέπεια καὶ ἄλλαι πάμ- 5
πολλαι.

ΣΩ. πάλιν, ὦ Μένων, ταὐτὸν πεπόνθαμεν· πολλὰς αὖ
ηὑρήκαμεν ἀρετὰς μίαν ζητοῦντες, ἄλλον τρόπον ἢ νυνδή·
τὴν δὲ μίαν, ἣ διὰ πάντων τούτων ἐστίν, οὐ δυνάμεθα
ἀνευρεῖν. 10

ἀνδρεία, ἡ: courage, manliness, bravery, 4
ἀν-ευρίσκω: to find out, discover, 4
ἁπλῶς: simply, 1
αὖ: again, once more; further, moreover, 8
δικαιοσύνη, ἡ: justice, righteousness, 11
δύναμαι: to be able, can, be capable, 9
εἷς, μία, ἕν: one, single, alone, 14
ἐπεί: when, after; since, because, 3
εὑρίσκω: to find, discover, devise, invent, 4
κελεύω: to bid, order, command, 2
μεγαλοπρέπεια, ἡ: magnificence, 2

νυν-δή: just now, 8
ὅστισ-οῦν, ἥτισουν, ὅτι-οῦν: whosoever, 11
πάλιν: again, once more; back, backwards, 9
πάμπολυς, -πολλη, -πολυ: very many 4
πάσχω: to suffer; allow, experience, 4
σοφία, ἡ: wisdom, skill, intelligence, 11
στρογγυλότης, -ητος, ὁ: roundness, 3
σωφροσύνη, ἡ: temperance, moderation, 7
τοί-νυν: therefore, accordingly; well then, 13
τρόπος, ὁ: manner, way; turn, direction, 12

e3 ὡς (λέγω): *What (I mean)*; 'as (I say),'
a comparative clause in response to πῶς
λέγεις
οἷον: *for example*; acc. of respect
βούλει: βούλε(σ)αι, 2s pres. mid.
στρογγυλότος πέρι: περὶ στρογγυλότος;
anastrophe (inverted order); note the accent
4 εἴποιμ(ι) ἂν: *would...*; 1s potential aor. opt.
λέγω
ὅτι: *that...*; ind. disc.
τί: *a certain*; indefinite τι
5 ὅτι σχῆμα (ἐστίν): *that (it is)...*; add verb
6 καὶ: *also*
ἔστι: *exist*; or 'there are'

7 ὀρθῶς γε λέγων σύ (ἂν εἴποις): supply a
main verb from the previous sentence
ἐπεὶ: causal
καὶ: *also, too*
οὐ μόνον... ἀλλὰ καὶ: *not only...but also*
74a τίνας ταύτας: *what (are) these*; nom. pl.
attracted into acc. of ἀρετάς above
οἷον: *for example*; acc. of respect
εἴποιμι ἂν, εἰ κελεύοις: *would..., if...should*;
fut. less vivid (εἰ opt., ἄν opt.)
7 ταὐτὸν: *the same thing*; crasis, τ(ὸ) αὐτό
πεπόνθαμεν: 1p pf. πάσχω
ηὑρήκαμεν: 1p pf. πάσχω
8 ἄλλον τρόπον: *in a different...*; adv. acc

ΜΕΝ. οὐ γὰρ δύναμαί πω, ὦ Σώκρατες, ὡς σὺ ζητεῖς,
μίαν ἀρετὴν λαβεῖν κατὰ πάντων, ὥσπερ ἐν τοῖς ἄλλοις.   **b**

ΣΩ. εἰκότως γε· ἀλλ' ἐγὼ προθυμήσομαι, ἐὰν οἷός τ'
ὦ, ἡμᾶς προβιβάσαι. μανθάνεις γάρ που ὅτι οὑτωσὶ ἔχει
περὶ παντός· εἴ τίς σε ἀνέροιτο τοῦτο ὃ νυνδὴ ἐγὼ ἔλεγον,
'τί ἐστιν σχῆμα, ὦ Μένων;' εἰ αὐτῷ εἶπες ὅτι στρογ-   5
γυλότης, εἴ σοι εἶπεν ἅπερ ἐγώ, 'πότερον σχῆμα ἡ στρογ-
γυλότης ἐστὶν ἢ σχῆμά τι;' εἶπες δήπου ἂν ὅτι σχῆμά τι.

ΜΕΝ. πάνυ γε.

ΣΩ. οὐκοῦν διὰ ταῦτα, ὅτι καὶ ἄλλα ἔστιν σχήματα;   **c**

ΜΕΝ. ναί.

ΣΩ. καὶ εἴ γε προσανηρώτα σε ὁποῖα, ἔλεγες ἄν;

ΜΕΝ. ἔγωγε.

ἀν-έρομαι: to ask, inquire, 3
δύναμαι: to be able, can, be capable, 9
εἰκότως: suitably, reasonably, 3
νυν-δή: just now, 8
ὁποῖος, -α, -ον: what sort or kind, 5
οὑτωσί: in this here way, just so, 1

προβιβάζω: to advance, move forward, 1
προ-θυμέομαι: to be eager, ready, willing, 2
προσ-αν-ερωτάω: ask/inquire in addition, 1
πω: yet, up to this time, 5
στρογγυλότης, -ητος, ὁ: roundness, 3

a11 ὡς: *as*...; a clause of comparison
b1 λαβεῖν: aor. inf. λαμβάνω
κατά...: *over*...
2 εἰκότως γε: *reasonably so*
ἐὰν οἷός τ(ε) ὦ: *if I am able*; protasis in a
fut. more vivid condition (ἐάν + subj., fut.)
1s pres. subj. εἰμί
3 προβιβάσαι: aor. inf.
που: *I suppose*
οὑτωσὶ ἔχει: *is just so*; 'is in this here way,'
the deictic, 'pointing,' iota on οὕτως
behaves as an intensive and here points to
what follows
4 εἴ...ἀνέροιτο...: *if...should*...; protasis of a
fut. less vivid; the condition shifts to pres.
contrary of fact below 3s pres. mid. opt.;
indefinite τις
5 σχῆμα: *shape*; not 'a shape'
αὐτῷ: i.e. the τις mentioned in b4

εἰ...εἶπες, εἶπες...ἄν: *if you had..., you
would have*...; past. contrary to fact
condition (εἰ + aor., ἄν aor.)
ὅτι: *that (it is)*...; add verb
6 εἶπεν: the 3s subject is the τις from b4
ἅπερ ἐγώ (εἶπον): *just as I*...; 'the very
(things) which I...' a relative clause with
missing antecedent and missing verb
σχῆμα...σχῆμα τι: the contrast is between
'shape' and 'a (certain) shape'
7 ὅτι: *that (it is)*; add linking verb
8 πάνυ γε: *quite so*; a very popular reply
c1 (εἶπες ἄν) ὅτι: *that*...; add verb from above
3 καὶ εἴ...: *and if...were, ...would*...; a pres.
contrary to fact (εἰ impf., impf.); γε
modifies the entire clause
προσανηρώτα: προσανηρωτα-ε; 3s
impf., governs a double acc.

ΣΩ. καὶ αὖ εἰ περὶ χρώματος ὡσαύτως ἀνήρετο ὅ τι 5
ἐστίν, καὶ εἰπόντος σου ὅτι τὸ λευκόν, μετὰ ταῦτα ὑπέλαβεν
ὁ ἐρωτῶν· 'πότερον τὸ λευκὸν χρῶμά ἐστιν ἢ χρῶμά τι;'
εἶπες ἂν ὅτι χρῶμά τι, διότι καὶ ἄλλα τυγχάνει ὄντα;
ΜΕΝ. ἔγωγε.
ΣΩ. καὶ εἴ γέ σε ἐκέλευε λέγειν ἄλλα χρώματα, ἔλεγες 10
ἂν ἄλλα, ἃ οὐδὲν ἧττον τυγχάνει ὄντα χρώματα τοῦ λευκοῦ;   **d**
ΜΕΝ. ναί.
ΣΩ. εἰ οὖν ὥσπερ ἐγὼ μετῄει τὸν λόγον, καὶ ἔλεγεν
ὅτι 'ἀεὶ εἰς πολλὰ ἀφικνούμεθα, ἀλλὰ μή μοι οὕτως,
ἀλλ' ἐπειδὴ τὰ πολλὰ ταῦτα ἑνί τινι προσαγορεύεις ὀνό-   5
ματι, καὶ φῇς οὐδὲν αὐτῶν ὅ τι οὐ σχῆμα εἶναι, καὶ ταῦτα
καὶ ἐναντία ὄντα ἀλλήλοις, ὅ τι ἐστὶν τοῦτο ὃ οὐδὲν ἧττον
κατέχει τὸ στρογγύλον ἢ τὸ εὐθύ, ὃ δὴ ὀνομάζεις σχῆμα

ἀλλήλος, -α, -ον: one another, 3
ἀν-έρομαι: to ask, inquire, 3
αὖ: again, once more; further, moreover, 8
ἀφ-ικνέομαι: to come, arrive, 5
διότι (διὰ ὅ τι): because, for the reason that, 1
ἐναντίος, -α, -ον: opposite, contrary, 8
εὐθύς -εῖα, -ύ: straight; adv. straight away, 8
ἥττων, -ον: less, weaker, inferior, 8
κατ-έχω: to possess; hold fast, hold back, 3
κελεύω: to bid, order, command, 2

λευκός, -όν: light, brilliant; white, 3
μετ-έρχομαι: to go after, pursue, 1
ὄνομα, -ατος, τό: name, 6
ὀνομάζω: to name, call by name, 1
προσ-αγορεύω: to greet, call by name, 1
στρογγύλος, -η, -ον: round, spherical, 7
ὑπο-λαμβάνω: to take up, reply; suppose, 2
χρῶμα, -ατος, τό: color, complexion, 9
ὡσαύτως: in the same manner, just so, 6

---

c5 εἰ...ἀνήρετο...εἶπες ἂν: if..had...,..would have...; past contrary to fact (εἰ + aor., ἂν + aor.)
ὅ τι...: what...; ind. question; neut. ὅστις
6 εἰπόντος σου: gen. abs.
ὅτι...: that (it is)...; ind. disc. governed by the gen. abs.
(καὶ) μετὰ ταῦτα: and...; add καί to join ὑπέλαβεν as a second protasis
7 ὁ ἐρωτῶν: (the one)...; pres. pple
8 καὶ: also
d1 τυγχάνει ὄντα: happen to...; pple εἰμί
3 εἰ...μετῄει...: if he were...; this lengthy protasis of a pres. contrary to fact is interrupted without an apodosis until 75a5; 3s impf. μετ-έρχομαι
4 ὅτι: here introducing direct speech
εἰς...: at...; as often with ἀφικνέομαι

ἀλλὰ μὴ μοι οὕτως: well, not in this way for me!; likely an ellipsis for neg. hortatory subj.: μὴ ἀφικώμεθα 'let us not arrive...'
5 ἀλλὰ: but...
ἑνί τινι ὀνόματι: by some...; dat. means dat. εἷς, μία, ἕν
φῇς: 2s pres. φημί
6 οὐδὲν...εἶναι: that...; ind. disc.
ὅ τι οὐ σχῆμα: which (are) not shape; a relative clause as predicate of εἶναι
καὶ...καὶ...: both...and...; predicate of pple εἰμί; in apposition to τὰ πολλὰ ταῦτα
7 ὅ τι ἐστὶν τοῦτο ὅ: what is...; interrogative (ὅ τι) and and relative (ὅ) pronouns
οὐδὲν ἧττον ἤ: no less than...; comparative adv., acc. of extent in degree: 'by nothing'
8 ὅ δὴ: (and) exactly what...; introducing a relative clause

13

καὶ οὐδὲν μᾶλλον φῂς τὸ στρογγύλον σχῆμα εἶναι ἢ τὸ   e
εὐθύ;' ἢ οὐχ οὕτω λέγεις;

ΜΕΝ. ἔγωγε.

ΣΩ. ἆρ' οὖν, ὅταν οὕτω λέγῃς, τότε οὐδὲν μᾶλλον φῂς
τὸ στρογγύλον εἶναι στρογγύλον ἢ εὐθύ, οὐδὲ τὸ εὐθὺ εὐθὺ   5
ἢ στρογγύλον;

ΜΕΝ. οὐ δήπου, ὦ Σώκρατες.

ΣΩ. ἀλλὰ μὴν σχῆμά γε οὐδὲν μᾶλλον φῂς εἶναι τὸ
στρογγύλον τοῦ εὐθέος, οὐδὲ τὸ ἕτερον τοῦ ἑτέρου.

ΜΕΝ. ἀληθῆ λέγεις.   10

ΣΩ. τί ποτε οὖν τοῦτο οὗ τοῦτο ὄνομά ἐστιν, τὸ σχῆμα;
πειρῶ λέγειν. εἰ οὖν τῷ ἐρωτῶντι οὕτως ἢ περὶ σχήματος   75
ἢ χρώματος εἶπες ὅτι 'ἀλλ' οὐδὲ μανθάνω ἔγωγε ὅ τι
βούλει, ὦ ἄνθρωπε, οὐδὲ οἶδα ὅ τι λέγεις,' ἴσως ἂν ἐθαύ-
μασε καὶ εἶπεν· 'οὐ μανθάνεις ὅ τι ζητῶ τὸ ἐπὶ πᾶσιν

εὐθύς -εῖα, -ύ: straight; adv. straight away, 8
θαυμάζω: wonder, marvel at, admire, 7
ὄνομα, -ατος, τό: name, 6
πειράω: to try, attempt, endeavor, 9

στρογγύλος, -η, -ον: round, spherical, 7
τότε: at that time, then, 6
χρῶμα, -ατος, τό: color, complexion, 9

e1 οὐδὲν μᾶλλον: *no more...*; i.e. as much as;
   comparative adv. and another acc. of extent
   in degree: 'more by nothing'
   τὸ στρογγύλον...εἶναι: *that...*; ind. disc.
   τὸ εὐθύ (σχῆμα εἶναι): *that...*; ind. disc.
4 ὅταν...λέγῃς: *whenever...*; ἄν + subj.
   in a general temporal clause
   οὐδὲν μᾶλλον: see note for e1
5 οὐδὲ: *nor*
   τὸ εὐθὺ (εἶναι): *that...*; ind. disc., add inf.
8 ἀλλὰ μὴν...γε: *but certainly...indeed*;
   ἀλλὰ μήν introduce a new point (S2786)
   (D344); γε emphasizes σχῆμα; cf. 73d2
   σχῆμα εἶναι τὸ στρογγύλον *that...*; ind.
   disc., σχῆμα is acc. predicate, not subject
9 τοῦ εὐθέος: *than...*; gen. of comparison
   οὐδὲ τὸ ἕτερον (εἶναι σχῆμα) τοῦ ἑτέρου:
   nor that...; ind. disc. with ellipsis; acc.
   subject and gen. of comparison
10 ἀληθῆ: *the truth*; 'true things,' ἀληθέ-α

11 τί ποτε: *what in the world (is)...?*; (S346)
   οὗ...: relative pronoun, gen. sg. ὅς
   τὸ σχῆμα: in apposition to τοῦτο
75a πειρῶ: πειρά(σ)ο; sg. mid. imperative
   εἰ...εἶπες,..ἂν ἐθαύμασε...εἶπεν: *if you had...,
   would have...*; past. contrary to fact (εἰ aor.,
   ἄν + aor.)
   τῷ ἐρωτῶντι: *to (the one)...*; dat. sg, pple
   ἤ...ἤ...: *either...or...*
2 ὅτι: *that...*; here introducing direct speech
   οὐδὲ...οὐδέ: *not even...nor*; it never means
   'neither...nor' as οὔτε...οὔτε (S2937); the
   1st οὐδέ is an adv., the 2nd is a conjunction
   ὅ τι: *what...*
3 βούλει: βούλε(σ)αι, 2s pres. mid.
   ὦ ἄνθρωπε: *(good) man*; voc. dir. address
   ἂν ἐθαύμασε, εἶπεν: see note in 75a1
4 τὸ...ταὐτόν: *what is the same*; crasis, τ(ὸ)
   αὐτόν
   ἐπὶ πᾶσιν τούτοις: *in all these cases*

τούτοις ταὐτόν;' ἢ οὐδὲ ἐπὶ τούτοις, ὦ Μένων, ἔχοις ἂν 5
εἰπεῖν, εἴ τίς σε ἐρωτῴη· 'τί ἐστιν ἐπὶ τῷ στρογγύλῳ
καὶ εὐθεῖ καὶ ἐπὶ τοῖς ἄλλοις, ἃ δὴ σχήματα καλεῖς, ταὐτὸν
ἐπὶ πᾶσιν;' πειρῶ εἰπεῖν, ἵνα καὶ γένηταί σοι μελέτη πρὸς
τὴν περὶ τῆς ἀρετῆς ἀπόκρισιν.

ΜΕΝ. μή, ἀλλὰ σύ, ὦ Σώκρατες, εἰπέ.   **b**

ΣΩ. βούλει σοι χαρίσωμαι;

ΜΕΝ. πάνυ γε.

ΣΩ. ἐθελήσεις οὖν καὶ σὺ ἐμοὶ εἰπεῖν περὶ τῆς ἀρετῆς;

ΜΕΝ. ἔγωγε.   5

ΣΩ. προθυμητέον τοίνυν· ἄξιον γάρ.

ΜΕΝ. πάνυ μὲν οὖν.

ΣΩ. φέρε δή, πειρώμεθά σοι εἰπεῖν τί ἐστιν σχῆμα.
σκόπει οὖν εἰ τόδε ἀποδέχῃ αὐτὸ εἶναι· ἔστω γὰρ δὴ ἡμῖν
τοῦτο σχῆμα, ὃ μόνον τῶν ὄντων τυγχάνει χρώματι ἀεὶ   10

ἄξιος, -α, -ον: worthy of, deserving of (gen) 7
ἀπο-δέχομαι: to accept, receive, 1
ἀπό-κρισις, -εως, ἡ: answer, reply, 5
εὐθύς -εῖα, -ύ: straight; *adv.* straight away, 8
ἵνα: in order that, so that (subj.); where, 9
μελέτη, ἡ: practice, rehearsal, study, care, 1

πειράω: to try, attempt, endeavor, 9
προ-θυμητέος, -ον: to be pursued, 1
στρογγύλος, -η, -ον: round, spherical, 7
φέρω: to bear, carry, bring, convey, 3
χαρίζομαι: do a favor, gratify, indulge (dat) 3
χρῶμα, -ατος, τό: color, complexion, 9

a5 τούτοις τ(ὸ) αὐτόν: see note on a4
 οὐδὲ: *not even*; adv.
ἐπὶ τούτοις: *in these cases*
ἔχοις ἄν, εἴ...ἐρωτῴη: *...would..., if...*
should...; fut. less vivid (εἰ opt., ἄν opt.);
ἐρωτα-οίη; 3s pres. opt. α-contract verb
7 εὐθεῖ: εὐθέ-ι; dat. sg. εὐθύς
ἃ δή: *exactly which...*; or 'the very things
which...'; relative, δή is intensive
τ(ὸ) αὐτὸν: *the same thing*; nom. subject
8 πειρῶ: πειρά(σ)ο; sg. mid. imperative
ἵνα...γένηται: *so that...may...*; purpose
πρός...: *regarding...*
b1 μή: *no*; or '(let's) not,' μή is used instead
of οὐ to express a wish;
2 βούλει σοι χαρίσωμαι: *do you want (me)
to do you a favor?*; βούλε(σ)αι, 2s mid. and
deliberative aor. subj.; βούλει often
precedes a deliberative subj. and conflates
two questions: in this case, 'what do you

want?' and 'am I to favor you?' (S1806)
3 πάνυ γε: *quite so*; common response
6 προθμητέον (ἐστίν): *it must be...*; 'it is...'
impersonal use of the verbal adj. + εἰμί
expressing necessary or obligation
ἄξιον (ἐστίν): *(it is)...*; impersonal
7 πάνυ μὲν οὖν: *quite certainly*; μέν οὖν
expresses positive certainty (S2901)
8 φέρε δή: *come now*; or 'come on,' an imper.
often drawing attention to what follows
πειρώμεθα: *let us...*; hortatory subj.
9 σκόπει: *keep..., continue to...*; σκόπε-ε:
ε-contract pres. (ongoing action) imperative
εἰ ἀποδέχῃ: *whether you...*; ἀποδέχε(σ)αι
ἔστω...δὴ: *just let...*; 3rd pers. imper. εἰμί
10 ὃ...: *which...*; relative clause
τῶν ὄντων: *of the things that are*; pple εἰμί
11 τυγχάνει...ἐπόμενον: *happen to...*; the
complementary pple ἕπομαι governs a dat.

ἑπόμενον. ἱκανῶς σοι, ἢ ἄλλως πως ζητεῖς; ἐγὼ γὰρ κἂν
οὕτως ἀγαπῴην εἴ μοι ἀρετὴν εἴποις.　　　　　　　　　　c

ΜΕΝ. ἀλλὰ τοῦτό γε εὔηθες, ὦ Σώκρατες.

ΣΩ. πῶς λέγεις;

ΜΕΝ. ὅτι σχῆμά πού ἐστιν κατὰ τὸν σὸν λόγον ὃ ἀεὶ
χρόᾳ ἕπεται. εἶεν· εἰ δὲ δὴ τὴν χρόαν τις μὴ φαίη εἰδέναι,　5
ἀλλὰ ὡσαύτως ἀποροῖ ὥσπερ περὶ τοῦ σχήματος, τί ἂν οἴει
σοι ἀποκεκρίσθαι;

ΣΩ. τἀληθῆ ἔγωγε· καὶ εἰ μέν γε τῶν σοφῶν τις εἴη
καὶ ἐριστικῶν τε καὶ ἀγωνιστικῶν ὁ ἐρόμενος, εἴποιμ᾽ ἂν
αὐτῷ ὅ τι ἐμοὶ μὲν εἴρηται· εἰ δὲ μὴ ὀρθῶς λέγω, σὸν　　d
ἔργον λαμβάνειν λόγον καὶ ἐλέγχειν.᾽ εἰ δὲ ὥσπερ ἐγώ
τε καὶ σὺ νυνὶ φίλοι ὄντες βούλοιντο ἀλλήλοις διαλέγεσθαι,

ἀγαπάω: to love, show affection for, 1
ἀγωνιστικός, -ή, -όν: contentious, combative 1
ἀλλήλος, -α, -ον: one another, 3
ἄλλως: otherwise, in another way, 5
ἀ-πορέω: to be at a loss, be bewildered, 9
δια-λέγομαι: to converse with, discuss (dat) 3
ἐλέγχω: cross-examine, question; refute, 1
ἕπομαι: to follow, accompany, escort, 2
ἔργον, τό: deed, act; work; result, effect, 6
ἐριστικός, -ή, -όν: eristic, eager for strife, 3

ἔρομαι (not in pres.): ask, inquire, question, 7
εὐ-ήθης, -ες: silly, naïve; good-natured 1
ἱκανός, -ή, -όν: enough, sufficient; capable, 3
νυν-ί: just now; as it is, 1
πως: somehow, in any way, 5
σός, -ή, -όν: your, yours, 6
σοφός, -ή, -όν: wise, skilled, 9
φίλος, -η, -ον: dear, friendly; a friend, kin, 6
χρόα, ἡ: color, complexion; skin, 3
ὡσαύτως: in the same manner, just so, 6

b11 κἂν...ἀγαπῴην, εἴ...εἴποις: *would
indeed..., if...should...*; καὶ ἂν: καί is
adverbial; fut. less vivid (εἰ opt., ἄν opt); 1s
pres. subj. ἀγαπα-οίην
2 ἀλλὰ τοῦτό γέ (ἐστιν): *but this (is)...*;
ἀλλά...γε emphasize the intervening word;
εὐῆθης can have a positive ('guileless,' or
'good-natured') or, as here, a negative
connotation ('silly,' 'simple,' or 'naïve')
3 πῶς λέγεις: *what do you mean?*; 'in what
sense do you say (this)?'
4 (λέγω) ὅτι: *(I mean) that...*; ind. disc.
που: *I suppose*; parenthetical
κατά...: *according to...*
ὃ: *(that) which...*; relative, the missing
antecedent is predicate of ἐστίν
5 εἶεν: *well then!*; an exclamation originally
3p pres. opt. of wish, εἰμί: 'let them be so!'
εἰ εἰ δὲ δὴ...μὴ φαίη...ἀποροῖ, ἂν

ἀποκεκρίσθαι: *if...should...,would...*; a fut.
less. vivid condition with 3s pres. opt. φημί
and apodosis in ind. disc.; δή is intensive
μὴ φαίη: *say that...not*; or 'denies' (S2691)
εἰδέναι: inf. οἶδα
6 οἴει: οἴε(σ)αι, 2s pres. οἴομαι
τί ἂν...ἀποκεκρίσθαι: *what...would be...*;
ind. disc. with pf. pass. inf. (equiv. to ἄν +
opt. in the apodosis) with a dative of agent
8 τ(ὰ) ἀληθῆ: *the truth*; ἀληθέ-α
καὶ εἰ μέν γε: *and if indeed...*; fut. less vivid
condition; γε emphasizes the clause; a
τῶν σοφῶν...ἀγωνιστικων: *among...*;
partitive gen. as predicate of εἴη, 3s opt. εἰμί
d1 εἴρηται: *has...*; 3s pf. pass. λεγω (ἐρ-)
governing a dat. of agent
σὸν ἔργον (ἐστί): subject; add linking verb
2 ὥσπερ...σὺ...ὄντες: a *clause of comparison*
3 βούλοιντο: a shift from 3s τις to 3rd plural

δεῖ δὴ πρᾳότερόν πως καὶ διαλεκτικώτερον ἀποκρίνεσθαι.
ἔστι δὲ ἴσως τὸ διαλεκτικώτερον μὴ μόνον τἀληθῆ ἀποκρί- 5
νεσθαι, ἀλλὰ καὶ δι᾽ ἐκείνων ὧν ἂν προσομολογῇ εἰδέναι
ὁ ἐρωτώμενος. πειράσομαι δὴ καὶ ἐγώ σοι οὕτως εἰπεῖν.
λέγε γάρ μοι· τελευτὴν καλεῖς τι; τοιόνδε λέγω οἷον πέρας e
καὶ ἔσχατον—πάντα ταῦτα ταὐτόν τι λέγω· ἴσως δ᾽ ἂν
ἡμῖν Πρόδικος διαφέροιτο, ἀλλὰ σύ γέ που καλεῖς πεπεράνθαι
τι καὶ τετελευτηκέναι—τὸ τοιοῦτον βούλομαι λέγειν, οὐδὲν
ποικίλον. 5

ΜΕΝ. ἀλλὰ καλῶ, καὶ οἶμαι μανθάνειν ὃ λέγεις.

ΣΩ. τί δ᾽; ἐπίπεδον καλεῖς τι, καὶ ἕτερον αὖ στερεόν, 76
οἷον ταῦτα τὰ ἐν ταῖς γεωμετρίαις;

ΜΕΝ. ἔγωγε καλῶ.

αὖ: again, once more; further, moreover, 8
γεωμετρία, ἡ: geometry, land-survey, 2
διαλεκτικός, -ή, -όν: dialectic, dialectical, 2
ἐπίπεδον, τό: surface, plane, level, 1
ἔσχατος, -η, -ον: extreme, last, furthest, 1
πειράω: to try, attempt, endeavor, 9
περαίνω: to bring to an end, finish, 2
πέρας, τό: limit, end, boundary, 2
ποικίλος, -η, -ον: various, diverse, complex 1

πρᾶος, -ον: mild, gentle, soft, 2
Πρόδικος, ὁ: Prodicus, 2
προσ-ομολογέω: to agree in addition, 1
πως: somehow, in any way, 5
στερεός, -ά, -όν: solid; firm, stiff; 3
τελευτάω: to end, complete, finish; die, 4
τελευτή, ἡ: end, completion; death, 1
τοιόσδε, -άδε, -όνδε: this sort, following, 5

d4 δεῖ: *it is*... impersonal, 3s δέω, apodosis
in a mixed condition
δή: *then, accordingly*; inferential
πρᾳότερόν, διαλεκτικώτερον: comparative
adverbs (adverbial acc.)
5 τὸ διαλεκτικώτερον (ἀποκρίνεσθαι): *(to*
respond) more dialectically; articular inf.
μὴ μόνον...ἀλλὰ καὶ: *not only...but also*
τ(ὰ) ἀληθῆ: *the truth*; ἀληθέα
6 ὧν: *whichever*; ἅ, neut. acc. pl. attracted
into the gen. of the antecedent; introducing
a general relative clause with ἄν + 3s subj.
εἰδέναι: inf. οἶδα
7 ὁ ἐρωτώμενος: *the one...*; pass. pple
the same person who was identified as the
questioner, ὁ ἐρόμενος , in 75c9
δή: *then, accordingly*; inferential
e1 καλεῖς: governs a double acc.
λέγω: *I mean*
οἷον: *for example*; 'in respect to such,' a
common acc. of respect

2 ἔσχατον: *the extremity, the utmost*; a
substantive
πάντα ταῦτα ταὐτόν τι λέγω: i.e. '(by)
πάντα ταῦτα *I mean* τ(ὸ) αὐτό τι;'
λέγω governs a double acc.
3 ἂν διαφέροιτο: i.e. disagree; potential opt.
Prodicus was know for making nuanced
distinctions between words
ἡμῖν: *with...*; dat. pl. pf association, ἡμεῖς
σύ γε: *you at least*; emphatic and restrictive
καλεῖς πεπεράνθαι τι καὶ τετελευτηκέναι:
you call something 'to have been finished'
or 'to have been completed'
τὸ τοιοῦτον: *something this sort*
4 ἀλλὰ: *well then*
76a τί δέ: *What then?*; 'what about this?'
here introducing another question
καλεῖς: governs a double acc. twice
(καλεῖς) ἕτερον στερεόν: add verb
2 οἷον: *for example*; 'in respect to such,' a

17

ΣΩ. ἤδη τοίνυν ἂν μάθοις μου ἐκ τούτων σχῆμα ὃ
λέγω. κατὰ γὰρ παντὸς σχήματος τοῦτο λέγω, εἰς ὃ τὸ 5
στερεὸν περαίνει, τοῦτ᾽ εἶναι σχῆμα· ὅπερ ἂν συλλαβὼν
εἴποιμι στερεοῦ πέρας σχῆμα εἶναι.

ΜΕΝ. τὸ δὲ χρῶμα τί λέγεις, ὦ Σώκρατες;

ΣΩ. ὑβριστής γ᾽ εἶ, ὦ Μένων· ἀνδρὶ πρεσβύτῃ πρά-
γματα προστάττεις ἀποκρίνεσθαι, αὐτὸς δὲ οὐκ ἐθέλεις 10
ἀναμνησθεὶς εἰπεῖν ὅ τι ποτε λέγει Γοργίας ἀρετὴν εἶναι.   **b**

ΜΕΝ. ἀλλ᾽ ἐπειδάν μοι σὺ τοῦτ᾽ εἴπῃς, ὦ Σώκρατες,
ἐρῶ σοι.

ΣΩ. κἂν κατακεκαλυμμένος τις γνοίη, ὦ Μένων, διαλε-
γομένου σου, ὅτι καλὸς εἶ καὶ ἐρασταί σοι ἔτι εἰσίν.   5

Γοργίας, ὁ: Gorgias, 8
δια-λέγομαι: to converse with, discuss, 3
ἐπειδάν: whenever, 3
ἐραστής, -οῦ ὁ: a lover, 3
ἤδη: already, now, at this time, 7
κατα-καλύπτω: to cover up; blindfold, 1
περαίνω: to come to an end, finish, limit, 2

πέρας, τό: limit, end, boundary, 2
πρεσβύτης (πρέσβυς), ὁ: old (man), elder, 6
προσ-τάττω: to assign, appoint, order, 1
στερεός, -ά, -όν: solid; firm, stiff; 3
συλ-λαμβάνω: to gather, take together, 1
ὑβριστής, -ές: insolent, outrageous, 1
χρῶμα, -ατος, τό: color, complexion, 9

a4 ἂν μάθοις: *you could...*; potential aor. opt.
μου: *from...*; gen. of source
ἐκ τούτων: i.e. from words such as
ἐπίπεδον and στερεόν
σχῆμα ὃ λέγω: *what I mean (by) shape*;
proleptic use of the double acc.
5 κατὰ...: *over...*
εἰς ὃ...: *to which...*; relative clause, the
antecedent is the τοῦτ(ο) that follows
6 τοῦτ(ο) εἶναι σχῆμα: *(namely) that...*; ind.
disc. in apposition to τοῦτο in a5
ὅπερ...συλλαβὼν: *gathering which very
thing*; i.e. summarizing this; the relative
pronoun is obj. of the aor. pple i.e
ἂν εἴποιμι: potential aor. opt.
7 στερεοῦ...εἶναι: *that...*; ind. disc., i.e. a
suscinct definition of σχῆμα
8 τὸ δὲ χρῶμα...: *(by) color*; λέγω with a
a double acc.
9 γ(ε): *indeed*; or raised intonation; emphatic
εἶ: 2s pres. εἰμί
πράγματα...ἀποκρίνεσθαι...: *problems to
respond to*; an epexegetical (explanatory)

inf. qualifying πράγματα a word that
often means 'troubles' or 'problems'
10 αὐτὸς: intensive pronoun modifying 2s
subject 'you'
b1 ἀναμνησθεὶς: nom. sg. aor. pass. dept.
pple ἀναμιμνήσκω
ὅ τι ποτε: *what in the world..*; ind. question
with a common idiom (S346)
2 ἐπειδάν...εἴπῃς...: *whenever...*; ἂν + aor.
subj. in a general temporal clause
3 ἐρῶ: ἐρέω, 1s fut. λέγω
4 κἂν κατακεκαλυμμένος: *even...*, or
'although...' καί ἂν; the ἂν belongs with
the main verb while καί indicates that the
pf. pple is concessive in sense
ἂν γνοίη: *would...*; 1s aor. potential opt.
γιγνώσκω
διαλεγομένου σου: gen. abs.
5 εἶ: 2s pres. εἰμί
σοι...εἰσίν: a dat. of possession with εἰμί
may be translated (1) 'there are to you,' (2)
'you have,' or (3) as the possessive 'your'

ΜΕΝ. τί δή;

ΣΩ. ὅτι οὐδὲν ἀλλ' ἢ ἐπιτάττεις ἐν τοῖς λόγοις, ὅπερ
ποιοῦσιν οἱ τρυφῶντες, ἅτε τυραννεύοντες ἕως ἂν ἐν ὥρᾳ ὦσιν, c
καὶ ἅμα ἐμοῦ ἴσως κατέγνωκας ὅτι εἰμὶ ἥττων τῶν καλῶν·
χαριοῦμαι οὖν σοι καὶ ἀποκρινοῦμαι.

ΜΕΝ. πάνυ μὲν οὖν χάρισαι.

ΣΩ. βούλει οὖν σοι κατὰ Γοργίαν ἀποκρίνωμαι, ᾗ ἂν
σὺ μάλιστα ἀκολουθήσαις; 5

ΜΕΝ. βούλομαι· πῶς γὰρ οὔ;

ΣΩ. οὐκοῦν λέγετε ἀπορροάς τινας τῶν ὄντων κατὰ
Ἐμπεδοκλέα; ΜΕΝ. σφόδρα γε. ΣΩ. καὶ πόρους εἰς
οὓς καὶ δι' ὧν αἱ ἀπορροαὶ πορεύονται; ΜΕΝ. πάνυ γε.

ΣΩ. καὶ τῶν ἀπορροῶν τὰς μὲν ἁρμόττειν ἐνίοις τῶν 10
πόρων, τὰς δὲ ἐλάττους ἢ μείζους εἶναι; ΜΕΝ. ἔστι d
ταῦτα. ΣΩ. οὐκοῦν καὶ ὄψιν καλεῖς τι; ΜΕΝ. ἔγωγε.

ἀκολουθέω: to follow, 1
ἅμα: at the same time; along with (dat.), 2
ἀπορροή, ἡ: stream, effluence, outflow, 4
ἁρμόττω: to harmonize, fit with, adapt, 1
ἅτε: inasmuch as, since (+ pple.), 5
Γοργίας, ὁ: Gorgias, 8
ἐλάττων, -ον: smaller, fewer, 4
Ἐμπεδοκλέης, έος, ὁ: Empedocles, 1
ἔνιοι, -αι, -α: some, 2
ἐπι-τάττω: to order, command, 1
ἕως: until, as long as, 3
ἥττων, -ον: less, weaker, inferior, 8

κατα-γιγνώσκω: pass judgment, condemn, 1
μείζων, μείζον: larger, greater, 4
ὁράω: to see, look, behold, 6
ὄψις, -εως, ἡ: sight, vision, 2
πορεύομαι: to travel, go across, traverse, 1
πόρος, ὁ: procuring; passage-way, way, 5
σφόδρα: exceedingly, very (much), 3
τρυφάω: live extravagantly; be spoiled, 1
τυραννεύω: to be a tyrant or ruler, 1
χαρίζομαι: to do a favor, gratify, indulge, 3
ὥρα, ἡ: time, period of time, season, 2

b6 τί δή: *why exactly?*; or 'just what?'
7 ὅτι: *because*; ὅτι, 'that,' is causal in reply
(ποιεῖς) οὐδὲν ἄλλο ἢ: *you do nothing
other than...*; ellipsis: supply a main verb
λόγοις: *words, expressions, language*
ἅτε...: *inasmuch as...*; 'since...'ἅτε + pple
denotes a cause from a speaker's viewpoint
c1 ἕως...ὦσιν: *as long as...*; general temporal
clause with ἄν + 3p subj. εἰμί
ἐν ὥρᾳ: i.e. in their prime (of life)
2 κατέγνωκας: 2s pf. governing a gen.
ὅτι: *because*
τῶν καλῶν: gen. comparison; i.e. youths
3 χαριοῦμαι: fut. χαρίζομαι (fut. χαρίε-)

πάνυ μὲν οὖν: *quite certainly*; μέν οὖν
expresses positive certainty (S2901)
χάρισαι: aor. mid. imperative; add 'me'
4 βούλει...ἀποκρίνωμαι: *do you want (me)
to...?*; 2s mid. βούλει and deliberative
subj., see 75b2 for explanation (S1806)
κατὰ: *according to...*
ᾗ: *in which way*; relative, dat. of manner
6 πῶς γὰρ οὔ: *How could I not?*; '(yes) for
how not?' a common reply in Plato
7 τῶν ὄντων: *of the things that are*
10 τὰς μὲν...τὰς δὲ: *that some...that others...*
ἐλάττο(ν)ες, μείζο(ν)ες: nom. pred. of εἶναι
d1 ἔστι: *are (the case)*; i.e. are true

ΣΩ. ἐκ τούτων δὴ 'σύνες ὅ τοι λέγω,' ἔφη Πίνδαρος.
ἔστιν γὰρ χρόα ἀπορροὴ σχημάτων ὄψει σύμμετρος καὶ
αἰσθητός.   5

ΜΕΝ. ἄριστά μοι δοκεῖς, ὦ Σώκρατες, ταύτην τὴν
ἀπόκρισιν εἰρηκέναι.

ΣΩ. ἴσως γάρ σοι κατὰ συνήθειαν εἴρηται· καὶ ἅμα
οἶμαι ἐννοεῖς ὅτι ἔχοις ἂν ἐξ αὐτῆς εἰπεῖν καὶ φωνὴν ὃ ἔστι,
καὶ ὀσμὴν καὶ ἄλλα πολλὰ τῶν τοιούτων.   e

ΜΕΝ. πάνυ μὲν οὖν.

ΣΩ. τραγικὴ γάρ ἐστιν, ὦ Μένων, ἡ ἀπόκρισις, ὥστε
ἀρέσκει σοι μᾶλλον ἢ ἡ περὶ τοῦ σχήματος.

ΜΕΝ. ἔμοιγε.   5

ΣΩ. ἀλλ' οὐκ ἔστιν, ὦ παῖ Ἀλεξιδήμου, ὡς ἐγὼ ἐμαυτὸν
πείθω, ἀλλ' ἐκείνη βελτίων· οἶμαι δὲ οὐδ' ἂν σοὶ δόξαι,

αἰσθητός, -ή, -όν: perceptible, sensible, 1
Ἀλεξίδημος, ὁ: Alexidemus, 1
ἅμα: at the same time; along with (dat.), 2
ἀπό-κρισις, -εως, ἡ: answer, reply, 5
ἀπορροή, ἡ: stream, effluence, outflow, 4
ἀρέσκω: to please, satisfy, appease (dat.) 1
ἄριστος, -η, -ον: best, most excellent, noble, 5
βελτίων, -ον: better, 9
ἐμαυτοῦ, -ῆς, -οῦ: myself, 6
ἐν-νοέω: to have in mind, notice, 3
ὀσμή, ἡ: scent, smell, 1
ὄψις, -εως, ἡ: sight, vision, 2

παῖς, παιδός, ὁ, ἡ: child, boy, girl; slave, 9
πείθω: to persuade (acc) of (acc); *mid*. obey, 8
Πίνδαρος, -ου ὁ: Pindar, 2
σύμ-μετρος, -ον: commensurate, proportionate
  to (dat) 1
συν-ήθεια, ἡ: custom, habit, usage, 1
συν-ίημι: to understand; put together, 1
τοι: ya know, let me tell you, surely, 2
τραγικός, -ή, -όν: grandiose, in tragic style, 1
φωνή, ἡ: sound; speech, voice, 1
χρόα, ἡ: color, complexion; skin, 3

d3 τούτων δή: *these very things*; 'precisely
  these things,' δή is often intensive with
  demonstratives
  σύν-ες: sg. aor. imperative συν-ίημι
  τοι: *to you*; σοι Pindar writes in the Doric
  dialect of Greek; τοι is dat. sg. of σύ
  Πίνδαρος: The poet Pindar (ca. 522- 443)
  was born in Thebes but lived in Athens.
4 ὄψει: ὄψε-ι, 3ʳᵈ decl. dat. of special adj.
  καὶ: *and (therefore)*
5 ἄριστα: *very well*; a superlative adverb, as
  often, is an adverbial acc. in neut. pl.
7 εἰρηκέναι: pf. inf. λέγω (ἐρ-)
8 κατά...: *according to...*
  σοι: dat. of agent, common with pf. pass.
  εἴρηται: pf. pass. λέγω

9 οἶμαι: οἴ(ο)μαι; parenthetical
  ἔχοις ἄν: *would...*; potential opt.; translate
  ἔχω + inf. as 'am able'
  αὐτῆς: i.e. fem. sg. ἀπόκρισιν from d7
  καὶ...καὶ...: *both...and...*
  ὃ ἔστι: *what it is*; i.e. what sound is; ind.
  question which applies to all in the series
e2 πάνυ μὲν οὖν: *quite certainly*; μέν οὖν
  expresses positive certainty (S2901)
4 ἡ (ἀπόκρισις): *the (response) about...*
6 ἔστιν: *it is (the case)*; i.e. is true
  ὡς: *as...*
  ἐκείνη (ἐστί) βελτίων: *the latter (answer)
  is...*; i.e. the ἡ περὶ τοῦ σχήματος (76b5)
7 οὐδὲ...δόξαι: *that it would seem not (to be
  the case) to you too*; οὐδὲ 'not also'

εἰ μή, ὥσπερ χθὲς ἔλεγες, ἀναγκαῖόν σοι ἀπιέναι πρὸ τῶν
μυστηρίων, ἀλλ' εἰ περιμείναις τε καὶ μυηθείης.

ΜΕΝ. ἀλλὰ περιμένοιμ' ἄν, ὦ Σώκρατες, εἴ μοι πολλὰ   77
τοιαῦτα λέγοις.

ΣΩ. ἀλλὰ μὴν προθυμίας γε οὐδὲν ἀπολείψω, καὶ σοῦ
ἕνεκα καὶ ἐμαυτοῦ, λέγων τοιαῦτα· ἀλλ' ὅπως μὴ οὐχ οἷός
τ' ἔσομαι πολλὰ τοιαῦτα λέγειν. ἀλλ' ἴθι δὴ πειρῶ καὶ   5
σὺ ἐμοὶ τὴν ὑπόσχεσιν ἀποδοῦναι, κατὰ ὅλου εἰπὼν ἀρετῆς
πέρι ὅ τι ἐστίν, καὶ παῦσαι πολλὰ ποιῶν ἐκ τοῦ ἑνός, ὅπερ
φασὶ τοὺς συντρίβοντάς τι ἑκάστοτε οἱ σκώπτοντες, ἀλλὰ
ἐάσας ὅλην καὶ ὑγιῆ εἰπὲ τί ἐστιν ἀρετή. τὰ δέ γε παρα-
δείγματα παρ' ἐμοῦ εἴληφας.   **b**

ΜΕΝ. δοκεῖ τοίνυν μοι, ὦ Σώκρατες, ἀρετὴ εἶναι, καθά-
περ ὁ ποιητὴς λέγει, 'χαίρειν τε καλοῖσι καὶ δύνασθαι·'

ἀναγκαῖος, -α, -ον: necessary, inevitable, 5
ἀπ-έρχομαι: to go away, depart, 1
ἀπο-δίδωμι: to give back, render, return, 2
ἀπο-λείπω: to leave, quit, abandon, fail, 1
δύναμαι: to be able, can, be capable, 9
ἐάω: to permit, allow, let be, suffer, 4
ἑκάστοτε: each time, on each occasion, 1
ἐμαυτοῦ, -ῆς, -οῦ: myself, 6
ἕνεκα: for the sake of, for (+gen.), 3
ἔρχομαι: to come or go, 6
καθ-άπερ: just as, according as, 1
μυέω: to initiate into the mysteries, 1
μυστήριον, τό: mystery (rites), secret rites, 1
ὅπως: how, in what way; (in order) that, 5

παράδειγμα, -ατος, τό: model, example, 2
παύω: to stop, make cease; mid. cease, 3
πειράω: to try, attempt, endeavor, 9
περι-μένω: to wait, await, 2
ποιητής, -οῦ ὁ: maker, creator, poet, 2
πρό: before, in front; in place of (gen.), 2
προθυμία, ἡ: eagerness, readiness, 1
σκώπτω: to joke, make fun of, mock, 2
συν-τρίβω: to rub together, crush, 1
ὑγιής, -ές: sound, healthy (ὑγιῆ=acc. ὑγιέα) 2
ὑπό-σχεσις, -εως, ἡ: promise, undertaking, 1
χαίρω: to rejoice in, delight in (dat); greet, 2
χθές: yesterday, 1

e8 εἰ μή...ἀναγκαῖον (ἦν)...εἰ περιμείναις...:
   ...if (it were) not necessary...but on the
   contrary if you should...; a mixed contrary
   to fact (εἰ impf. ind.) and fut. less vivid (εἰ
   pres. and aor. pass. opt.) protasis (S2312)
   πρό...: temporal, as we learned, Meno is
   about to travel to Thessaly (71c12)
9 μυηθείης: you should...; 2s aor. pass. opt.
77a3 ἀλλὰ μὴν...γε: well certainly...indeed;
   begins a new point (S2786); γε emphatic
   προθυμίας: from...; gen. of separation
   οὐδὲν: not at all; inner acc.
4 ὅπως μή...: (see to it) that I will...; ὅπως +
   fut. εἰμί in a effort clause (S2211); οἷός τε

εἰμί is an idiom for 'I am able'
5 ἴθι δή: come now; sg. imper. ἔρχομαι
   πειρῶ: πειρά(σ)ο; sg. mid. imperative
6 κατὰ ὅλου: in general, on the whole
   ἀποδοῦναι: i.e. fulfill, render; aor. inf.
   ἀρετῆς πέρι: περὶ ἀρετῆς; anastrophe
7 ὅ τι ἐστίν: what...; neuter ὅστις
   παῦσαι: aor. inf. governed by πείρω
   inf. governs a pple: 'cease from...'
   ἑνός: gen. εἷς
   ὅπερ: just as...; 'which very thing...'
8 τοὺς συντρίβοντας: about (those)...
9 ἐάσας (ἀρετὴν): nom. sg. aor. pple ἐάω
b1 εἴληφας: 2s pf. λαμβάνω

καὶ ἐγὼ τοῦτο λέγω ἀρετήν, ἐπιθυμοῦντα τῶν καλῶν δυνατὸν
εἶναι πορίζεσθαι.   5

ΣΩ. ἆρα λέγεις τὸν τῶν καλῶν ἐπιθυμοῦντα ἀγαθῶν
ἐπιθυμητὴν εἶναι; ΜΕΝ. μάλιστά γε. ΣΩ. ἆρα ὡς
ὄντων τινῶν οἳ τῶν κακῶν ἐπιθυμοῦσιν, ἑτέρων δὲ οἳ τῶν
ἀγαθῶν; οὐ πάντες, ὦριστε, δοκοῦσί σοι τῶν ἀγαθῶν ἐπι-   c
θυμεῖν; ΜΕΝ. οὐκ ἔμοιγε. ΣΩ. ἀλλά τινες τῶν κακῶν;
ΜΕΝ. ναί. ΣΩ. οἰόμενοι τὰ κακὰ ἀγαθὰ εἶναι, λέγεις,
ἢ καὶ γιγνώσκοντες ὅτι κακά ἐστιν ὅμως ἐπιθυμοῦσιν αὐ-
τῶν; ΜΕΝ. ἀμφότερα ἔμοιγε δοκοῦσιν. ΣΩ ἦ γὰρ   5
δοκεῖ τίς σοι, ὦ Μένων, γιγνώσκων τὰ κακὰ ὅτι κακά ἐστιν
ὅμως ἐπιθυμεῖν αὐτῶν; ΜΕΝ. μάλιστα. ΣΩ. τί ἐπιθυ-
μεῖν λέγεις; ἢ γενέσθαι αὐτῷ; ΜΕΝ. γενέσθαι· τί γὰρ
ἄλλο; ΣΩ. πότερον ἡγούμενος τὰ κακὰ ὠφελεῖν ἐκεῖνον   d

ἀμφότερος, -α, -ον: both, each of two, 2
ἄριστος, -η, -ον: best, most excellent, noble, 5
δυνατός, -ή, -όν: capable, strong, possible, 2
ἐπι-θυμητής, ὁ: desirer, lover, follower, 1

ἦ: in truth, truly (begins open question), 4
ὅμως: nevertheless, however, yet, 5
πορίζω: to procure, provide, furnish, 6
ὠφελέω: to help, benefit, improve, 9

b4 ἀρετήν: *by virtue*; colloquial translation of
the double acc. with λέγω, 'mean'
ἐπιθυμοῦντα...δυνατὸν εἶναι: *that
(one)...*; ind. disc. with missing acc. subj.
τῶν καλῶν: *what is noble*; noble things,'
gen. obj. of the participle
5 πορίζεσθαι: supply τὰ καλά as object
6 τὸν...εἶναι: *that the one...*; ind. disc.
7 ὡς ὄντων τινῶν: *on the grounds/belief
that some...*; 'since' ὡς + pple (here gen.
abs.) expresses alleged cause; εἰμί
8 οἳ: *(those) who...*; relative, the missing
antecedent is predicate of ὄντων
(ὡς ὄντων) ἑτέρων δὲ οἳ τῶν ἀγαθῶν
(ἐπιθυμοῦσιν): ellipsis: see previous clause
c1 (ὦ) ἄριστε: vocative, dir. address; crasis
τὰ κακά...εἶναι: *that...*; ind. disc.
4 ἦ καί: *or in fact, or actually*; adverbial καί
ὅτι...ἐστιν: *that (they)...*; ind. disc., a neut.
pl. subject often governs a 3s verb
αὐτῶν: *them*; i.e. τὰ κακά

6 τίς: indefinite τις
τὰ κακὰ ὅτι κακά ἐστιν: *that the evils...*;
'the evils that...' proleptic use of τὰ κακά:
(the subject in the subordinate clause is
drawn into the main clause)
7 ἐπιθυμεῖν: *by 'desiring'*
8 ἦ: note accent: this is not ἤ, 'or'
γενέσθαι αὐτῷ: *that he possess them*; i.e.
'that (they) come to be for him,' dat. of
possession; Socrates answers the question
about desire that he has just posed
γενέσθαι: Meno's repetition is simply a
form of assent
d1 τὰ κακὰ ὠφελεῖν: *that...*; ind. disc.; the
object ἐκεῖνον refers to the subject of this
sentence: the 3s subject first introduced as
τις in line 6
ἡγούμενος...: the subject and verb are
missing but understood: τις ἐπιθυμεῖ τῶν
κακῶν

ᾧ ἂν γένηται, ἢ γιγνώσκων τὰ κακὰ ὅτι βλάπτει ᾧ ἂν
παρῇ; MEN. εἰσὶ μὲν οἳ ἡγούμενοι τὰ κακὰ ὠφελεῖν,
εἰσὶν δὲ καὶ οἳ γιγνώσκοντες ὅτι βλάπτει. ΣΩ. ἢ καὶ
δοκοῦσί σοι γιγνώσκειν τὰ κακὰ ὅτι κακά ἐστιν οἱ ἡγού- 5
μενοι τὰ κακὰ ὠφελεῖν; MEN. οὐ πάνυ μοι δοκεῖ τοῦτό
γε. ΣΩ. οὐκοῦν δῆλον ὅτι οὗτοι μὲν οὐ τῶν κακῶν ἐπι-
θυμοῦσιν, οἱ ἀγνοοῦντες αὐτά, ἀλλὰ ἐκείνων ἃ ᾤοντο ἀγαθὰ e
εἶναι, ἔστιν δὲ ταῦτά γε κακά· ὥστε οἱ ἀγνοοῦντες αὐτὰ
καὶ οἰόμενοι ἀγαθὰ εἶναι δῆλον ὅτι τῶν ἀγαθῶν ἐπιθυμοῦσιν.
ἢ οὔ; MEN. κινδυνεύουσιν οὗτοί γε.

ΣΩ. τί δέ; οἱ τῶν κακῶν μὲν ἐπιθυμοῦντες, ὡς φῇς σύ, 5
ἡγούμενοι δὲ τὰ κακὰ βλάπτειν ἐκεῖνον ᾧ ἂν γίγνηται,
γιγνώσκουσιν δήπου ὅτι βλαβήσονται ὑπ᾽ αὐτῶν; MEN.
ἀνάγκη. ΣΩ. ἀλλὰ τοὺς βλαπτομένους οὗτοι οὐκ οἴονται 78
ἀθλίους εἶναι καθ᾽ ὅσον βλάπτονται; MEN. καὶ τοῦτο

ἀγνοέω: not know, be ignorant of, 3
ἄθλιος, -α, -ον: miserable, wretched, 4
ἀνάγκη, ἡ: necessity, force, constraint, 6
ἦ: in truth, truly (begins open question), 4

κινδυνεύω: run the risk, be likely (inf.), 6
ὅσος, -η, -ον: as much/many as; all who, that 8
πάρ-ειμι: to be near, be present, be at hand, 2
ὠφελέω: to help, benefit, improve, 9

d2 ᾧ: *to whomever (they)*; relative, dat. of possession, assume τὰ κακά as subject; general relative clause with ἂν + aor. subj.
τὰ κακὰ ὅτι...: *that the evils*...; 'the evils that...' another example of prolepsis
ᾧ: *for whom*:; relative, dat. of compound verb or interest; assume τὰ κακά as subject; general relative clause with ἂν + 3s. pres. subj. πάρ-ειμι
3 εἰσί μὲν οἵ (τῶν κακῶν ἐπυθμοῦσιν)...: *there are (some) who*...; ellipsis: supply the verb in the relative clause; note the shift from 3s τις to the 3p
4 εἰσι δὲ καὶ οἵ (τῶν κακῶν ἐπυθμοῦσιν)...: *there: there are also (others)*...; ellipsis: supply the verb
καὶ: *also*
6 ὅτι: *that*...; ind. disc. prolepsis, make the preceding τὰ κακά the subject of ἐστίν
τοῦτο γε: *this at least*; γε is restrictive
7 δῆλον (ἐστίν): *(it is) clear*...
οὗτοι...οἱ ἀγνοοῦντες αὐτὰ: *these (people)*

....; the complete subject; αὐτά = τὰ κακά
e1 ἀλλὰ (ἐπιθυμοῦσιν) ἐκείνων: add verb
ἃ...ἀγαθὰ εἶναι: *which*...; relative clause, ἃ is acc. subject of εἶναι
ᾤοντο: impf. οἴομαι
2 δὲ: *but*; here, an adversative
3 δῆλον (ἐστίν): see d7
4 κινδυνεύουσιν (τῶν ἀγαθῶν ἐπιθυμεῖν): *are likely..., are probably...*; add inf.
5 τί δέ: *What then?*; 'what about this?' here introducing another question
φῇς: 2s pres. φημί
6 ᾧ: *to whomever*...; relative, dat. of possession, assume τὰ κακά as subject; general relative clause with ἂν + pres. subj.
7 βλαβήσονται: fut. pass. βλάπτω with ὑπό + gen. expressing agency: 'by...'
78a ἀνάγκη (ἐστί): *(it is)*...; impersonal; translate the noun as 'necessary'
2 καθ᾽ὅσον: *insofar as..., inasmuch as...*; 'according to as much as...'

ἀνάγκη. ΣΩ. τοὺς δὲ ἀθλίους οὐ κακοδαίμονας; ΜΕΝ.
οἶμαι ἔγωγε. ΣΩ. ἔστιν οὖν ὅστις βούλεται ἄθλιος καὶ
κακοδαίμων εἶναι; ΜΕΝ. οὔ μοι δοκεῖ, ὦ Σώκρατες. 5
ΣΩ. οὐκ ἄρα βούλεται, ὦ Μένων, τὰ κακὰ οὐδείς, εἴπερ μὴ
βούλεται τοιοῦτος εἶναι. τί γὰρ ἄλλο ἐστὶν ἄθλιον εἶναι
ἢ ἐπιθυμεῖν τε τῶν κακῶν καὶ κτᾶσθαι; ΜΕΝ. κινδυνεύεις
ἀληθῆ λέγειν, ὦ Σώκρατες· καὶ οὐδεὶς βούλεσθαι τὰ **b**
κακά.

ΣΩ. οὐκοῦν νυνδὴ ἔλεγες ὅτι ἔστιν ἡ ἀρετὴ βούλεσθαί τε
τἀγαθὰ καὶ δύνασθαι; ΜΕΝ. εἶπον γάρ. ΣΩ. οὐκοῦν
τοῦ λεχθέντος τὸ μὲν βούλεσθαι πᾶσιν ὑπάρχει, καὶ ταύτῃ 5
γε οὐδὲν ὁ ἕτερος τοῦ ἑτέρου βελτίων; ΜΕΝ. φαίνεται.
ΣΩ. ἀλλὰ δῆλον ὅτι εἴπερ ἐστὶ βελτίων ἄλλος ἄλλου,
κατὰ τὸ δύνασθαι ἂν εἴη ἀμείνων. ΜΕΝ. πάνυ γε.
ΣΩ. τοῦτ᾽ ἔστιν ἄρα, ὡς ἔοικε, κατὰ τὸν σὸν λόγον ἀρετή,

ἄθλιος, -α, -ον: miserable, wretched, 4
ἀμείνων, -ον: better, 1
ἀνάγκη, ἡ: necessity, force, constraint, 6
βελτίων, -ον: better, 9
δύναμαι: to be able, can, be capable, 9
κακο-δαίμων, -ον: unlucky, ill-fated, 2

κινδυνεύω: run the risk, be likely (inf.), 6
κτάομαι: to acquire, gain, get, 5
νυν-δή: just now, 8
σός, -ή, -όν: your, yours, 6
ὑπ-άρχω: to be there, ready, or available, 1

a3 ἀνάγκη (ἐστί): *(it is)*...; impersonal;
   translate the noun as 'necessary'
4 ἔστιν...ὅστις: *is there anyone who*...
6 οὐκ...οὐδείς: *not anyone*; (S2761)
   ἄρα: *it turns out*; inferential
   βούλεται: the subject is still οὐδείς
7 ἄθλιον εἶναι: *to be miserable*; predicate
   after ἐστί
b1 ἀληθῆ: *the truth*; 'true things,' ἀληθέα
   (κινδυνεύει) βούλεσθαι: supply main verb
4 τἀγαθά: τὰ ἀγαθα, crasis
   δύνασθαι (κτᾶσθαι): add inf., parallel to a8
   above
   εἶπον γάρ: *(yes), I said it*; 'for I said it,'
   English omits the conjunction ('Yes, ~~for~~ I
   said it') while Greek uses a conjunction and
   omits the affirmative ('~~Yes~~, for I said it').
5 τοῦ λεχθέντος: *of what was said*; partitive
   gen., an aor. pass. pple λέγω

τὸ...βούλεσθαι: nom. subj. articular inf.
   which is often expresses as a gerund (-ing)
   πᾶσιν: dat. pl. πᾶς following ὑπάρχει
   ταύτῃ γε: *in this way*; dat. of manner
6 οὐδὲν: *not at all*; 'in no way,' adv. acc.
   (acc. of extent in degree with comparative)
   ὁ ἕτερος (ἐστίν): add a linking verb
   τοῦ ἑτέρου: gen. of comparison
7 δῆλον (ἐστίν): *(it is) clear*...
   ἄλλου: gen. of comparison
8 κατὰ: *according to*...; + acc.
   τὸ δύνασθαι (κτᾶσθαι): an articular inf.:
   translate as a gerund (-ing) and add a
   missing, but understood, inf.
   ἂν εἴη: *would*...; 3s potential opt. εἰμί
9 ὡς...: *as*...; parenthetical
   κατὰ: *according to*...

δύναμις τοῦ πορίζεσθαι τἀγαθά. ΜΕΝ. παντάπασί μοι c
δοκεῖ, ὦ Σώκρατες, οὕτως ἔχειν ὡς σὺ νῦν ὑπολαμβάνεις.

ΣΩ. ἴδωμεν δὴ καὶ τοῦτο εἰ ἀληθὲς λέγεις· ἴσως γὰρ
ἂν εὖ λέγοις. τἀγαθὰ φῂς οἷόν τ' εἶναι πορίζεσθαι ἀρετὴν
εἶναι; ΜΕΝ. ἔγωγε. ΣΩ. ἀγαθὰ δὲ καλεῖς οὐχὶ οἷον 5
ὑγίειάν τε καὶ πλοῦτον; ΜΕΝ. καὶ χρυσίον λέγω καὶ
ἀργύριον κτᾶσθαι καὶ τιμὰς ἐν πόλει καὶ ἀρχάς. ΣΩ. μὴ
ἄλλ' ἄττα λέγεις τἀγαθὰ ἢ τὰ τοιαῦτα; ΜΕΝ. οὔκ, ἀλλὰ
πάντα λέγω τὰ τοιαῦτα. ΣΩ. εἶεν· χρυσίον δὲ δὴ καὶ d
ἀργύριον πορίζεσθαι ἀρετή ἐστιν, ὥς φησι Μένων ὁ τοῦ
μεγάλου βασιλέως πατρικὸς ξένος. πότερον προστιθεῖς
τούτῳ τῷ πόρῳ, ὦ Μένων, τὸ δικαίως καὶ ὁσίως, ἢ οὐδέν
σοι διαφέρει, ἀλλὰ κἂν ἀδίκως τις αὐτὰ πορίζηται, ὁμοίως 5
σὺ αὐτὰ ἀρετὴν καλεῖς; ΜΕΝ. οὐ δήπου, ὦ Σώκρατες.

ἄ-δικος, -ον: unrighteous, unjust, 3
ἀργύριον, τό: silver piece, silver coin, 4
ἀρχή, ἡ: beginning; rule, political office, 5
βασιλεύς, -έως ὁ: king, chief, 2
δίκαιος, -α, -ον: just, right, lawful, fair, 8
δύναμις, -εως, ἡ: power, force; faculty, 2
κτάομαι: to acquire, gain, get, 5
μέγας, μεγάλη, μέγα: big, great, important 7
ὅμοιος, -α, -ον: like, resembling, similar (dat) 5
ὁράω: to see, look, behold, 6
ὅσιος, -α, -ον: pious, holy, 2

παντά-πασι: all in all, altogether, 3
πατρικός, -ή, -ήν: of the father, ancestral, 2
πλοῦτος, ὁ: wealth, riches, 4
πορίζω: to procure, provide, furnish, 6
πόρος, ὁ: procuring; passage-way, way, 5
προσ-τίθημι: to add, impose, attribute. 4
τιμή, ἡ: honor, state honor, 2
ὑγίεια, ἡ: health, soundness, 6
ὑπο-λαμβάνω: to take up, reply; suppose, 2
χρυσίον, τό: gold piece, money, 3

c1 δύναμις τοῦ πορίζεσθαι...: *(namely)* ...;
   translate the articular inf. as a gerund (-ing)
2 οὕτως ἔχειν: translate ἔχω ('is disposed' or
   'holds') + adv. just as εἰμί + adj.
   ὡς: *as* ...; clause of comparison
3 ἴδωμεν: *let*...; aor. 1p hortatory subj. ὁράω
   δὴ: *then*; inferential or emphatic
   καὶ: *also*
   εἰ ἀληθὲς...: *whether...truthfully*; ind.
   question; ἀληθὲς is here an irreg. adv.
4 ἂν εὖ λέγοις: i.e. be right; potential opt.
   τ(ὰ) ἀγαθά...πορίζεσθαι: *that*...; the inf. is
   subject of ind. disc. governed by φῂς
   οἷον τ(ε) εἶναι: *to be able*; 'to be the sort to'
5 οἷον: *for example, such as*; acc. of respect
6 καὶ...καὶ...καὶ...καὶ...: *both...and...both...
   and*.; or 'Both a and b And y and z'

τιμὰς, ἀρχὰς: *state honors, political offices*
7 μὴ...λέγεις: *surely you do not mean...?*; μή
   anticipates and elicits a negative reply
8 ἄττα: *any*; alternative to neut. pl. τινά
   οὔκ: *no*; the reply that Socrates anticipated
5 εἶεν: *well then!*; an exclamation; see 75c5
d1 δὴ: *then, accordingly*; inferential
2 ὥς...ξένος: *so says Meno, the guest-friend...*
   perhaps only a proverbial expression
   προστιθεῖς: 2s pres. equiv. to προστίθης
4 πόρῳ: *to this procuring*; dat. of compound
   τὸ δικαίως καὶ ὁσίως (πορίζεσθαι):
   procuring (it)... ; articular inf. with two
   adverbs; object of προτιθεῖς
   οὐδὲν...: *it makes no difference*; inner acc.
5 κἂν πορίζηται...καλεῖς: *even if...*; καὶ ἐάν;
   fut. more vivid; fut. καλέω (fut. stem καλε)

25

ΣΩ. ἀλλὰ κακίαν. ΜΕΝ. πάντως δήπου. ΣΩ. δεῖ ἄρα,
ὡς ἔοικε, τούτῳ τῷ πόρῳ δικαιοσύνην ἢ σωφροσύνην ἢ
ὁσιότητα προσεῖναι, ἢ ἄλλο τι μόριον ἀρετῆς· εἰ δὲ μή,   e
οὐκ ἔσται ἀρετή, καίπερ ἐκπορίζουσα τἀγαθά. ΜΕΝ. πῶς
γὰρ ἄνευ τούτων ἀρετὴ γένοιτ᾽ ἄν; ΣΩ. τὸ δὲ μὴ ἐκ-
πορίζειν χρυσίον καὶ ἀργύριον, ὅταν μὴ δίκαιον ᾖ, μήτε
αὐτῷ μήτε ἄλλῳ, οὐκ ἀρετὴ καὶ αὕτη ἐστὶν ἡ ἀπορία;   5
ΜΕΝ. φαίνεται. ΣΩ. οὐδὲν ἄρα μᾶλλον ὁ πόρος τῶν
τοιούτων ἀγαθῶν ἢ ἡ ἀπορία ἀρετὴ ἂν εἴη, ἀλλά, ὡς ἔοικεν,
ὃ μὲν ἂν μετὰ δικαιοσύνης γίγνηται, ἀρετὴ ἔσται, ὃ δ᾽
ἂν ἄνευ πάντων τῶν τοιούτων, κακία. ΜΕΝ. δοκεῖ μοι   79
ἀναγκαῖον εἶναι ὡς λέγεις.

ἀναγκαῖος, -α, -ον: necessary, inevitable, 5
ἄνευ: without, 5
ἀ-πορία, ἡ: a lack of resources, bewildering, 6
ἀργύριον, τό: silver piece, silver coin, 4
δίκαιος, -α, -ον: just, right, lawful, fair, 8
ἐκ-πορίζω: to procure, provide, furnish, 2
καί-περ: although, 1

κακία, ἡ: vice, wickedness, cowardice, 3
ὁσιότης, -ητος ἡ: piety, 1
πάντως: entirely, absolutely 2
πόρος, ὁ: procuring; passage-way, way, 5
πρόσ-ειμι: to be or exist in addition to, 1
σωφροσύνη, ἡ: temperance, moderation, 7
χρυσίον, τό: gold piece, money, 3

d8 τούτῳ τῷ πόρῳ: *to...*; dat. of compound verb προσ-εῖναι
   ἤ...ἤ: *or...or...*; multiple acc. subjects
e1 ἢ ἄλλο τι μόριον ἀρετῆς: *or...*; yet a fourth acc. subject for προσεῖναι
2 τἀγαθά: τ(ὰ) ἄγαθα
3 γένοιτ(ο) ἄν: *might...*; potential aor. opt. τὸ δὲ μὴ ἐκπορίζειν...μὴ...μήτε...μήτε, οὐκ (ἐστίν) ἀρετή...: *and not procuring...is it not...?*; this articular inf. (translate as a gerund) is the subject and continues until ἄλλῳ; the μή indicates that the subject is conditional in sense (e.g. 'if one is not procuring...'); add ἐστίν in the main clause
4 ὅταν...ᾖ: *whenever...*; general relative clause with 3s pres. subj. εἰμί

μήτε...μήτε: *either...or...*; reinforces neg.
5 αὑτῷ: *for oneself*; (ἑ)αυτῷ; a dat. of interest with the articular inf.
   ἀπορία: *a lack of resources*; see 72a2, where this same word refers to a state of perplexity or bewilderment
6 οὐδὲν: *not at all*; or 'no,' adv. acc. (acc. of extent in degree) modifying a comparative
7 ἂν εἴη: 3s potential opt. εἰμί
8 ὃ μὲν...γίγνηται,...ἔσται: *whatever...*; general relative clause and fut. εἰμί; equiv. to fut. more vivid condition (ἐάν subj., fut.) ὃ δὲ (γίγνηται)..., κακία (ἔσται): *and whatever...*; parallel to the previous clause, supply the missing verbs

ΣΩ. οὐκοῦν τούτων ἕκαστον ὀλίγον πρότερον μόριον
ἀρετῆς ἔφαμεν εἶναι, τὴν δικαιοσύνην καὶ σωφροσύνην καὶ
πάντα τὰ τοιαῦτα;   5
MEN. ναί.
ΣΩ. εἶτα, ὦ Μένων, παίζεις πρός με;
MEN. τί δή, ὦ Σώκρατες;
ΣΩ. ὅτι ἄρτι ἐμοῦ δεηθέντος σου μὴ καταγνύναι μηδὲ
κερματίζειν τὴν ἀρετήν, καὶ δόντος παραδείγματα καθ’ ἃ δέοι   10
ἀποκρίνεσθαι, τούτου μὲν ἠμέλησας, λέγεις δέ μοι ὅτι ἀρετή
ἐστιν οἷόν τ’ εἶναι τἀγαθὰ πορίζεσθαι μετὰ δικαιοσύνης·   b
τοῦτο δὲ φῇς μόριον ἀρετῆς εἶναι;
MEN. ἔγωγε.
ΣΩ. οὐκοῦν συμβαίνει ἐξ ὧν σὺ ὁμολογεῖς, τὸ μετὰ
μορίου ἀρετῆς πράττειν ὅ τι ἂν πράττῃ, τοῦτο ἀρετὴν εἶναι·   5

ἀ-μελέω: to have no care for, neglect (gen) 1
ἄρτι: just, exactly; just now, 9
δίδωμι: to give, offer, grant, provide, 6
εἶτα: then, next, and so, therefore, 4
κατ-άγνυμι: to break up, break to pieces, 1
κερματίζω: to cut to pieces, chop up, 1
μη-δέ: and not, but not, nor; not even, 7

ὀλίγος -η, -ον: few, little, small, 6
παίζω: to jest, joke, mock, play, 1
παράδειγμα, -ατος, τό: model, example, 2
πορίζω: to procure, provide, furnish, 6
συμ-βαίνω: to happen, occur, result, 3
σωφροσύνη, ἡ: temperance, moderation, 7

a3 ἕκαστον...εἶναι: that...; ind. disc.
  ἔφαμεν: 1p impf. φημί
  ὀλίγον: a little; acc. of extent in degree
  modifying the comparative adverb
7 πρός με: with me; ‘against me’
8 τί δή: why exactly?; causal τί is an acc. of
  respect: ‘in respect to what exactly?”
9 ὅτι: because...
  ἐμοῦ δεηθέντος...ἀρετήν: gen. abs. with
  aor. dep. pple; note the difference between
  δέω ‘need’ and δέομαι ‘ask’ or ‘beg’
  σου: from...; gen. of source
  μὴ καταγνύναι: aor. inf., in wishes Greek
  employs μή rather than οὐ
10 (ἐμοῦ) δόντος: a continuation of the gen.
  abs. with aor. act. pple δίδωμι
10 κατ(ὰ) ἅ: according to which; i.e. ‘in

respect to which’
  δέοι: it...; opt. of impersonal δεῖ in a past
  general relative clause
11 ἠμέλησὰς: 2s aor. + gen.
b1 οἷον τ(ε) εἶναι: to be able; ‘to be the sort’
4 συμβαίνει: it...; impersonal
  ἐξ ὧν: from what; ‘from the things
  which...’ ἐκ (τούτων) ἅ; the acc. relative is
  attracted into the gen. of the missing
  antecedent
  τὸ...πράττειν...εἶναι: that...; ind. disc. the
  articular inf. τὸ πράττειν is the logical
  acc. subj. of εἶναι and should be translated
  as as gerund (-ing)
5 ὅ τι...πράττῃ: whatever...; a general
  relative clause with 3s subj.; the missing
  antecedent is obj. of τὸ πράττειν

27

τὴν γὰρ δικαιοσύνην μόριον φῇς ἀρετῆς εἶναι, καὶ ἕκαστα
τούτων. τί οὖν δὴ τοῦτο λέγω; ὅτι ἐμοῦ δεηθέντος ὅλον
εἰπεῖν τὴν ἀρετήν, αὐτὴν μὲν πολλοῦ δεῖς εἰπεῖν ὅ τι ἐστίν,
πᾶσαν δὲ φῇς πρᾶξιν ἀρετὴν εἶναι, ἐάνπερ μετὰ μορίου
ἀρετῆς πράττηται, ὥσπερ εἰρηκὼς ὅ τι ἀρετή ἐστιν τὸ ὅλον c
καὶ ἤδη γνωσομένου ἐμοῦ, καὶ ἐὰν σὺ κατακερματίζῃς αὐτὴν
κατὰ μόρια. δεῖται οὖν σοι πάλιν ἐξ ἀρχῆς, ὡς ἐμοὶ δοκεῖ,
τῆς αὐτῆς ἐρωτήσεως, ὦ φίλε Μένων, τί ἐστιν ἀρετή, εἰ
μετὰ μορίου ἀρετῆς πᾶσα πρᾶξις ἀρετὴ ἂν εἴη; τοῦτο γάρ 5
ἐστιν λέγειν, ὅταν λέγῃ τις, ὅτι πᾶσα ἡ μετὰ δικαιοσύνης
πρᾶξις ἀρετή ἐστιν. ἢ οὐ δοκεῖ σοι πάλιν δεῖσθαι τῆς
αὐτῆς ἐρωτήσεως, ἀλλ' οἴει τινὰ εἰδέναι μόριον ἀρετῆς ὅ τι
ἐστίν, αὐτὴν μὴ εἰδότα;

ἀρχή, ἡ: beginning; rule, office, 5
ἐάν-περ: if really, 4
ἐρώτησις, -εως ἡ: a questioning, inquiring, 4
ἤδη: already, now, at this time, 7

κατα-κερματίζω: to cut to pieces, chop up, 1
πάλιν: again, once more; back, backwards, 9
πρᾶξις, -εως ἡ: action, activity, transaction, 8
φίλος, -η, -ον: dear, friendly; a friend, kin, 6

b7 **τί οὖν δὴ**: *why exactly then…?*; or 'what exactly then,' οὖν is used in questions to express impatience (S2962).
ὅτι: *because…*; or 'that,' in answer to his own question
ἐμοῦ δεηθέντος…ἀρετήν: gen. abs. with aor. dep. pple; note the difference between δέω 'need' and mid. δέομαι 'ask' or 'beg'
ὅλον: *as a whole*

8 **πολλοῦ δεῖς**: *you are far from* + inf.; 'you lack from much,' a common idiom with the gen. of separation
αὐτὴν…ὅ τι ἐστίν: *what it…*; prolepsis, translate αὐτήν, i.e. ἀρετήν, as subject in the clause

9 **ἐάνπερ…πράττηται**: *if…*; 3s pres. passive subj. in a pres. general condition (ἐάν + subj., pres.); supply ἡ πρᾶξις as subject

c1 **ὥσπερ…ἐμοῦ**: *as if having said what virtue is on the whole and I would now know it*; a hard passage to explicate: ὥσπερ + pple and gen. abs. introducing a comparison of the main verb to an assumed case (S2087)
εἰρηκὼς: pf. pple λέγω (ἐρ-)
τὸ ὅλον: *wholely, entirely, on the whole*; a common adverbial acc.

2 **γνωσομένου ἐμοῦ**: gen. abs. with fut. pple γίγνωσκω
καὶ ἐὰν…κατακερματίζῃς: *even though…*; 'even if…' the clause is concessive in sense

3 **δεῖται**: *there is a need*; 'it is needed;' a rare impersonal 3s pass. δέω + gen. separation; (note: there are no impersonal middle verbs in ancient Greek; thus, an impersonal pass.)
σοι: dat. of interest
ὡς: *as…*; parenthetical
τῆς αὐτῆς ἐρωτήσεως: gen. of separaton (here, 'of…' but elswhere 'from…') with δεῖται rather than partitive gen. with ἀρχῆς; αὐτός in the attributive position means 'same'

5 **ἂν εἴη**: *could be*; 3s potential opt. εἰμί; for the unusual εἰ + ἂν + opt., see S2353.
τοῦτο γάρ ἐστιν λέγειν: *for this is to say…*

6 **ὅτι**: *that…*; ind. disc. following λέγειν

7 **δεῖσθαι**: *that there is a need*; 'it is needed,' a second rare pass. impersonal; here inf. of δέω + gen. separation

8 **οἴει**: οἴε(σ)αι, 2s pres. οἴομαι
τινὰ εἰδέναι: *that…*; ind. disc., inf. οἶδα
μὴ εἰδότα: *if…*; conditional pple οἶδα

MEN. οὐκ ἔμοιγε δοκεῖ. 10

ΣΩ. εἰ γὰρ καὶ μέμνησαι, ὅτ᾽ ἐγώ σοι ἄρτι ἀπεκρινάμην d
περὶ τοῦ σχήματος, ἀπεβάλλομέν που τὴν τοιαύτην ἀπό-
κρισιν τὴν διὰ τῶν ἔτι ζητουμένων καὶ μήπω ὡμολογημένων
ἐπιχειροῦσαν ἀποκρίνεσθαι.

MEN. καὶ ὀρθῶς γε ἀπεβάλλομεν, ὦ Σώκρατες. 5

ΣΩ. μὴ τοίνυν, ὦ ἄριστε, μηδὲ σὺ ἔτι ζητουμένης ἀρετῆς
ὅλης ὅ τι ἐστὶν οἴου διὰ τῶν ταύτης μορίων ἀποκρινόμενος
δηλώσειν αὐτὴν ὁτῳοῦν, ἢ ἄλλο ὁτιοῦν τούτῳ τῷ αὐτῷ
τρόπῳ λέγων, ἀλλὰ πάλιν τῆς αὐτῆς δεήσεσθαι ἐρωτήσεως, e
τίνος ὄντος ἀρετῆς λέγεις ἃ λέγεις· ἢ οὐδέν σοι δοκῶ
λέγειν;

MEN. ἔμοιγε δοκεῖς ὀρθῶς λέγειν.

ΣΩ. ἀπόκριναι τοίνυν πάλιν ἐξ ἀρχῆς· τί φῂς ἀρετὴν 5
εἶναι καὶ σὺ καὶ ὁ ἑταῖρός σου;

ἀπο-βάλλω: to throw away, reject; lose, 2
ἀπό-κρισις, -εως, ἡ: answer, reply, 5
ἄριστος, -η, -ον: best, most excellent, noble, 5
ἄρτι: just, exactly; just now, 9
ἀρχή, ἡ: beginning; rule, office, 5
δηλόω: to show, reveal, make clear, 2
ἐρώτησις, -εως ἡ: a questioning, inquiring, 4

ἑταῖρος, ὁ: comrade, companion, mate, 6
μη-δέ: and not, but not, nor; not even, 7
μή-πω: not yet, 2
μιμνήσκω: recall, remind (acc. gen.), 4
ὅτε: when, at some time, 3
πάλιν: again, once more; back, backwards, 9

d1 εἰ γὰρ καί: *for if in fact*; Socrates explains
why it does not seem good to Meno
μέμνησαι: 2s pf. mid. μιμνήσκω; the pf. is
pres. in sense and the middle voice means
'remember' ('recall to oneself')
ὅτ(ε): temporal clause
3 τὴν...ἐπιχειροῦσαν ἀποκρίνεσθαι:
attempting...; a pres. pple in the attributive
position modifying ἀπόκρισιν
διὰ τῶν...ζητουμένων...ὡμολογημένων:
through (words)...; i.e. one cannot use the
word being defined in the definition
6 καὶ...γε: emphasizing the intervening word
μή...μηδὲ σὺ...οἴου: *surely...not even you
thought...*; μή anticipates and elicits a 'no'
reply, μηδε is an adv., and οἴε(σ)ο is an
unaugmented 2s impf. οἴομαι that governs
ind. disc. until e2
ἔτι ζητουμένης ἀρετῆς...ἐστιν: *(while) what
virtue a a whole is...*; gen. abs. With pass.

pple pple and an ind. question.
διὰ...δηλώσειν...: *that (you)...*; ind. disc.
with fut. inf. governed by οἴου
8 ὁτῳοῦν: *to...*; another form for ᾧτινιοῦν,
here dat. of ind. object, ὅστισ-οῦν
ἢ ὁτιοῦν...λέγων: *or...*; a participial phrase
parallel to διὰ...ἀποκρινόμενος and part
of the same ind. disc.; ὁτιοῦν is acc. object
from ὅστισ-οῦν
τούτῳ...αὐτῷ τρόπῳ: *in...*; dat. manner
e1 ἀλλά: 'but, rather' or 'on the contrary'
when following a negative clause (S2776)
(οἴου σέ) δεήσεσθαι: *(did you think that
you) would be in need of*; fut. mid. δέω
2 τίνος...ἀρετῆς...λέγεις: *with virtue being
what, do you say what you say?*; ind.
question in apposition to ἐρωτήσεως; The
interrogative τίνος is part of the gen. abs.
οὐδέν: *nothing (important)*; acc. object
5 ἀπόκριναι: aor. mid. imperative

29

ΜΕΝ. ὦ Σώκρατες, ἤκουον μὲν ἔγωγε πρὶν καὶ συγγε-
νέσθαι σοι ὅτι σὺ οὐδὲν ἄλλο ἢ αὐτός τε ἀπορεῖς καὶ τοὺς   80
ἄλλους ποιεῖς ἀπορεῖν· καὶ νῦν, ὥς γέ μοι δοκεῖς, γοητεύεις
με καὶ φαρμάττεις καὶ ἀτεχνῶς κατεπᾴδεις, ὥστε μεστὸν
ἀπορίας γεγονέναι. καὶ δοκεῖς μοι παντελῶς, εἰ δεῖ τι καὶ
σκῶψαι, ὁμοιότατος εἶναι τό τε εἶδος καὶ τἆλλα ταύτῃ τῇ   5
πλατείᾳ νάρκῃ τῇ θαλαττίᾳ· καὶ γὰρ αὕτη τὸν ἀεὶ πλησιά-
ζοντα καὶ ἁπτόμενον ναρκᾶν ποιεῖ, καὶ σὺ δοκεῖς μοι νῦν ἐμὲ
τοιοῦτόν τι πεποιηκέναι, ναρκᾶν· ἀληθῶς γὰρ ἔγωγε καὶ
τὴν ψυχὴν καὶ τὸ στόμα ναρκῶ, καὶ οὐκ ἔχω ὅ τι ἀποκρίνωμαί   **b**
σοι. καίτοι μυριάκις γε περὶ ἀρετῆς παμπόλλους λόγους
εἴρηκα καὶ πρὸς πολλούς, καὶ πάνυ εὖ, ὥς γε ἐμαυτῷ ἐδόκουν·
νῦν δὲ οὐδ᾽ ὅ τι ἐστὶν τὸ παράπαν ἔχω εἰπεῖν. καί μοι δοκεῖς
εὖ βουλεύεσθαι οὐκ ἐκπλέων ἐνθένδε οὐδ᾽ ἀποδημῶν· εἰ   5

ἀπο-δημέω: to be abroad, be away, 1
ἀ-πορέω: to be at a loss, bewildered, 9
ἀ-πορία, ἡ: lack of resources, bewilderment, 6
ἅπτω: to fasten, join; *mid.* touch, grasp, 2
ἀ-τεχνῶς: simply, absolutely, quite, 1
βουλεύω: to deliberate, plan, take counsel, 2
γοητεύω: to bewitch, beguile, 1
εἶδος, -εος, τό: form, shape, figure, 4
ἐκ-πλέω: to sail away, 1
ἐμαυτοῦ, -ῆς, -οῦ: myself, 6
ἐνθένδε: from here, from this place, 3
θαλάττιος, -α, -ον: of the sea, 1
καί-τοι: and yet, and indeed, and further, 4
κατ-επᾴδω: subdue with song/enchantment, 1
μεστός, -ή, -όν: full, filled full, 1

μυριάκις: ten thousand or countless times, 1
ναρκάω: to grow numb, 7
νάρκη, ἡ: numb-fish; numbness, 3
ὅμοιος, -α, -ον: like, resembling, similar (dat) 5
πάμπολυς, -πολλη, -πολυ: very many 4
παντελῶς: absolutely, utterly, 1
παράπαν, τὸ: altogether, absolutely, at all, 5
πλατύς, -εῖα, -ύ: flat, level, broad, 1
πλησιάζω: to approach, associate with, 1
πρίν: before (+ inf), until (+ subj.), 5
σκώπτω: to joke, make fun of, mock, 2
στόμα, -ατος, τό: mouth, 1
συγ-γίγνομαι: to be with, associate with, 6
φαρμάττω: to bewitch by potion or spells, 1

e7 ἤκουν: *I used to hear*; 1s customary impf.
  πρὶν καὶ...καὶ νῦν: *both before...and now*
80a σὺ (ποιεῖς) οὐδὲν ἄλλο ἢ: *you do...*;
  ellipsis: supply a main verb
2 ὥς γε: *so...at least*; γε modifies the clause
3 ὥστε...: *so as to...*; result; pf. inf. γίγνομαι
4 τι: *some (joke)*; or 'at all,' inner acc.
  δεῖ: *it is allowed*; + aor. act. inf. σκῶψαι
5 ὁμοιότατος: superlative, pred. of εἶναι
  εἶναι (δοκεῖς): supply the verb from above
  τό τε εἶδος...τὰ (ἄ)λλα: *in...*; acc. respect
  τῇ νάρκῃ: dat. of special adj.
6 καὶ γὰρ: *for in fact*; καί is adverbial

τὸν...ἁπτόμενον: *the (one)...*;
7 ναρκᾶν: inf. α-contract verb
8 πεποιηκέναι: pf. inf,. ποιέω which
  governs a double acc.: 'make (x) (y)'
  ἀληθῶς: adv. from ἀληθής
b1 τὴν ψυχὴν...στόμα: *in...*; acc. of respect
  οὐκ ἔχω: *I do not know*; i.e. grasp; a
  common meaning for ἔχω
  ὅ τι ἀποκρίνωμαι: *what I am to...*; ind.
  question: neut. ὅστις, 1p deliberative subj.
3 εἴρηκα: 1s pf. λέγω   ὥς γε: see a2 above
4 οὐδ(ε) ὅ τι: *not even what...*; an adv.
  ἔχω: *I am able*; + inf.

γὰρ ξένος ἐν ἄλλῃ πόλει τοιαῦτα ποιοῖς, τάχ' ἂν ὡς γόης
ἀπαχθείης.

ΣΩ. πανοῦργος εἶ, ὦ Μένων, καὶ ὀλίγου ἐξηπάτησάς με.

ΜΕΝ. τί μάλιστα, ὦ Σώκρατες;

ΣΩ. γιγνώσκω οὗ ἕνεκά με ᾔκασας.　　　　　　　　　　c

ΜΕΝ. τίνος δὴ οἴει;

ΣΩ. ἵνα σε ἀντεικάσω. ἐγὼ δὲ τοῦτο οἶδα περὶ πάντων
τῶν καλῶν, ὅτι χαίρουσιν εἰκαζόμενοι—λυσιτελεῖ γὰρ αὐτοῖς·
καλαὶ γὰρ οἶμαι τῶν καλῶν καὶ αἱ εἰκόνες—ἀλλ' οὐκ　5
ἀντεικάσομαί σε. ἐγὼ δέ, εἰ μὲν ἡ νάρκη αὐτὴ ναρκῶσα
οὕτω καὶ τοὺς ἄλλους ποιεῖ ναρκᾶν, ἔοικα αὐτῇ· εἰ δὲ μή,
οὔ. οὐ γὰρ εὐπορῶν αὐτὸς τοὺς ἄλλους ποιῶ ἀπορεῖν, ἀλλὰ
παντὸς μᾶλλον αὐτὸς ἀπορῶν οὕτως καὶ τοὺς ἄλλους ποιῶ
ἀπορεῖν. καὶ νῦν περὶ ἀρετῆς ὃ ἔστιν ἐγὼ μὲν οὐκ οἶδα, σὺ　d
μέντοι ἴσως πρότερον μὲν ᾔδησθα πρὶν ἐμοῦ ἅψασθαι, νῦν

ἀντ-εικάζω: to compare or liken in return, 2
ἀπ-άγω: to lead away, carry off, arrest, 1
ἀ-πορέω: to be at a loss, bewildered, 9
ἅπτω: to fasten, join; *mid.* touch, grasp, 2
γόης, -ητος ἡ: enchanter; juggler, cheat, 1
εἰκάζω: liken, compare; guess, conjecture, 6
εἰκών, -όνος, ἡ: a likeness, image; statue, 2
ἕνεκα: for the sake of, for (gen.), 3
ἐξ-απατάω: to deceive, beguile, trick, 2
εὐ-πορέω: have many resources, be well off 1

ἵνα: in order that, so that (subj.); where, 9
λυσιτελέω: profit; λυσιτελεῖ it profits (dat), 1
μέν-τοι: however, moreover; certainly, 6
ναρκάω: to grow numb, 7
νάρκη, ἡ: numb-fish; numbness, 3
ὀλίγος -η, -ον: few, little, small, 6
παν-οῦργος, -ον: unscrupulous; *subs.* rogue 2
πρίν: before (+ inf), until (+ subj.), 5
ταχύ: quickly, presently; perhaps, 4
χαίρω: to rejoice in, delight in (dat); greet, 2

b6 εἰ...ποιοῖς, ἂν ἀπαχθείς: *if...should,
would...*; fut. less vivid (εἰ opt., ἂν opt.);
ποιέ-οις and 2s aor. pass. opt. ἀπ-άγω
ξένος...ὡς γόης: *as...as...*
8 εἶ: 2s pres. εἰμί
ὀλίγου: *almost*; 'from a little,' gen. of
separation (S1399)
ἐξηπάτησας: 2s aor.
c1 οὗ: gen. sg. ὅς, object of ἕνεκα
ᾔκασας: aor. εἰκάζω
2 τίνος δὴ (ἕνεκα): δή is often an intensive
'just' or 'exactly' with the interrogative τίς
οἴει: οἴε(σ)αι, 2s pres. οἴομαι
3 ἵνα....ἀντεικάσω: *so that...may...*; purpose
clause with 1s aor. subj.
4 εἰκαζόμεναι: *in...*; complementary pple,
pass. or possibly mid., governed by χαίρω;

λυσιτελεῖ: impersonal and accompanied by
a dat. of interest
5 καὶ: *also*
αἱ εἰκόνες (εἰσίν): add linking verb
6 αὐτὴ: *itself*; intensive
ναρκῶσα: ναρκά-ουσα; nom. pres. pple
7 καὶ: *also*
ναρκᾶν: inf. α-contract verb
8 εὐπορῶν: pres. pple
αὐτὸς: *I myself*; intensive
9 παντὸς: *than...*; gen. of comparison
μᾶλλον: comparative adv.
d1 ὃ ἔστιν: ὅ τι ἐστίν; a relative pronoun
where one expects an ind. interrogative
2 πρότερον: *previously*; comparative adv.
ᾔδησθα: 2s plpf. οἶδα: simple past in sense
ἐμοῦ: *me*; partitive gen. with aor. mid. inf.

μέντοι ὅμοιος εἶ οὐκ εἰδότι. ὅμως δὲ ἐθέλω μετὰ σοῦ
σκέψασθαι καὶ συζητῆσαι ὅ τι ποτέ ἐστιν.

ΜΕΝ. καὶ τίνα τρόπον ζητήσεις, ὦ Σώκρατες, τοῦτο ὃ   5
μὴ οἶσθα τὸ παράπαν ὅ τι ἐστίν; ποῖον γὰρ ὧν οὐκ οἶσθα
προθέμενος ζητήσεις; ἢ εἰ καὶ ὅτι μάλιστα ἐντύχοις αὐτῷ,
πῶς εἴσῃ ὅ τι τοῦτό ἐστιν ὃ σὺ οὐκ ᾔδησθα;

ΣΩ. μανθάνω οἷον βούλει λέγειν, ὦ Μένων. ὁρᾷς   e
τοῦτον ὡς ἐριστικὸν λόγον κατάγεις, ὡς οὐκ ἄρα ἔστιν
ζητεῖν ἀνθρώπῳ οὔτε ὃ οἶδε οὔτε ὃ μὴ οἶδε; οὔτε γὰρ ἂν
ὅ γε οἶδεν ζητοῖ—οἶδεν γάρ, καὶ οὐδὲν δεῖ τῷ γε τοιούτῳ
ζητήσεως—οὔτε ὃ μὴ οἶδεν—οὐδὲ γὰρ οἶδεν ὅ τι ζητήσει.   5

ΜΕΝ. οὐκοῦν καλῶς σοι δοκεῖ λέγεσθαι ὁ λόγος οὗτος,   **81**
ὦ Σώκρατες;

ΣΩ. οὐκ ἔμοιγε.

ΜΕΝ. ἔχεις λέγειν ὅπῃ;

ἐν-τυγχάνω: to chance upon, meet (dat) 5
ἐριστικός, -ή, -όν: eristic, eager for strife, 3
ζήτησις, -εως, ἡ: a seeking; inquiry, 3
κατ-άγω: to lead or bring down, spin 1
μέν-τοι: however, moreover; certainly, 6
ὅμοιος, -α, -ον: like, resembling, similar (dat) 5

3 εἶ: 2s pres. εἰμί
   οὐκ εἰδότι: dat. sg. pple οἶδα
4 συζητῆσαι: aor. inf.
   ὅ τι ποτέ...: *what in the world (it)...*; (S346)
5 τίνα τρόπον: *In what way,...?*; or 'how?'
   adv. acc. (S1608)
6 ποῖον...ζητήσεις: *proposing what sort of
   thing, among the things you do not know,
   will you search?*; ὧν is equiv. to (τούτων)
   ἅ: an acc. obj. attracted into the gen.
   (partitive gen.) of the missing antecedent;
   2s οἶδα; aor. mid. pple προτίθημι
7 εἰ καὶ: *if in fact, if actually*; καί is adverbial
   ὅτι μάλιστα: *at best*; ' as much as possible'
   ὡς or ὅτι + superlative adv. (S1086)
   ἐντύχοις αὐτῷ: 2s aor. opt. ἐντυγχάνω in
   a mixed condition; αὐτῷ refers to ποῖον
8 εἴσῃ: εἴσε(σ)αι, 2s fut. οἶδα
   ᾔδησθα: 2s plpf. οἶδα: simple past in sense

ὅμως: nevertheless, however, yet, 5
ὅπῃ: by which way, how, 2
ὁράω: to see, look, behold, 6
παράπαν, τό: altogether, absolutely, at all, 5
προ-τίθημι: to set forth, set out, propose, 1
συζητέω: to share in seeking with (dat), 2

e1 ὅιον...: *what sort a thing...*; ind. question
   βούλει: βούλε(σ)αι, 2s pres. mid.
2 ὡς...κατάγεις: *(namely) how...*; or 'that,'
   ὡς is an adv. introducing an ind. question
   that may also be understood as ind. disc.
   (S2578c); κατάγω may refer to drawing
   wool down from a distaff to spin into
   thread: perhaps, 'are beginning to spin'
   ὡς οὐκ...ἔστιν: *(namely) that it is not
   possible*; ind. disc., in apposition to
   ἐριστικὸν λόγον; see explanation above
   ἄρα: *lo and behold, as it turns out*; ὡς
   ἄρα expresses a false inference that the
   speaker rejects (S2798)
3 οὔτε...οὔτε: *either...or...*; strengthening the
   initial οὐ
4 οὐδὲν δεῖ: *there is no need*; inner acc.
   governed a gen.
81a4 ἔχεις: *are you able* + inf.

ΣΩ. ἔγωγε· ἀκήκοα γὰρ ἀνδρῶν τε καὶ γυναικῶν σοφῶν 5
περὶ τὰ θεῖα πράγματα—

ΜΕΝ. τίνα λόγον λεγόντων;

ΣΩ. ἀληθῆ, ἔμοιγε δοκεῖν, καὶ καλόν.

ΜΕΝ. τίνα τοῦτον, καὶ τίνες οἱ λέγοντες;

ΣΩ. οἱ μὲν λέγοντές εἰσι τῶν ἱερέων τε καὶ τῶν ἱερειῶν 10
ὅσοις μεμέληκε περὶ ὧν μεταχειρίζονται λόγον οἵοις τ᾽ εἶναι
διδόναι· λέγει δὲ καὶ Πίνδαρος καὶ ἄλλοι πολλοὶ τῶν ποιητῶν b
ὅσοι θεῖοί εἰσιν. ἃ δὲ λέγουσιν, ταυτί ἐστιν· ἀλλὰ σκόπει
εἴ σοι δοκοῦσιν ἀληθῆ λέγειν. φασὶ γὰρ τὴν ψυχὴν τοῦ
ἀνθρώπου εἶναι ἀθάνατον, καὶ τοτὲ μὲν τελευτᾶν—ὃ δὴ
ἀποθνῄσκειν καλοῦσι—τοτὲ δὲ πάλιν γίγνεσθαι, ἀπόλλυσθαι 5
δ᾽ οὐδέποτε· δεῖν δὴ διὰ ταῦτα ὡς ὁσιώτατα διαβιῶναι τὸν
βίον· οἷσιν γὰρ ἂν—

ἀ-θάνατος, -ον: undying, immortal, 3
ἀπο-θνῄσκω: to die off, perish, 3
ἀπ-όλλυμι: destroy, ruin, kill; *mid.* perish, 2
βίος, ὁ: life, 3
δια-βιόω: to live through, pass, 1
δίδωμι: to give, offer, grant, provide, 6
θεῖος, -α, -ον: divine, god-sent, 9
ἱέρεια, ἡ: a priestess, sacrificer, 1
ἱερεύς, -έως, ὁ: a priest, sacrificer, 1
μέλει: it is a care for (dat.) for (gen.), 2

μετα-χειρίζω: to handle, manage, 1
ὁσιότης, -ητος ἡ: piety, 1
ὅσος, -η, -ον: as much/many as; all who, that 8
οὐδέ-ποτε: not ever, never, 1
πάλιν: again, once more; back, backwards, 9
Πίνδαρος, -ου ὁ: Pindar, 2
ποιητής, -οῦ ὁ: maker, creator, poet, 2
σοφός, -ή, -όν: wise, skilled, 9
τελευτάω: to end, complete, finish; die, 4

a5 ἀκήκοα: 1s pf. ἀκούω + gen. of source
 περὶ: *about*...; + acc.
7 λεγόντων: pple agreeing with ἀνδρῶν
 and γυναικῶν above
8 ἀληθῆ (λόγον): ἀληθέ-α, 3rd decl. acc. sg.
 ἔμοιγε δοκεῖν: *it seems to me*; inf. absolute
 (S2012d)
9 τίνα τοῦτον: *what is this?*; i.e. the λόγον
 τίνες οἱ λέγοντές (εἰσιν);: interrogative,
 supply a linking verb
10 τῶν ἱερέων...ἱερειῶν: *among*...; partitive
11 μεμέληκε: impersonal pf. μέλει
 περὶ ὧν: περὶ (τούτων) ἃ; the acc. pl.
 relative is attracted into the gen. pl. of the
 missing antecedent
 λόγον...διδόναι: *to give an account*
 οἵοις τ᾽ εἶναι: *to be able;* obj. of μεμέληκε;
 dat. οἵοις agrees with dat. pl. ὅσοις

b1 λέγει: *say (this)*; i.e the λόγον mentioned
 above; 3s verb with 3p subject
2 ἃ δὲ...: *(the things) which*...; the missing pl.
 antecedent is subject of 3s ἐστίν
 ταυτί: *these here*; ταυτα-ί: a deictic,
 'pointing,' iota behaves as an intensive;
 here, it points to what follows
 σκόπει: *keep*...; *continue to*...; σκόπε-ε
3 ἀληθῆ: *the truth*; 'true things,' ἀληθέ-α
 φασὶ: 3p pres. φημί; governing ind. disc.
4 ἀθάνατον: fem. sg. acc. pred. 2-ending adj.
 τοτὲ μὲν...τοτὲ δὲ...δὲ...: *that sometimes*...
 other times...*but*...; ind. disc., supply τὴν
 ψυχὴν as acc. subj.; τελευτᾶν is a inf.
6 δεῖν δὴ: *that then it* ...; impersonal δεῖ
 ὡς...: *as*...*as possible*; ὡς + superl. adv.
7 οἷσιν ἂν...δέξεται: *from whomever*...; dat.
 pl. ὅς; 3s aor. subj., general relative clause

Φερσεφόνα ποινὰν παλαιοῦ πένθεος
δέξεται, εἰς τὸν ὕπερθεν ἅλιον κείνων ἐνάτῳ ἔτεϊ
ἀνδιδοῖ ψυχὰς πάλιν,   10
ἐκ τᾶν βασιλῆες ἀγαυοὶ   c
καὶ σθένει κραιπνοὶ σοφίᾳ τε μέγιστοι
ἄνδρες αὔξοντ'· ἐς δὲ τὸν λοιπὸν χρόνον ἥρωες ἁγνοὶ
πρὸς ἀνθρώπων καλεῦνται.

                                                    Pindar Fr. 133

ἅτε οὖν ἡ ψυχὴ ἀθάνατός τε οὖσα καὶ πολλάκις γεγονυῖα, καὶ   5
ἑωρακυῖα καὶ τὰ ἐνθάδε καὶ τὰ ἐν Ἅιδου καὶ πάντα
χρήματα, οὐκ ἔστιν ὅτι οὐ μεμάθηκεν· ὥστε οὐδὲν θαυμαστὸν
καὶ περὶ ἀρετῆς καὶ περὶ ἄλλων οἷόν τ' εἶναι αὐτὴν ἀναμνη-

ἀγαυός, -ή, -όν: illustrious, noble, 1
ἁγνός, -ή, -όν: holy, pure, chaste, 1
ἀ-θάνατος, -ον: undying, immortal, 3
Ἅιδης, Ἅιδου ὁ: Hades, 2
ἅλιος (ἥλιος), ὁ: sun, 1
ἀνα-δίδωμι: give forth, hold up and give, 1
ἅτε: inasmuch as, since (+ pple.), 5
αὐξάνω: to increase, 1
βασιλεύς, -έως ὁ: king, chief, 2
δέχομαι: to receive, accept, 1
ἔναντος, -η, -ον: ninth, 1
ἐνθάδε: here hither; thither, there, 7
ἔτος, -εως, τό: a year, 3
ἥρως, ὁ: hero, warrior, 1
θαυμαστός, -ή, -όν: wonderful, marvelous, 2

κραιπνός, -ή, -όν: nimble, swift, rushing, 1
λοιπός, -ή, -όν: remaining, the rest, 2
μεγίστος, -η, -ον: very big, greatest, 2
ὁράω: to see, look, behold, 6
παλαιός, -ά, -όν: old, aged, ancient, 2
πάλιν: again, once more; back, backwards, 9
πένθος, -εος, τό: sorrow, grief, 1
ποινά, ἡ: punishment, penalty, 1
πολλάκις: many times, often, frequently, 5
σθένος, -εος, τό: strength, 1
τᾶν: good sir, my good friend (vocative) 1
ὕπερθεν: above, from above, 1
Φερσεφόνα, ἡ: Persephone, 1
χρῆμα, -ατος, τό: thing, possession, money, 5
χρόνος, ὁ: time, 9

8 **Φερσεφόνα..**: *(from whomever) Persephone receives* (aor. subj.) *payback for an old grievance, she gives their souls back to the sun above in the ninth year, from those will arise illustrious kings and men both mighty in wisdom and nimble in strength; for all remaining time they are called holy heroes among men*

5 **ἅτε...οὖσα**: *inasmuch as...*; 'since...' ἅτε + pple εἰμί denotes a cause from a speaker's point of view while ὡς + pple is an alleged cause from a character's point of view; **γεγονυῖα, ἑωρακυῖα** are fem. sg. pf. pples γίγνομαι and ὁράω

6 **καί...καί..**: *both...and...*
   τὰ ἐνθάδε: *matters...*; i.e. upperworld; the adv. here is in the attributive position
   τὰ ἐν Ἅιδου: *matters in (the house) of Hades*

7 **οὐκ ἔστιν**: *it is not possible*
   (ἡ ψυχὴ) μεμάθηκεν: pf. μανθάνω
   οὐδὲν θαυμαστόν (ἐστι): *it is...*; impersonal construction followed by ind. disc.

8 **οἷόν τ' εἶναι**: *it is able, it is possible*
   ἀναμνησθῆναι: aor. pass. dep. inf.; in the act. voice 'remind' and in the mid. voice 'recollect' or 'remember'

σθῆναι, ἅ γε καὶ πρότερον ἠπίστατο. ἅτε γὰρ τῆς φύσεως
ἁπάσης συγγενοῦς οὔσης, καὶ μεμαθηκυίας τῆς ψυχῆς ἅπαντα, d
οὐδὲν κωλύει ἓν μόνον ἀναμνησθέντα—ὃ δὴ μάθησιν καλοῦσιν
ἄνθρωποι—τἆλλα πάντα αὐτὸν ἀνευρεῖν, ἐάν τις ἀνδρεῖος ᾖ
καὶ μὴ ἀποκάμνῃ ζητῶν· τὸ γὰρ ζητεῖν ἄρα καὶ τὸ μανθάνειν
ἀνάμνησις ὅλον ἐστίν. οὔκουν δεῖ πείθεσθαι τούτῳ τῷ 5
ἐριστικῷ λόγῳ· οὗτος μὲν γὰρ ἂν ἡμᾶς ἀργοὺς ποιήσειεν
καὶ ἔστιν τοῖς μαλακοῖς τῶν ἀνθρώπων ἡδὺς ἀκοῦσαι, ὅδε
δὲ ἐργατικούς τε καὶ ζητητικοὺς ποιεῖ· ᾧ ἐγὼ πιστεύων e
ἀληθεῖ εἶναι ἐθέλω μετὰ σοῦ ζητεῖν ἀρετὴ ὅ τι ἐστίν.

MEN. ναί, ὦ Σώκρατες· ἀλλὰ πῶς λέγεις τοῦτο, ὅτι οὐ
μανθάνομεν, ἀλλὰ ἣν καλοῦμεν μάθησιν ἀνάμνησίς ἐστιν;
ἔχεις με τοῦτο διδάξαι ὡς οὕτως ἔχει; 5

ἀνάμνησις, ἡ: recollection, calling to mind, 4
ἀνδρεῖος, -α, -ον: courageous, manly, brave, 1
ἀν-ευρίσκω: to find out, discover, 4
ἅπας, ἅπασα, ἅπαν: every, quite all, 7
ἀπο-κάμνω: to tire (from), 1
ἀργός, -όν (ἀ-εργός): idle, not working, 2
ἅτε: inasmuch as, since (+ pple.), 5
ἐργατικός, -ή, -όν: active, diligent, 1
ἐριστικός, -ή, -όν: eager for strife, eristic, 3

ζητητικός, -ή, -όν: inquisitive, 1
ἡδύς, -εῖα, -ύ: sweet, pleasant, glad, 2
κωλύω: to hinder, prevent, 1
μάθησις, ἡ: learning, 2
μαλακός, -α, -ον: soft, gentle; indolent, 1
οὔκ-ουν: then…not, not therefore, 1
πείθω: to persuade (acc) of (acc); mid. obey, 8
πιστεύω: to trust, believe (dat) 2
συγ-γενής, -ές: akin, related to, 1

c9 ἅ γε: a relative + γε has causal force:
  translate as (1) 'since…these things…' or
  (2) 'which at least…' (S2826)
  πρότερον: comparative adv. (adv. acc.)
  ἠπίστατο: impf. ἐπίσταμαι
5 ἅτε…οὔσης: inasmuch as…; 'since…' ἅτε +
  pple εἰμί (gen. abs.) denotes a cause from a
  speaker's view; τῆς φύσεως ἁπάσης is
  subject and συγγενέ-ος is pred.
d1 (ἅτε) μεμαθηκυίας τῆς ψυχῆς: ἅτε + pf.
  pple (gen. abs.)
2 κωλύει…αὐτὸν: prevents him…from…; + inf.
  ἀναμνησθέντα: aor. pass. dep. pple
  modifying αὐτόν, the acc. subj. of the inf.;
  the mid. means 'recollect' or 'remember,'
  ἓν μόνον is the object of the pple
  ὃ δὴ: exactly that which, very thing which
3 τἆλλα: τὰ ἄλλα
  ἐάν…ᾖ…ἀποκάμῃ: if (ever)…from…; a pres.
  general condition (ἐάν + subj., pres.); εἰμί

4 τὸ ζητεῖν…: translate both articular infs. as
  gerunds (-ing)
  ὅλον: wholely, entirely; adv. acc.
5 οὔκουν: then…not; used only once, οὔκουν
  differs from οὐκοῦν in accent and meaning
  τούτῳ…λόγῳ: dat. obj; i.e 70e argument
  about knowing what one does not know
6 ἂν ποιήσειεν: would…; 3p potential aor.
  opt. governing a double acc.
7 τοῖς μαλακοῖς: for…; dat. of reference
  ἀκοῦσαι: to hear; epexegetic (explanatory)
  inf. qualifying ἡδύς
  ὅδε: this here argument; contrast to οὗτος
e1 ποιεῖ: makes (men); governs a double acc.
  ᾧ: which…; i.e. ὅδε; dat. ind. obj. of pple
  ἀληθε-ῖ: dat. sg. pred. of εἶναι;
2 ἀρετὴ ὅ τι ἐστίν: what…; ὅ τι ἀρετὴ ἐστίν
3 τοῦτο, ὅτι: (by) this, (namely) that…
5 ἔχεις, ἔχει: 'to be able' and 'be disposed'
  ὡς: (namely) how; in apposition to τοῦτο

35

ΣΩ. καὶ ἄρτι εἶπον, ὦ Μένων, ὅτι πανοῦργος εἶ, καὶ
νῦν ἐρωτᾷς εἰ ἔχω σε διδάξαι, ὃς οὔ φημι διδαχὴν εἶναι 82
ἀλλ᾽ ἀνάμνησιν, ἵνα δὴ εὐθὺς φαίνωμαι αὐτὸς ἐμαυτῷ
τἀναντία λέγων.

MEN. οὐ μὰ τὸν Δία, ὦ Σώκρατες, οὐ πρὸς τοῦτο
βλέψας εἶπον, ἀλλ᾽ ὑπὸ τοῦ ἔθους· ἀλλ᾽ εἴ πώς μοι ἔχεις 5
ἐνδείξασθαι ὅτι ἔχει ὥσπερ λέγεις, ἔνδειξαι.

ΣΩ. ἀλλ᾽ ἔστι μὲν οὐ ῥᾴδιον, ὅμως δὲ ἐθέλω προθυμη-
θῆναι σοῦ ἕνεκα. ἀλλά μοι προσκάλεσον τῶν πολλῶν
ἀκολούθων τουτωνὶ τῶν σαυτοῦ ἕνα, ὅντινα βούλει, ἵνα ἐν b
τούτῳ σοι ἐπιδείξωμαι.

MEN. πάνυ γε. δεῦρο πρόσελθε.

ΣΩ. Ἕλλην μέν ἐστι καὶ ἑλληνίζει;

MEN. πάνυ γε σφόδρα, οἰκογενής γε. 5

ἀκόλουθος, ὁ: attendant, follower, 1
ἀνάμνησις, ἡ: recollection, calling to mind, 4
ἄρτι: just, exactly; just now, 9
βλέπτω: to look at, see, 3
δεῦρο: here, to this point, hither, 1
διδαχή, ἡ: teaching, 1
ἔθος, -εος, τό: custom, habit, 2
Ἕλλην, Ἕλληνος, ἡ: Greece, 1
ἑλληνίζω: to speak Greek, 1
ἐμαυτοῦ, -ῆς, -οῦ: myself, 6
ἐναντίος, -α, -ον: opposite, contrary, 8
ἐν-δείκνυμι: to point out, mark, show, 2
ἕνεκα: for the sake of, for (+gen.), 3
ἐπι-δείκνυμι: to show, demonstrate, point out 1

εὐθύς -εῖα, -ύ: straight; *adv.* straight away, 8
ἵνα: in order that, so that (subj.); where, 9
μά: by + acc. (in an oath), 8
οἰκο-γενής, -ές: home-born, 1
ὅμως: nevertheless, however, yet, 5
προ-θυμέομαι: to be eager, ready, willing, 2
παν-οῦργος, -ον: unscrupulous; *subs.* rogue 2
προσ-έρχομαι: to come or go to, approach, 1
προσ-καλέω: to call, challenge, summon, 1
πως: somehow, in any way, 5
ῥᾴδιος, -α, -ον: easy, ready, 6
σαυτοῦ, -ῆ, -οῦ: yourself, 4
σφόδρα: exceedingly, very (much), 3
ὑπό: by, because of, (gen.), under, 2

e6 εἴ: 2s pres. εἰμί
82a εἰ....διδάξαι: *whether...*; ind. question
   ἔχω, 'be able,' + aor. inf.
   ὅς: *(I) who...*; the antecedent is 1s
   οὔ φημι: *say that...not*; or 'deny' (S2691)
2 ἵνα δή...: *just so that...*; δή implies that the
   purpose is not worthwhile (D232, S2842)
   ἐμαυτῷ...λέγων: i.e. contradicting oneself
4 τὸν Δία: acc. sg. Ζεύς
   πρὸς τοῦτο: i.e. to this purpose
5 ὑπό: *because of...*; ἔθε-ος, expressing cause
   εἴ...ἔχεις, ἔνδειξαι: *if you are able...*; simple
   pres. condition (εἰ pres., pres.) with aor.
   mid. imperative in the apodosis

6 ἔχει (οὕτως) ὥσπερ (ἔχειν) λέγεις: translate
   ἔχω ('is disposed' or 'holds') + adv. as εἰμί
   + adj.; a demonstrative (here, adv. οὕτως)
   antecedent is often omitted before a relative
   and must be supplied; ὥσπερ, 'just as' is a
   relative adv. introducing a relative clause
7 ἔστι ῥᾴδιον: *it is...*; impersonal
   προθυμηθῆναι: aor. pass. dep. inf.
8 προσκάλεσον: aor. act. imperative
b1 τούτων-ὶ: *these here*; Socrates is pointing
   ἕνα: acc. εἷς; i.e. a slave attending Meno
   πρόσελθε: aor. imper.; addressing the slave
   βούλει: βούλε(σ)αι, 2s pres. mid.
   ἵνα...: *so that...may*; purpose with aor. subj.

ΣΩ. πρόσεχε δὴ τὸν νοῦν ὁπότερ' ἄν σοι φαίνηται, ἢ ἀναμιμνῃσκόμενος ἢ μανθάνων παρ' ἐμοῦ.

ΜΕΝ. ἀλλὰ προσέξω.

ΣΩ. εἰπὲ δή μοι, ὦ παῖ, γιγνώσκεις τετράγωνον χωρίον   ABCD
ὅτι τοιοῦτόν ἐστιν; ΠΑΙ. ἔγωγε. ΣΩ. ἔστιν οὖν   10
τετράγωνον χωρίον ἴσας ἔχον τὰς γραμμὰς ταύτας πάσας,   c $\overline{EG}$ $\overline{FH}$
τέτταρας οὔσας; ΠΑΙ. πάνυ γε. ΣΩ. οὐ καὶ ταυτασὶ
τὰς διὰ μέσου ἐστὶν ἴσας ἔχον; ΠΑΙ. ναί. ΣΩ. οὐ-
κοῦν εἴη ἂν τοιοῦτον χωρίον καὶ μεῖζον καὶ ἔλαττον;
ΠΑΙ. πάνυ γε. ΣΩ. εἰ οὖν εἴη αὕτη ἡ πλευρὰ δυοῖν   5 $\overline{AD}$ $\overline{AB}$
ποδοῖν καὶ αὕτη δυοῖν, πόσων ἂν εἴη ποδῶν τὸ ὅλον; ὧδε
δὲ σκόπει· εἰ ἦν ταύτῃ δυοῖν ποδοῖν, ταύτῃ δὲ ἑνὸς ποδὸς $\overline{AD}$ $\overline{AE}$
μόνον, ἄλλο τι ἅπαξ ἂν ἦν δυοῖν ποδοῖν τὸ χωρίον; ΠΑΙ.   AEGD
ναί. ΣΩ. ἐπειδὴ δὲ δυοῖν ποδοῖν καὶ ταύτῃ, ἄλλο τι ἢ   d $\overline{AD}$ $\overline{AB}$
δὶς δυοῖν γίγνεται; ΠΑΙ. γίγνεται. ΣΩ. δυοῖν ἄρα δὶς

ἅπαξ: once, once only, once for all, 1
δίς: twice, doubly, 3
ἐλάττων, -ον: smaller, fewer, 4
μείζων, μεῖζον: larger, greater, 4
μέσος, - η, -ον: middle, in the middle of, 1
ὁπότερος, -α, -ον: which of two, 2

παῖς, παιδός, ὁ, ἡ: child, boy, girl; slave, 9
πλευρά, ἡ: side; rib, 1
προσ-έχω: to offer, provide; direct, 3
τετράγωνος, ὁ: square, rectangle, 2
ὧδε: in this way, in the following way, 7

d6 πρόσεχε δή: δή is intensive ('just,' 'now'), and νοῦν here means 'attention'
ἠ...ἠ...: (namely) whether...or...; in apposition to ὁπότερ(α)
παρ(ὰ) ἐμοῦ: from...; gen. source
8 ἀλλὰ: very well
9 δή: see note for d6
ὦ παῖ: i.e. the slave
τετράγωνον χωρίον: square figure; 'area'
10 ὅτι...ἐστιν: that...; ind. disc.; prolepsis
c1 ἔχον: neut. pple
2 οὔσας: pple εἰμί
οὐ ἐστὶν (χωρίον)....ἔχον: is there not a figure having...?; οὐ elicits a 'yes' reply
καὶ: also; Socrates draws two more lines
ταυτασὶ: ταύτας with deictic iota
4 εἴη ἄν: would...; potential opt. εἰμί
καὶ...καὶ...: both...and...
5 εἰ...εἴη, ἂν εἴη: if...should...would; less vivid
δυοῖν ποδοῖν: of...; dual gen. of measure; often below as the predicate after εἰμί

6 αὕτη (ἡ πλευρὰ εἴη) δυοῖν (ποδοῖν): *and this (side) of two (feet)*; ellipsis
πόσων ποδῶν: *(of) how many...?*; measure
τὸ ὅλον: *the whole*; substantive and subject
7 σκόπει: *keep...,continue...*; σκόπε-ε, imper.
εἰ ἦν, ἂν ἦν: *if were...would be...*; contrary
ταύτῃ...ταύτῃ: *in this direction...in that...*
8 ἄλλο τι (ἠ)...ἦν: *would the figure not be...?* 'is anything else the case than' elicits a 'no' reply: translate simply as 'would not...?'
d1 δυοῖν ποδοῖν καὶ ταύτῃ: *(the figure is) of two feet on this side also*; i.e. not just 1 foot

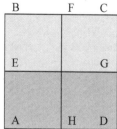

γίγνεται ποδῶν; ΠΑΙ. ναί. ΣΩ. πόσοι οὖν εἰσιν οἱ δύο   ABCD

δὶς πόδες; λογισάμενος εἰπέ. ΠΑΙ. τέτταρες, ὦ Σώκρατες.

ΣΩ. οὐκοῦν γένοιτ' ἂν τούτου τοῦ χωρίου ἕτερον διπλά- 5

σιον, τοιοῦτον δέ, ἴσας ἔχον πάσας τὰς γραμμὰς ὥσπερ

τοῦτο; ΠΑΙ. ναί. ΣΩ. πόσων οὖν ἔσται ποδῶν; ΠΑΙ.

ὀκτώ. ΣΩ. φέρε δή, πειρῶ μοι εἰπεῖν πηλίκη τις ἔσται

ἐκείνου ἡ γραμμὴ ἑκάστη. ἡ μὲν γὰρ τοῦδε δυοῖν ποδοῖν· τί e

δὲ ἡ ἐκείνου τοῦ διπλασίου; ΠΑΙ. δῆλον δή, ὦ Σώκρατες,

ὅτι διπλασία.

ΣΩ. ὁρᾷς, ὦ Μένων, ὡς ἐγὼ τοῦτον οὐδὲν διδάσκω,

ἀλλ' ἐρωτῶ πάντα; καὶ νῦν οὗτος οἴεται εἰδέναι ὁποία ἐστὶν 5

ἀφ' ἧς τὸ ὀκτώπουν χωρίον γενήσεται· ἢ οὐ δοκεῖ σοι;

ΜΕΝ. ἔμοιγε.

ΣΩ. οἶδεν οὖν;

δίς: twice, doubly, 3
λογίζομαι: to calculate, count, consider, 1
ὀκτώ: eight, 2
ὁποῖος, -α, -ον: what sort or kind, 5
ὁράω: to see, look, behold, 6

πειράω: to try, attempt, endeavor, 9
πηλίκος, -η, -ον: how large? How old?, 3
πόσος, -α, -ον: how much, many or great 8
φέρω: to bear, carry, bring, convey, 3

d4 εἰπέ: aor. imperative λέγω
  γένοιτ(ο) ἂν: *might there be…*; potential aor. opt.
5 ἕτερον (χωρίον): *another figure*; nom. subject
6 τοιοῦτον δέ: *but this sort*; i.e. the same shape
  ἔχον: neut. pple
7 πόσων ποδῶν: *(of) how many…?*; measure
  ἔσται: 3s fut, εἰμί
8 φέρε δή: *come now*; or 'come on,' an imper. often drawing attention to what follows
  πειρῶ: πειρά(σ)ο; sg. mid. imperative
e1 ἐκείνου (χωρίου): i.e the ἕτερον above
  ἡ (γραμμὴ) μὲν: the feminine forms refer to γραμμή, while the neuter forms to χωρίον
  τοῦδε (χωρίου): see above
  δυοῖν ποδοῖν (ἐστίν): *of…*; dual gen. of measure; translate as the predicate
  τί δὲ (ἔσται) ἡ (γραμμὴ) ἐκείνου (χωρίου): heavy ellipsis
2 τοῦ διπλασίου: *of double size*; modifying ἐκείνου

δῆλον (ἐστίν): *it is…*; as often, impersonal;
δή: *quite, very*; a common translation of δή with an adj.; δή emphasizes that the slave is very confident in his response
3 (ἡ γραμμή ἐστι) διπλασία: fem. nom. pred.
4 ὡς: *how…*; or 'that,' ὡς is an adverb introducing an ind. question that may also be understood as ind. disc. (S2578c)
  διδάσκω: this verb governs a double acc.: i.e. teach (someone) (something)
5 εἰδέναι: inf. οἶδα
  ἀφ ἧς: *(the line) from which*; supply the missing antecedent
6 γενήσεται: fut. γίγνομαι (γενε-)

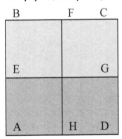

38

ΜΕΝ. οὐ δῆτα.

ΣΩ. οἴεται δέ γε ἀπὸ τῆς διπλασίας;   10

ΜΕΝ. ναί.

ΣΩ. θεῶ δὴ αὐτὸν ἀναμιμνῃσκόμενον ἐφεξῆς, ὡς δεῖ ἀναμιμνῄσκεσθαι.

σὺ δέ μοι λέγε· ἀπὸ τῆς διπλασίας γραμμῆς φῂς τὸ διπλάσιον χωρίον γίγνεσθαι; τοιόνδε λέγω, μὴ ταύτῃ μὲν **83** μακρόν, τῇ δὲ βραχύ, ἀλλὰ ἴσον πανταχῇ ἔστω ὥσπερ τουτί, διπλάσιον δὲ τούτου, ὀκτώπουν· ἀλλ' ὅρα εἰ ἔτι σοι ἀπὸ τῆς διπλασίας δοκεῖ ἔσεσθαι. ΠΑΙ. ἔμοιγε. ΣΩ. οὐκοῦν διπλασία αὕτη ταύτης γίγνεται, ἂν ἑτέραν τοσαύτην προσ-   5 ‾AK θῶμεν ἐνθένδε; ΠΑΙ. πάνυ γε. ΣΩ. ἀπὸ ταύτης δή, φῄς, ἔσται τὸ ὀκτώπουν χωρίον, ἂν τέτταρες τοσαῦται γένωνται; ΠΑΙ. ναί. ΣΩ. ἀναγραψώμεθα δὴ ἀπ' αὐ- **b**AIJK τῆς ἴσας τέτταρας. ἄλλο τι ἢ τουτὶ ἂν εἴη ὃ φῂς τὸ ὀκτώπουν

ἀνα-γράφω: to describe; engrave, register 1
βραχύς, -εῖα, -ύ: short, 1
δῆτα: certainly, to be sure, of course, 7
ἐνθένδε: from here, from this place, 3
ἐφεξῆς: in succession, in a row, in order, 1
θεάομαι: to watch, look at; contemplate, 1

μακρός, -ά, -όν: long, large, 1
ὁράω: to see, look, behold, 6
παντα-χῇ: everywhere, in every direction, 1
προσ-τίθημι: to add, impose, attribute. 4
τοιόσδε, -άδε, -όνδε: this sort, following, 5
τοσοῦτος, -αύτη, -οῦτο: so great/much/long 9

10 δέ γε: *but...at any rate;* 'but...at least;' γε emphasizes οἴεται
ἀπὸ τῆς διπλασίας (γραμμῆς): i.e. as a result of...
12 θεῶ: *keep...; continue...*; θεάε(σ)ο; sg. pres. (ongoing) mid. imperative
δή: *just, now;* as often after an imperative,
αὐτὸν: i.e. the slave
ὡς: *as...*; clause of comparison
14 σύ δέ: *you there;* δέ indicates a change of subject: Socrates now addresses the slave
φῄς: 2s φημί
83a λέγω: *I mean*
μὴ ταύτῃ μὲν...τῇ δὲ βραχύ: *not long in this direction, and short in that direction;* 'in this way,' dat. of manner; τῇ is a demonstrative
2 ἔστω: *let...*; 3rd pers. imperative εἰμί
τουτί: *this one here;* τοῦτο and deictic iota
3 διπλάσιον τούτου: *double (the size) of this*
ὅρᾱ: ὅρα-ε, sg. imperative

εἰ: *whether...*; ind. question
ἀπὸ τῆς διπλασίας (γραμμῆς): see e10
4 ἔσεσθαι: fut. inf. εἰμί
5 διπλασία...γίγνεται: *this (line) becomes the double of this (line)*
ἂν...προσθῶμεν:; *if ever...;* ἐάν + 1p aor. subj. προστίθημι; a pres. general condition
ἑτέραν τοσαύτην: *another (line) so long*
6 ταύτης (γραμμῆς) : δή, 'exactly' or 'just,' is a common intensive with demonstratives
7 ἔσται: 3s fut. εἰμί; fut. more vivid
ἂν...γένωνται: *if...;* ἐάν + 3p aor. subj.; for τοσαῦται, see τοσαύτην above
b1 ἀναγραψώμεθα δή: *Let...;* hortatory subj. note: 'to describe' in this context means 'to draw' or 'to mark out' a geometric figure
δή: intensive 'now' or inferential 'then'
ἀπὸ αὐτῆς: *from it;* i.e. ἀπο ταύτης δή
2 ἄλλο τι ἤ...: *would this here (figure) not be;* 'is it anything else than' see note, 82c8
τὸ ὀκτώπουν (χωρίον): eight-foot figure

εἶναι; ΠΑΙ. πάνυ γε. ΣΩ. οὐκοῦν ἐν αὐτῷ ἐστιν ταυτὶ   AIJK
τέτταρα, ὧν ἕκαστον ἴσον τούτῳ ἐστὶν τῷ τετράποδι;   ABCD
ΠΑΙ. ναί. ΣΩ. πόσον οὖν γίγνεται; οὐ τετράκις τοσοῦ-   5
τον; ΠΑΙ. πῶς δ' οὔ; ΣΩ. διπλάσιον οὖν ἐστιν τὸ
τετράκις τοσοῦτον; ΠΑΙ. οὐ μὰ Δία. ΣΩ. ἀλλὰ ποσα-
πλάσιον; ΠΑΙ. τετραπλάσιον. ΣΩ. ἀπὸ τῆς διπλασίας
ἄρα, ὦ παῖ, οὐ διπλάσιον ἀλλὰ τετραπλάσιον γίγνεται χωρίον.   c
ΠΑΙ. ἀληθῆ λέγεις. ΣΩ. τεττάρων γὰρ τετράκις ἐστὶν
ἐκκαίδεκα. οὐχί; ΠΑΙ. ναί. ΣΩ. ὀκτώπουν δ' ἀπὸ ποίας
γραμμῆς; οὐχὶ ἀπὸ μὲν ταύτης τετραπλάσιον; ΠΑΙ. φημί. $\overline{AK}$
ΣΩ. τετράπουν δὲ ἀπὸ τῆς ἡμισέας ταυτησὶ τουτί; ΠΑΙ.   5 $\overline{AD}$
ναί. ΣΩ. εἶεν· τὸ δὲ ὀκτώπουν οὐ τοῦδε μὲν διπλάσιόν
ἐστιν, τούτου δὲ ἥμισυ; ΠΑΙ. ναί. ΣΩ. οὐκ ἀπὸ μὲν   > $\overline{AD}$
μείζονος ἔσται ἢ τοσαύτης γραμμῆς, ἀπὸ ἐλάττονος δὲ ἢ   < $\overline{AK}$

ἐκκαίδεκα: sixteen, 1
ἐλάττων, -ον: smaller, fewer, 4
ἥμισυς, -εια, -υ: half, half of, 4
μά: by + acc. (in an oath), 8
μείζων, μεῖζον: larger, greater, 4
παῖς, παιδός, ὁ, ἡ: child, boy, girl; slave, 9

ποσα-πλάσιος -α -ον: how many fold/times, 2
πόσος, -α, -ον: how much, many or great 8
τετρα-πλάσιος, -α, -ον: four-fold/times, 4
τετρά-πους, τετρά-πουν: of four feet, 5
τετράκις: four times, 3
τοσοῦτος, -αύτη, -οῦτο: so great/much/long 9

b3 ἐν αὐτῷ: i.e. the large χωρίον
ταυτὶ τέτταρα (χωρία): i.e. small χωρία;
ταῦτα-ι is neuter pl. with deictic iota
4 ὧν...: partitive gen. pl., relative clause
τούτῳ τῷ τεράποδι (χωρίῳ): *to*...; dat. of
special adj. ἴσον
5 πόσον (χωρίον)...: i.e. the large χώριον
7 Δία: acc. sg. Ζεύς
8 ἀπὸ τῆς διπλασίας (γραμμῆς): *from*...
c2 ἀληθῆ: *the truth*; ἀληθέ-α, neuter pl.
τεττάρων γὰρ τετράκις ἐστὶν ἐκκαίδεκα:
ellipsis for: (χωρίον) γὰρ τετράκις
τεττάρων (ποδῶν) ἐστί (χωρίον)
ἐκκαίδεκα (ποδῶν); gen. of measure
modifying χωρίον
3 ὀκτώπουν (χωρίον): the ending –πουν
is neuter sg.

5 τετράπουν...(ἐστίν) τουτί (χωρίον): *this
here figure is four times*; τοῦτο-ι, a deictic
iota reveals that he is pointing to a different
figure
ἡμισέας ταυτησί: *half of this line*; ἥμισυς
means 'half of' (cf. medius); the deictic
iota suggests he is looking at a different
line
6 εἶεν: *well then!*; an exclamation originally
3p pres. opt. of wish, εἰμί: 'let them be so!'
7 δὲ: *and*
οὐκ (ὀκτώπουν) ἀπὸ μὲν μείζοντος ἔσται...
τοσηδί: *will (the eight-foot) be from a
larger (line) than this long a line, and from
a smaller (line) than this here long (line)?*;
fut. εἰμί; gen. of comparison

τοσῃσδί; ἢ οὔ; ΠΑΙ. ἔμοιγε δοκεῖ οὕτω. ΣΩ. καλῶς· **d**
τὸ γὰρ σοι δοκοῦν τοῦτο ἀποκρίνου. καί μοι λέγε· οὐχ ἥδε $\overline{AD}$
μὲν δυοῖν ποδοῖν ἦν, ἡ δὲ τεττάρων; ΠΑΙ. ναί. ΣΩ. $\overline{AK}$
δεῖ ἄρα τὴν τοῦ ὀκτώποδος χωρίου γραμμὴν μείζω μὲν εἶναι $> \overline{AD}$
τῆσδε τῆς δίποδος, ἐλάττω δὲ τῆς τετράποδος. ΠΑΙ. δεῖ. 5 $< \overline{AK}$
ΣΩ. πειρῶ δὴ λέγειν πηλίκην τινὰ φῇς αὐτὴν εἶναι. **e**
ΠΑΙ. τρίποδα. ΣΩ. οὐκοῦν ἄνπερ τρίπους ᾖ, τὸ ἥμισυ
ταύτης προσληψόμεθα καὶ ἔσται τρίπους; δύο μὲν γὰρ οἶδε,
ὁ δὲ εἷς· καὶ ἐνθένδε ὡσαύτως δύο μὲν οἶδε, ὁ δὲ εἷς· καὶ
γίγνεται τοῦτο τὸ χωρίον ὃ φῇς. ΠΑΙ. ναί. ΣΩ. οὐκοῦν 5
ἂν ᾖ τῇδε τριῶν καὶ τῇδε τριῶν, τὸ ὅλον χωρίον τριῶν τρὶς
ποδῶν γίγνεται; ΠΑΙ. φαίνεται. ΣΩ. τρεῖς δὲ τρὶς πόσοι
εἰσὶ πόδες; ΠΑΙ. ἐννέα. ΣΩ. ἔδει δὲ τὸ διπλάσιον
πόσων εἶναι ποδῶν; ΠΑΙ. ὀκτώ. ΣΩ. οὐδ' ἄρ' ἀπὸ τῆς
τρίποδός πω τὸ ὀκτώπουν χωρίον γίγνεται. ΠΑΙ. οὐ δῆτα. 10

δῆτα: certainly, to be sure, of course, 7
δί-πους, δί-πουν: of two feet, 1
ἐλάττων, -ον: smaller, fewer, 4
ἐνθένδε: from here, from this place, 3
ἐννέα: nine, 1
μείζων, μεῖζον: larger, greater, 4
ὀκτώ: eight, 2
πειράω: to try, attempt, endeavor, 9
πηλίκος, -η, -ον: how large? How old?, 3

πόσος, -α, -ον: how much, many or great 8
προσ-λαμβάνω: take, receive in addition, 1
πω: yet, up to this time, 5
τετρά-πους, τετρά-πουν: of four feet, 5
τοσόσδε, -άδε, -όνδε: so great/much/long, 1
τρεῖς, τρία: three, 4
τρί-πους, τρί-πουν: of three feet, 4
τρίς: three times, thrice, 2
ὡσαύτως: in the same manner, just so, 6
ἥμισυς, -εια, -υ: half, half of, 4

d1 καλῶς: *very well*
2 τὸ...δοκοῦν τοῦτο: *what this seems...*; pple
ἀποκρίνου: *keep/continue answering*; pres.
mid. imperative; ἀποκρίνε(σ)ο; the pres.
denotes ongoing, often repeated, actions,
while the aor. denotes a single action
λέγε: *keep/continue telling*
ἥδε (ἡ γραμμή)...ἡ δὲ (γραμμή): *this here
(line)...but that (line)...*;
3 δυοῖν ποδοῖν: *of two feet*; dual; predicate
ἦν: 3s impf. εἰμί, as they concluded earlier
(ἦν) τεττάρων (ποδῶν): gen. of measure
4 τὴν...εἶναι...τετράποδος: *that...*; ind. disc.
μείζω: μείζο(ν)α; acc. pred.
5 τῆσδε τῆς δίποδος (χωρίου γραμμῆς):
than...; gen. of comparison
ἐλάττω: ἐλάττο(ν)α; acc. pred.
τῆς τετράποδος (χωρίου γραμμῆς): *than*

that...; gen. comparison ἔρχομαι
6 πειρῶ: πειρά(σ)ο; sg. mid. imperative
δή: *now, just*; intensive with imperatives
e1 τινα: *at all*; τις, τι often follow and make
pronouns and adjs. (S1268)
2 ἄνπερ...ᾖ,... προσληψόμεθα: *if (the line)
is...,will*; (ἐ)άνπερ, fut. more vivid (ἐάν
subj., fut.); 3s pres. subj. εἰμί; 1p fut.;
τρίπους is fem. sg. and refers to the line
3 οἶδε...ὁ δὲ: *these (are)...that one (is)...*
6 ἂν ᾖ...: *if (the line) is...*; ἐάν + 3s subj. in a
pres. general condition (ἐάν subj., pres.)
τῇδε...τῇδε: *in this direction...in that...*
8 ἔδει: impf. impersonal δεῖ
οὐδὲ...πω: *and...not yet*; i.e.not proven
9 ἀπὸ τῆς τρίποδός (γραμμῆς): *from...*

41

ΣΩ. ἀλλ᾽ ἀπὸ ποίας; πειρῶ ἡμῖν εἰπεῖν ἀκριβῶς· καὶ
εἰ μὴ βούλει ἀριθμεῖν, ἀλλὰ δεῖξον ἀπὸ ποίας. ΠΑΙ. ἀλλὰ **84**
μὰ τὸν Δία, ὦ Σώκρατες, ἔγωγε οὐκ οἶδα.

ΣΩ. ἐννοεῖς αὖ, ὦ Μένων, οὗ ἐστιν ἤδη βαδίζων ὅδε
τοῦ ἀναμιμνῄσκεσθαι; ὅτι τὸ μὲν πρῶτον ᾔδει μὲν οὔ, ἥτις
ἐστὶν ἡ τοῦ ὀκτώποδος χωρίου γραμμή, ὥσπερ οὐδὲ νῦν πω 5
οἶδεν, ἀλλ᾽ οὖν ᾤετό γ᾽ αὐτὴν τότε εἰδέναι, καὶ θαρραλέως
ἀπεκρίνετο ὡς εἰδώς, καὶ οὐχ ἡγεῖτο ἀπορεῖν· νῦν δὲ ἡγεῖται
ἀπορεῖν ἤδη, καὶ ὥσπερ οὐκ οἶδεν, οὐδ᾽ οἴεται εἰδέναι. **b**

MEN. ἀληθῆ λέγεις.

ΣΩ. οὐκοῦν νῦν βέλτιον ἔχει περὶ τὸ πρᾶγμα ὃ οὐκ
ᾔδει;

MEN. καὶ τοῦτό μοι δοκεῖ. 5

ΣΩ. ἀπορεῖν οὖν αὐτὸν ποιήσαντες καὶ ναρκᾶν ὥσπερ ἡ
νάρκη, μῶν τι ἐβλάψαμεν;

ἀκριβῶς: exactly, accurately, precisely, 2
ἀ-πορέω: to be at a loss, bewildered, 9
ἀριθμέω: to count, number, reckon, 1
αὖ: again, once more; further, moreover, 8
βαδίζω: to walk, go, 2
βελτίων, -ον: better, 9
δείκνυμι: to point out, show, 1
ἐν-νοέω: to have in mind, notice, 3
ἤδη: already, now, at this time, 7
θαρραλέως: confidently, audaciously, 1

μά: by + acc. (in an oath), 8
μῶν: but surely...not? (expects 'no' reply), 3
ναρκάω: to grow numb, 7
νάρκη, ἡ: numb-fish; numbness, 3
οὗ: where, 4
πειράω: to try, attempt, endeavor, 9
πρῶτος, -η, -ον: first, earliest, 9
πω: yet, up to this time, 5
τότε: at that time, then, 6

11 ἀπὸ ποίας (γραμμῆς): interrogative
   πειρῶ: *keep...; continue...*; πειρά(σ)ο; sg.
   mid. imperative
84a βούλει: βούλε(σ)αι, 2s pres. mid. in a
   simple pres. condition (εἰ pres., pres.)
   ἀλλά: 'but rather' or 'on the contrary'
   when following a neg. statement (S2776)
   δεῖξον: aor. act. imperative δείκνυμι
   ἀλλά: well; or as often in replies
2 τὸν Δία: acc. sg. Ζεύς
3 οὗ...τοῦ ἀναμιμνῄσκεσθαι: *at what point of*
   recalling...; 'where of recalling,' a relative
   clause with relative adv. οὗ, articular inf.
   ὅδε: i.e. the slave
4 ὅτι: *(namely) that...*; ind. disc. after ἐννοεῖς
   τὸ πρῶτον: *at first*; adv. acc.
   ᾔδει: 3s plpf. οἶδα, simple past in sense

ἥτις...γραμμή: ind. question
5 οὐδέ: *not even*; adv.
6 ᾤετό: impf. οἴομαι
   ἀλλὰ οὖν...γε: *but at any rate he thought...*;
   in response to ᾔδει μὲν οὔ: he did not know
   but he thought (γε) that he knew (S2786)
7 ὡς εἰδώς: *as if*; 'on the grounds that...' ὡς
   + pple (οἶδα) denotes alleged cause
b1 οὐδ(ὲ): *also not*; adv. οὐδὲ (οὐ καί)
   ἀληθῆ: *the truth*; ἀληθέ-α, neuter pl.
3 βέλτιον ἔχει: translate ἔχω ('is disposed'
   or 'holds') + adv. (here, comparative adv.)
   as εἰμί + adj. in colloquial English
3 περί: *regarding...about...*
6 ναρκᾶν: α-contract inf.
7 μῶν: *surely...not?*; elicits a 'no' reply

ΜΕΝ. οὐκ ἔμοιγε δοκεῖ.

ΣΩ. προὔργου γοῦν τι πεποιήκαμεν, ὡς ἔοικε, πρὸς τὸ
ἐξευρεῖν ὅπη ἔχει· νῦν μὲν γὰρ καὶ ζητήσειεν ἂν ἡδέως οὐκ   10
εἰδώς, τότε δὲ ῥᾳδίως ἂν καὶ πρὸς πολλοὺς καὶ πολλάκις
ᾤετ᾽ ἂν εὖ λέγειν περὶ τοῦ διπλασίου χωρίου, ὡς δεῖ διπλασίαν   c
τὴν γραμμὴν ἔχειν μήκει.

ΜΕΝ. ἔοικεν.

ΣΩ. οἴει οὖν ἂν αὐτὸν πρότερον ἐπιχειρῆσαι ζητεῖν ἢ
μανθάνειν τοῦτο ὃ ᾤετο εἰδέναι οὐκ εἰδώς, πρὶν εἰς ἀπορίαν   5
κατέπεσεν ἡγησάμενος μὴ εἰδέναι, καὶ ἐπόθησεν τὸ εἰδέναι;

ΜΕΝ. οὔ μοι δοκεῖ, ὦ Σώκρατες.

ΣΩ. ὤνητο ἄρα ναρκήσας;

ΜΕΝ. δοκεῖ μοι.

ΣΩ. σκέψαι δὴ ἐκ ταύτης τῆς ἀπορίας ὅ τι καὶ ἀνευρήσει   10
ζητῶν μετ᾽ ἐμοῦ, οὐδὲν ἀλλ᾽ ἢ ἐρωτῶντος ἐμοῦ καὶ οὐ διδά-
σκοντος· φύλαττε δὲ ἄν που εὕρης με διδάσκοντα καὶ   d

ἀν-ευρίσκω: to find out, discover, 4
ἀ-πορία, ἡ: a lack of resources, bewildering, 6
γοῦν (γε οὖν): at any rate; *a reply:* yes, well 7
ἐξ-ευρίσκω: to find out, discover, 2
εὑρίσκω: to find, discover, devise, invent, 4
ἡδέως: sweetly, pleasantly, gladly, 1
κατα-πίπτω: to fall down, 1
μῆκος, -εος τό: length, 1
ναρκάω: to grow numb, 7

ὀνίνημι: to profit, benefit; be advantageous, 2
ὅπη: by which way, how, 2
ποθέω: to long for, yearn after, 1
πολλάκις: many times, often, frequently, 5
πρίν: before (+ inf), until (+ subj.), 5
προὔργου (πρὸ ἔργου): useful, workable, 2
ῥᾴδιος, -α, -ον: easy, ready, 6
τότε: at that time, then, 6
φυλάττω: to keep watch, keep guard, 2

9 πεποιήκαμεν: 1p pf. with a double acc.
πρός...: *toward...*; here with an articular
  inf. that is best translated as a gerund (-ing)
10 ὅπη ἔχει: *how it holds*; ἔχω + dat. manner
  is similar to ἔχω ('is disposed') + adv.
καί: *actually, in fact*; adv.
ζητήσειεν ἄν: *he might...*; potential aor. opt
οὐκ εἰδώς: *(since)...*; pple οἶδα that is
  causal in sense
11 καί...καί...: *both...and*
ἄν...ᾤετο ἄν: *used to think*; 'would think,'
  an iterative indicative (S1790); ἄν + impf.,
  οἴομαι; ἄν is duplicated for emphasis
c1 εὖ λέγειν: *that (he)...*; ind. disc.
ὡς: *how...*; or 'that...' see 82e3
2 μήκει: *in...*; dat. of respect with διπλασίαν

4 οἴει: οἴε(σ)αι, 2s pres. οἴομαι
ἄν...ἐπιχειρῆσαι: *that...would have...*; ind.
  disc.; ἄν + aor. inf. is here equiv. to past
  unreal potential (ἄν + aor.) (S1784)
5 ᾤετο: impf. οἴομαι
οὐκ εἰδώς: *(when)...*; pple οἶδα that is
  causal in sense; if conditional in sense, we
  would expect μή instead of οὐ
6 τὸ εἰδέναι: articular inf.
8 ὤνητο: 3s aor. mid. ὀνίνημι (ὀνα-)
10 σκέψαι: aor. mid. imperative σκέπτομαι
ἐκ...ἀπορίας: *as a result of...*
καί: *in fact, actually*; adv.
11 οὐδέν...ἢ: *(it is) nothing other than...*
πρότερον: comparative adv. (adv. acc.)
d1 ἄν...εὕρης: *if...*; (ἐ)άν + aor. subj. (S2354)

43

διεξιόντα αὐτῷ, ἀλλὰ μὴ τὰς τούτου δόξας ἀνερωτῶντα.

λέγε γάρ μοι σύ· οὐ τὸ μὲν τετράπουν τοῦτο ἡμῖν ἐστι   ABCD
χωρίον; μανθάνεις; ΠΑΙ. ἔγωγε. ΣΩ. ἕτερον δὲ αὐτῷ   DCYK
προσθεῖμεν ἂν τουτὶ ἴσον; ΠΑΙ. ναί. ΣΩ. καὶ τρίτον 5 CXJY
τόδε ἴσον ἑκατέρῳ τούτων; ΠΑΙ. ναί. ΣΩ. οὐκοῦν
προσαναπληρωσαίμεθ' ἂν τὸ ἐν τῇ γωνίᾳ τόδε; ΠΑΙ.   BIXC
πάνυ γε. ΣΩ. ἄλλο τι οὖν γένοιτ' ἂν τέτταρα ἴσα χωρία
τάδε; ΠΑΙ. ναί. ΣΩ. τί οὖν; τὸ ὅλον τόδε ποσαπλάσιον   e AIJK
τοῦδε γίγνεται; ΠΑΙ. τετραπλάσιον. ΣΩ. ἔδει δέ γε
διπλάσιον ἡμῖν γενέσθαι· ἢ οὐ μέμνησαι; ΠΑΙ. πάνυ γε.
ΣΩ. οὐκοῦν ἐστιν αὕτη γραμμὴ ἐκ γωνίας εἰς γωνίαν
τινὰ τέμνουσα δίχα ἕκαστον τούτων τῶν χωρίων; ΠΑΙ. **85**
ναί. ΣΩ. οὐκοῦν τέτταρες αὗται γίγνονται γραμμαὶ ἴσαι,

DB	BX
XY	YD

ἀν-ερωτάω: to ask about, inquire of, 2
γωνία, ἡ: corner, angle, 5
δι-εξ-έρχομαι: to go out through; explain, 1
δίχα: apart, asunder; apart from (gen.), 1
ἑκάτερος, -α, -ον: each of two, either, 1
μιμνήσκω: recall, remind (acc. gen.), 4
ποσα-πλάσιος -α -ον: how many fold/times, 2

προσ-αναπληρόω: to fill up in addition, 1
προσ-τίθημι: to add, impose, attribute. 4
τέμνω: to cut, sever, 1
τετρα-πλάσιος, -α, -ον: four-fold, 4
τετρά-πους, τετρά-πουν: of four feet, 5
τρίτος, -η, -ον: the third, 1

d2 διεξίοντα: pple
   αὐτῷ: *to him*; dat. of interest
   ἀλλὰ μὴ: *and not...*; 'but not,' (S2781)
   ἀνερωτά-οντα: acc. sg. pres. pple parallel
   to διδάσκοντα and διεξιόντα above
3 λέγε: pres. imper.
   γάρ: an explanatory γάρ, 'namely' is often
   left untranslated and introduces the details
   promised in the previous sentence (S2809)
   σύ: *you (there)*; i.e. the slave
3 οὐ...ἡμῖν ἐστι: *do we have...?*; dat. of
   possession; οὐ elicits a 'yes' reply
4 ἕτερον (χωρίον):
   αὐτῷ: *to it*; i.e to first χωρίον
5 προσθεῖμεν ἂν: *we could...*; 1s aor. opt
   προστίθημι (θε-)
   τουτὶ: τοῦτ(ο)-ι, deictic iota: Socrates is
   pointing out the square

(προσθεῖμεν ἂν) τρίτον: add verb
7 προσαναπληρωσαίμεθ(α) ἂν: *we could...*;
   1p potential aor. opt.
   τὸ (χωρίον): *the space*; i.e. the empty
   final quadrant of the large square
8 ἄλλο τι (ἢ)...γένοιτ(ο) ἂν: *would there not
   be...?*; 'is anything else the case (than)...'
   introduces questions and elicits a 'no' reply
e2 τοῦδε: *than this here (smaller square)*; gen.
   of comparison
   ἔδει δέ γε: *but indeed...*; γε emphasizes the
   preceding word or, as here, the entire
   clause; impf. impersonal δεῖ
3 μεμνησαι: 2s pf. mid. μιμνήσκω but pres.
   in sense
4 ἐστιν αὕτη γραμμὴ: *is this line...?*; he is
   drawing diagonal lines through each of the
   four squares (see Figure 2)

Geometric Figures

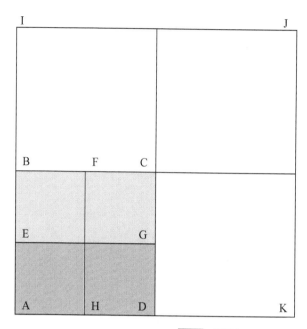

Figure 1: Doubling the line $\overline{AD}$ to $\overline{AK}$ (p. 39)

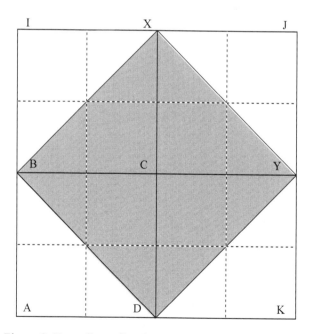

Figure 2: Extending a line from corner to corner (pp. 44-5)

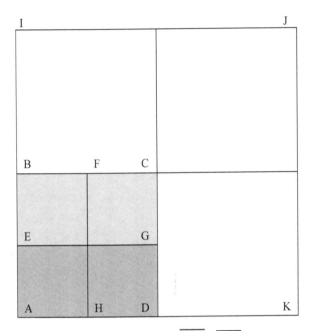

Figure 1: Doubling the line $\overline{AD}$ to $\overline{AK}$ (p. 39)

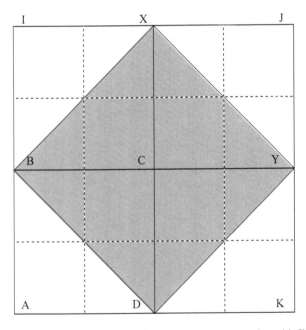

Figure 2: Extending a line from corner to corner (pp. 44-5)

περιέχουσαι τουτὶ τὸ χωρίον; ΠΑΙ. γίγνονται γάρ. ΣΩ.   BXYD

σκόπει δή· πηλίκον τί ἐστιν τοῦτο τὸ χωρίον; ΠΑΙ. οὐ

μανθάνω. ΣΩ. οὐχὶ τεττάρων ὄντων τούτων ἥμισυ ἑκάστου   5

ἑκάστη ἡ γραμμὴ ἀποτέτμηκεν ἐντός; ἢ οὔ; ΠΑΙ. ναί.   ΑBCD ΑBCI
ΑICY ΑDCY

ΣΩ. πόσα οὖν τηλικαῦτα ἐν τούτῳ ἔνεστιν; ΠΑΙ. τέτταρα.   BXYD

ΣΩ. πόσα δὲ ἐν τῷδε; ΠΑΙ. δύο. ΣΩ. τὰ δὲ τέτταρα   ABCD

τοῖν δυοῖν τί ἐστιν; ΠΑΙ. διπλάσια. ΣΩ. τόδε οὖν

ποσάπουν γίγνεται; ΠΑΙ. ὀκτώπουν. ΣΩ. ἀπὸ ποίας   b

γραμμῆς; ΠΑΙ. ἀπὸ ταύτης. ΣΩ. ἀπὸ τῆς ἐκ γωνίας   DB

εἰς γωνίαν τεινούσης τοῦ τετράποδος; ΠΑΙ. ναί. ΣΩ.

καλοῦσιν δέ γε ταύτην διάμετρον οἱ σοφισταί· ὥστ᾽ εἰ ταύτῃ

διάμετρος ὄνομα, ἀπὸ τῆς διαμέτρου ἄν, ὡς σὺ φῄς, ὦ παῖ   5

Μένωνος, γίγνοιτ᾽ ἂν τὸ διπλάσιον χωρίον. ΠΑΙ. πάνυ

μὲν οὖν, ὦ Σώκρατες.

ἀπο-τέμνω: to cut apart, sever, 1
γωνία, ἡ: corner, angle, 5
διάμετρος, ὁ: diagonal, divide, 3
ἔν-ειμι: to be in, 4
ἐντός: inside, within, 1
ἥμισυς, -εια, -υ: half, half of, 4
ὄνομα, -ατος, τό: name, 6
παῖς, παιδός, ὁ, ἡ: child, boy, girl; slave, 9

περι-έχω: to contain, embrace; encompass, 2
πηλίκος, -η, -ον: how large? How old?, 3
ποσά-πους, -πουν: how many feet? 1
πόσος, -α, -ον: how much, many or great 8
σοφιστής, ὁ: sophist, 8
τείνω: to stretch out, extend, 1
τετρά-πους, τετρά-πουν: of four feet, 5
τηλικοῦτος, -αύτη, -οῦτο: of this size/age, 1

a3 τουτὶ τὸ χωρίον: *this here space, this here figure*; τοῦτ(ο)-ι, deictic iota
γίγνονται: *yes, they become (this square)* Greek omits the affirmative ('~~yes,~~ for they become') while English omits the conjunction ('yes, ~~for~~ they become')
4 σκόπει: *keep...,continue...*; σκόπε-ε, imper.
δή: *now, just*; intensive with imperatives
τι: *at all*; τις, τι often follow and emphasize pronouns and adjs. (S1268)
5 τεττάρων ὄντων τούτων: a partitive gen. with pple εἰμί modifying ἑκάστου
ἥμισυ: neuter acc. sg.
6 ἀποτέτμηκεν: 3s pf.
7 πόσα τηλικαῦτα: i.e. the triangles formed by the diagonal lines
ἐν τούτῳ (χωρίῳ): i.e. the diamond figure formed by the diagonal lines
8 ἐν τῷδε (χωρίῳ): i.e. the original four-foot square with a single diagonal line

9 τοῖν δυοῖν τί: *what (multiple) of two*; dual
τόδε (χωρίον): *this here*; i.e. the figure formed from diagonals; not the same figure as τῷδε in a8
b2 ἀπο ταύτης (γραμμῆς): i.e. a diagonal
τῆς (γραμμῆς)...τοῦ τετράποδος (χωρίου)
3 (τὸ χωρίον) τοῦ τετράποδος: *over...*; obj. of the pple τείνω
4 δέ γε: *and indeed...*; 'yes, and' joins these words to his previous words; a double acc.
ταύτῃ (ἐστίν): a dative of possession; translate as (1) 'this (line) has,' (2) 'this (line)'s name (is), or (3) 'is to this one.'
5 ἀπο τῆς (γραμμῆς) διαμέτρου...χωρίον: *as you claim, slave of Meno, the two-fold figure would prove to be from the (line) of the diagonal*; potential opt.
6 πάνυ μὲν οὖν: *quite certainly*; μέν οὖν expresses positive certainty (S2901)

ΣΩ. τί σοι δοκεῖ, ὦ Μένων; ἔστιν ἥντινα δόξαν οὐχ αὑτοῦ οὗτος ἀπεκρίνατο;

MEN. οὔκ, ἀλλ' ἑαυτοῦ.　　　　　　　　　　　　c

ΣΩ. καὶ μὴν οὐκ ᾔδει γε, ὡς ἔφαμεν ὀλίγον πρότερον.

MEN. ἀληθῆ λέγεις.

ΣΩ. ἐνῆσαν δέ γε αὐτῷ αὗται αἱ δόξαι· ἢ οὔ;

MEN. ναί.　　　　　　　　　　　　　　　　　5

ΣΩ. τῷ οὐκ εἰδότι ἄρα περὶ ὧν ἂν μὴ εἰδῇ ἔνεισιν ἀληθεῖς δόξαι περὶ τούτων ὧν οὐκ οἶδε;

MEN. φαίνεται.

ΣΩ. καὶ νῦν μέν γε αὐτῷ ὥσπερ ὄναρ ἄρτι ἀνακεκίνηνται αἱ δόξαι αὗται· εἰ δὲ αὐτόν τις ἀνερήσεται πολλάκις τὰ αὐτὰ　10
ταῦτα καὶ πολλαχῇ, οἶσθ' ὅτι τελευτῶν οὐδενὸς ἧττον ἀκριβῶς ἐπιστήσεται περὶ τούτων.　　　　　　　　　　　d

MEN. ἔοικεν.

ἀκριβῶς: exactly, accurately, precisely, 2
ἀνα-κινέω: to stir, awaken, 1
ἀν-έρομαι: to ask, inquire, 3
ἄρτι: just, exactly; just now, 9
ἔν-ειμι: to be in, 4
ἥττων, -ον: less, weaker, inferior, 8

ὀλίγος -η, -ον: few, little, small, 6
ὄναρ, τό: a dream, vision in sleep, 1
πολλα-χῇ: in may ways, 1
πολλάκις: many times, often, frequently, 5
τελευτάω: to end, complete, finish; die, 4

b8 ἔστιν ἥντινα δόξαν: *is there any opinion which...?*; relative adjective introduces a relative clause; for the expression ἔστιν ὅστις, 'there is someone who...' see S2513

9 αὑτοῦ: (ἑ)αυτοῦ, modifying δόξαν

c1 καὶ μὴν...γε: *and certainly...*; introduce a new argument of greater importance (S2921); γε emphasizes preceding ᾔδει

ᾔδει: plpf. οἶδα; translate as simple past

2 ἔφαμεν: impf. φημί

ὀλίγον: *(by) a little*; acc., extent in degree

πρότερον: comparative adv.

3 ἀληθῆ: *the truth*; ἀληθέ-α, neuter pl.

4 ἐνῆσαν: 3p impf. ἔν-ειμί

δέ γε: these particles are not together; γε is emphasizing the verb or the entire clause

αὐτῷ: *in...*; dat. of compound verb

6 τῷ εἰδότι: *in (the one)...*; ppple οἶδα ; dat. of compound verb: use the preposition 'in'

περὶ ὧν: περὶ (τούτων) ἅ; the neuter acc. pl. relative is attracted into the gen. of the

missing antecedent; acc. obj.

ἂν εἰδῇ: 3s subj. οἶδα, general relative cl.

ἔν-εισιν: 3p εἰμί

7 ὧν: *which...*; the acc. relative ἅ is attracted into the case of the antecedent

9 καὶ νῦν...γε: *and now at least*; καὶ...γε emphasizes the intervening word; μέν should be understood separately

αὐτῷ: *in him*; dat. of interest

ἀνακεκίνηνται: 3p pf. pass.

10 εἰ...ἀνερήσεται, ἐπιστήσεται: an emotional fut. more vivid (εἰ + fut., fut.): to express heightened emotion, a fut. ind. replaces the ἄν + subj. protasis of a typical condition

ἀνερήσεται: fut. mid.; translate as pres. with fut. sense

11 τελευτῶν: *in the end*; usual pple as adv.

οἶσθα ὅτι: almost parenthetical; 2s οἶδα

οὐδενὸς ἧττον: *more than anyone*; 'less than no one,' a litotes; gen. of comparison

ΣΩ. οὐκοῦν οὐδενὸς διδάξαντος ἀλλ' ἐρωτήσαντος ἐπι-
στήσεται, ἀναλαβὼν αὐτὸς ἐξ αὑτοῦ τὴν ἐπιστήμην;

MEN. ναί. 5

ΣΩ. τὸ δὲ ἀναλαμβάνειν αὐτὸν ἐν αὑτῷ ἐπιστήμην οὐκ
ἀναμιμνήσκεσθαί ἐστιν;

MEN. πάνυ γε.

ΣΩ. ἆρ' οὖν οὐ τὴν ἐπιστήμην, ἣν νῦν οὗτος ἔχει, ἤτοι
ἔλαβέν ποτε ἢ ἀεὶ εἶχεν; 10

MEN. ναί.

ΣΩ. οὐκοῦν εἰ μὲν ἀεὶ εἶχεν, ἀεὶ καὶ ἦν ἐπιστήμων· εἰ
δὲ ἔλαβέν ποτε, οὐκ ἂν ἔν γε τῷ νῦν βίῳ εἰληφὼς εἴη. ἢ
δεδίδαχέν τις τοῦτον γεωμετρεῖν; οὗτος γὰρ ποιήσει περὶ **e**
πάσης γεωμετρίας ταὐτὰ ταῦτα, καὶ τῶν ἄλλων μαθημάτων
ἁπάντων. ἔστιν οὖν ὅστις τοῦτον πάντα δεδίδαχεν; δίκαιος γάρ
που εἶ εἰδέναι, ἄλλως τε ἐπειδὴ ἐν τῇ σῇ οἰκίᾳ γέγονεν
καὶ τέθραπται. 5

ἄλλως: otherwise, in another way, 5
ἀνα-λαμβάνω: to take up or back, restore, 3
ἅπας, ἅπασα, ἅπαν: every, quite all, 7
βίος, ὁ: life, 3
γεωμετρέω: to practice geometry, measure 1
γεωμετρία, ἡ: geometry, land-survey, 2

δίκαιος, -α, -ον: just, right, lawful, fair, 8
ἤ-τοι: either, you know; either, truly, 2
μάθημα, -ατος, τό: instruction, teaching, 2
οἰκία, ἡ: a house, home, dwelling, 6
σός, -ή, -όν: your, yours, 6
τρέφω: to rear, foster, nuture, 4

d3 οὐδενὸς...ἐρωτήσαντος: gen. abs.
4 αὐτὸς ἐξ (ἑ)αυτοῦ: intensive and reflexive
pronouns junxtaposed for emphasis
6 τὸ ἀναλαμβάνειν αὐτὸν...ἐπιστήμην: that
he...; an articular inf + acc. subj. as subject
αὐτὸν ἐν (ἑ)αυτῷ: personal and reflexive
pronouns junxtaposed for emphasis
οὐκ...ἐστιν: is...not...?; elicits a 'yes' reply
7 ἀναμιμνήσκεσθαι: predicate
9 οὐ: did this one not...?; elicits a 'yes' reply
ἤτοι...ἤ...: either, you know,....or...
12 εἰ...εἶχεν, ἦν: if...; simple past condition
with impf. ἔχω and εἰμί
καί: also
εἰ ἔλαβεν, ἂν εἰληφὼς εἴη: if...; a mixed
condition: aor. ind. and pf. potential opt
λαμβάνω
13 ἔν...τῷ νῦν βίῳ: in (his) present life
13 γε: at least; restrictive

εἰληφὼς εἴη: would have...; periphrastic pf.
potential opt. (pf. pple + εἰμί) λαμβάνω
δεδίδαχέν: pf., διδάσχω
e1 πάσης γεωμετρίας: i.e. every branch of
geometry; 'the whole of geometry' would
require the addition of the article τῆς
2 ταὐτὰ: τ(ὰ) αὐτὰ ; in the attributive
position αὐτός means 'same'
3 ἔστιν ὅστις: is there anyone who...; cf. 85b
δεδίδαχέν: pf., governs a double acc.
δίκαιος εἶ: Greek also uses the personal
subject where English prefers the
impersonal: 'it is right...' 2s εἰμί
4 εἰδέναι: an epexegetical (explanatory) inf.
qualifying δίκαιος
ἄλλως τε (καὶ): especially, in particular;
'both otherwise (and),' a common idiom
5 γέγονεν: pf. γίγνομαι
τέθραπται: pf. pass. τρέφω

ΜΕΝ. ἀλλ' οἶδα ἔγωγε ὅτι οὐδεὶς πώποτε ἐδίδαξεν.

ΣΩ. ἔχει δὲ ταύτας τὰς δόξας, ἢ οὐχί;

ΜΕΝ. ἀνάγκη, ὦ Σώκρατες, φαίνεται.

ΣΩ. εἰ δὲ μὴ ἐν τῷ νῦν βίῳ λαβών, οὐκ ἤδη τοῦτο
δῆλον, ὅτι ἐν ἄλλῳ τινὶ χρόνῳ εἶχε καὶ ἐμεμαθήκει;   **86**

ΜΕΝ. φαίνεται.

ΣΩ. οὐκοῦν οὗτός γέ ἐστιν ὁ χρόνος ὅτ' οὐκ ἦν ἄν-
θρωπος;

ΜΕΝ. ναί.   5

ΣΩ. εἰ οὖν ὅν τ' ἂν ᾖ χρόνον καὶ ὃν ἂν μὴ ᾖ ἄνθρωπος,
ἐνέσονται αὐτῷ ἀληθεῖς δόξαι, αἳ ἐρωτήσει ἐπεγερθεῖσαι

ἀνάγκη, ἡ: necessity, force, constraint, 6
βίος, ὁ: life, 3
ἔν-ειμι: to be in, 4
ἐπ-εγείρω: to awaken, wake up, 1
ἐρώτησις, -εως ἡ: a questioning, inquiring, 4

ἤδη: already, now, at this time, 7
ὅτε: when, at some time, 3
πώ-ποτε: ever yet, ever, 3
χρόνος, ὁ: time, 9

e8 ἀνάγκη (ἐστίν): a common impersonal;
  translate the noun as 'necessary;' φαίνεται
  is a separate expression of assent
9 εἰ...λαβών (τὰς δόξας εἶχεν),...: *if (he had
  these opinions)*...; ellipsis; add impf. ind.
  main verb and acc. obj.; the condition is a
  simple past (εἰ past ind., past ind.)
  τῷ νῦν βίῳ: *(his) present life*
  οὐκ...δῆλον (ἐστίν): *is...not clear...?*
86a ἐμεμαθήκει: plpf. μανθάνω
  ὅτ(ε): temporal clause
6 εἰ...ἐνέσονται,...ἔσται: another emotional
  fut. more vivid (εἰ + fut., fut.): to express

heightened emotion, a fut. ind. replaces the
ἄν + subj. protasis of a regular condition
translate fut. ἔν-ειμί as pres. with fut. sense
τε...καὶ: *both...and*
ὅν τ' ἂν ᾖ (ἄνθρωπος) χρόνον: *for
whatever*...; ellipsis; acc. duration of time
in a general relative clause with subj. εἰμί;
supply the subject
ὅν (χρόνον) ἂν μὴ ᾖ ἄνθρωπος: see above
7 ἀληθεῖς: ἀληθέ-ες, nom. pl.
αἳ: a relative pronoun
ἐρωτήσει: *by...*; ἐρωτήσε-ι, dat. of means
ἐπεγερθεῖσαι: fem. pl. aor. pass. pple

ἐπιστῆμαι γίγνονται, ἆρ' οὖν τὸν ἀεὶ χρόνον μεμαθηκυῖα
ἔσται ἡ ψυχὴ αὐτοῦ; δῆλον γὰρ ὅτι τὸν πάντα χρόνον ἔστιν
ἢ οὐκ ἔστιν ἄνθρωπος.   10

ΜΕΝ. φαίνεται.

ΣΩ. οὐκοῦν εἰ ἀεὶ ἡ ἀλήθεια ἡμῖν τῶν ὄντων ἐστὶν ἐν   b
τῇ ψυχῇ, ἀθάνατος ἂν ἡ ψυχὴ εἴη, ὥστε θαρροῦντα χρὴ ὃ
μὴ τυγχάνεις ἐπιστάμενος νῦν—τοῦτο δ' ἐστὶν ὃ μὴ μεμνη-
μένος—ἐπιχειρεῖν ζητεῖν καὶ ἀναμιμνήσκεσθαι;

ΜΕΝ. εὖ μοι δοκεῖς λέγειν, ὦ Σώκρατες, οὐκ οἶδ' ὅπως.   5

ΣΩ. καὶ γὰρ ἐγὼ ἐμοί, ὦ Μένων. καὶ τὰ μέν γε ἄλλα
οὐκ ἂν πάνυ ὑπὲρ τοῦ λόγου διισχυρισαίμην· ὅτι δ' οἰόμενοι
δεῖν ζητεῖν ἃ μή τις οἶδεν βελτίους ἂν εἶμεν καὶ ἀνδρικώ-
τεροι καὶ ἧττον ἀργοὶ ἢ εἰ οἰοίμεθα ἃ μὴ ἐπιστάμεθα μηδὲ
δυνατὸν εἶναι εὑρεῖν μηδὲ δεῖν ζητεῖν, περὶ τούτου πάνυ ἂν   c

---

ἀ-θάνατος, -ον: undying, immortal, 3
ἀλήθεια, ἡ: truth, 1
ἀνδρικός, -ή, -όν: courageous, manly, 1
ἀργός, -όν (ἀ-εργός): idle, not working, 2
βελτίων, -ον: better, 9
δι-ισχυρίζομαι: support/assert confidently, 1
δυνατός, -ή, -όν: capable, strong, possible, 2
εὑρίσκω: to find, discover, devise, invent, 4

ἥττων, -ον: less, weaker, inferior, 8
θαρρέω: be confident, take heart; be bold, 2
μη-δέ: and not, but not, nor; not even, 7
μιμνήσκω: recall, remind (acc. gen.), 4
ὅπως: how, in what way; (in order) that, 5
ὑπέρ: on behalf of (gen.); above, beyond, 1
χρή: it is necessary, fitting; must, ought, 2
χρόνος, ὁ: time, 9

a8 ἐπιστῆμαι: note the plural; see also 98a6
   ἆρ(α)...: *will...?*; this question is the
   apodosis of the emotional fut. more vivid
   τὸν ἀεὶ χρόνον: *for all time*; acc. duration
   μεμαθηκυῖα ἔσται: *will have known*; a
   periphrastic fut. pf. act. (pf. pple μανθάνω
   + fut. εἰμί) (S600)
9 δῆλον (ἐστί): *(it is)...*; impersonal
   τὸν...χρόνον: *for...*; duration of time
   ἔστιν: *has been*; translate as pf.
b1 ἡμῖν: *for us*; dat. of interest, ἡμεῖς
   τῶν ὄντων: *of the things that are*; pple
b εἰ...ἔστιν, ἂν εἴη: *if...has been..., would be*;
   a mixed condition (εἰ pres. ind., ἂν opt.);
   translate the verb as perfect
   θαρροῦντα χρή: *it is necessary that (you)*;
   + inf.; the pple modifies the acc. subj.
3 ὃ...νῦν: *(you) who...*; the antecedent is the
   missing 2s acc. subj. of ἐπιχειρεῖν
   τυγχάνεις: *happen to...*; + pple

τοῦτο δ' ἐστὶν ὃ μὴ (τυγχάνεις) μεμνη-
   μένος: *that is (to say) you who happen to...*;
   a parenthetical clause with ellipsis; the pf.
   mid. pple μιμνήσκω is pres. in sense
6 καὶ γὰρ ἐγὼ ἐμοί: *yes, I also to myself*
   οὐκ ἄν...διισχυρισαίμην: *I could not assert
   confidently*; 1s aor. potential opt.
7 ὅτι δὲ οἰόμενοι: *but (I could assert
   confidently) that (we), supposing...*; ind.
   disc. governing all d7-c1
8 βελτίο(ν)ες...ἀργοί: nom. pred.
   ἂν εἶμεν: 1p potential opt. εἰμί
   εἰ οἰοίμεθα μηδὲ...μηδὲ...: *if we should
   suppose that not even...nor...*
   ἃ μὴ ἐπιστάμεθα: *(those things) which...*;
   the antecedent is obj. of εὑρεῖν and ζητεῖν
c1 δυνατὸν εἶναι: *that it is possible...*;
   impersonal
   δεῖν ζητεῖν: *that it is...*; impersonal
   περὶ τούτου: i.e. about ὅτι δὲ...ζητεῖν

διαμαχοίμην, εἰ οἷός τε εἴην, καὶ λόγῳ καὶ ἔργῳ.

ΜΕΝ. καὶ τοῦτο μέν γε δοκεῖς μοι εὖ λέγειν, ὦ Σώκρατες.

ΣΩ. βούλει οὖν, ἐπειδὴ ὁμονοοῦμεν ὅτι ζητητέον περὶ
οὗ μή τις οἶδεν, ἐπιχειρήσωμεν κοινῇ ζητεῖν τί ποτ' ἐστὶν 5
ἀρετή;

ΜΕΝ. πάνυ μὲν οὖν. οὐ μέντοι, ὦ Σώκρατες, ἀλλ'
ἔγωγε ἐκεῖνο ἂν ἥδιστα, ὅπερ ἠρόμην τὸ πρῶτον, καὶ σκεψαί-
μην καὶ ἀκούσαιμι, πότερον ὡς διδακτῷ ὄντι αὐτῷ δεῖ ἐπι-
χειρεῖν, ἢ ὡς φύσει ἢ ὡς τίνι ποτὲ τρόπῳ παραγιγνομένης **d**
τοῖς ἀνθρώποις τῆς ἀρετῆς.

ΣΩ. ἀλλ' εἰ μὲν ἐγὼ ἦρχον, ὦ Μένων, μὴ μόνον ἐμαυ-
τοῦ ἀλλὰ καὶ σοῦ, οὐκ ἂν ἐσκεψάμεθα πρότερον εἴτε διδακτὸν
εἴτε οὐ διδακτὸν ἡ ἀρετή, πρὶν ὅ τι ἐστὶν πρῶτον ἐζητήσαμεν 5
αὐτό· ἐπειδὴ δὲ σὺ σαυτοῦ μὲν οὐδ' ἐπιχειρεῖς ἄρχειν, ἵνα

ἄρχω: to begin; rule, be leader of (gen), 8
δια-μάχομαι: to fight, contend strongly, 1
ἐμαυτοῦ, -ῆς, -οῦ: myself, 6
ἔργον, τό: deed, act; work; result, effect, 6
ἔρομαι (not in pres.): ask, inquire, question, 7
ζητητέος, -ον: to be sought or examined, 2
ἡδύς, -εῖα, -ύ: sweet, pleasant, glad, 2
ἵνα: in order that, so that (subj.); where, 9

κοινῇ: in common, together, 2
μέν-τοι: however, moreover; certainly, 6
ὁμο-νοέω: to be of the same mind, agree, 1
παρα-γίγνομαι: come (to, near), be present, 8
πρίν: before (+ inf), until (+ subj.), 5
πρῶτος, -η, -ον: first, earliest, 9
σαυτοῦ, -ῆ, -οῦ: yourself, 4

c2 ἂν διαμαχοίμην, εἰ οἷός τε εἴην: would...,
if...should; a fut. less vivid (εἰ opt., ἄν opt.)
οἷός τε εἰμί is an idiom for 'to be able
καὶ...καὶ...: both in...and in...; dat. respect
3 καὶ...γε: and...indeed; emphasizing the
intervening word; μέν is separate in its use
4 βούλει...ἐπιχειρήσωμεν: do you want (us)
to attempt?; βούλε(σ)αι, 2s mid. and 1p
deliberative aor. subj.; βούλει often
precedes a deliberative subj. and conflates
two questions: in this case, 'what do you
want?' and 'are we to attempt?' (S1806)
ζητητέον (ἐστί): one must seek; 'it is to be
sought (by him),' impersonal use of the
verbal adj. + εἰμί expressing necessary
5 οὗ: that which...; (τούτου) ὅ; the relative
is attracted into the gen. of the antecedent
ἐπιχειρήσωμεν: let...; hortatory 1p subj.
τί ποτ(ε)...: what in the world...; (S346)
7 πάνυ μὲν οὖν: quite certainly; (S2901)

οὐ μέντοι...ἀλλὰ: nevertheless; 'not (now)
however, but rather...,' elllipsis (S2767)
8 ἥδιστα: superlative adv. (adv. acc.), ἡδύς
9 ἄν... σκεψαίμην, ἀκούσαιμι: potential opt.
πότερον...ἤ...ἤ...: whether...or...or...
ὡς διδακτῷ ὄντι: in the belief that it is...;
'since' ὡς + pple expresses alleged cause;
both pple εἰμί and διδακτῷ modify αὐτῷ
αὐτῷ: it; i.e. ἀρετῇ; dat. compound verb
d1 ὡς φύσει (παραγιγνομένης...ἀρετῆς): in
the belief that virtue...by nature; ellipsis:
ὡς + pple (gen. abs.); φύσε-ι is dat. means
ὡς τίνι ποτε...ἀρετῆς: in the belief that
virtue...in whatever way; see above
2 τοῖς ἀνθρώποις: for...; dat. of interest
3 εἰ ἦρχον, ἂν ἐσκεψάμεθα: I had..., would
have; past contrary to fact (εἰ aor., ἄν aor.)
μὴ μόνον...ἀλλὰ καί: not only...but also
5 διδακτὸν: neut. see 70a for translation
πρότερον...πρίν: previously...before...

δὴ ἐλεύθερος ἦς, ἐμοῦ δὲ ἐπιχειρεῖς τε ἄρχειν καὶ ἄρχεις,

συγχωρήσομαί σοι—τί γὰρ χρὴ ποιεῖν; —ἔοικεν οὖν σκεπτέον

εἶναι ποῖόν τί ἐστιν ὃ μήπω ἴσμεν ὅ τι ἐστίν. εἰ μή τι οὖν e

ἀλλὰ σμικρόν γέ μοι τῆς ἀρχῆς χάλασον, καὶ συγχώρησον

ἐξ ὑποθέσεως αὐτὸ σκοπεῖσθαι, εἴτε διδακτόν ἐστιν εἴτε

ὁπωσοῦν. λέγω δὲ τὸ ἐξ ὑποθέσεως ὧδε, ὥσπερ οἱ γεωμέ-

ται πολλάκις σκοποῦνται, ἐπειδάν τις ἔρηται αὐτούς, οἷον 5

περὶ χωρίου, εἰ οἷόν τε ἐς τόνδε τὸν κύκλον τόδε τὸ χωρίον

τρίγωνον ἐνταθῆναι, εἴποι ἄν τις ὅτι ʻοὔπω οἶδα εἰ ἔστιν **87**

τοῦτο τοιοῦτον, ἀλλʼ ὥσπερ μέν τινα ὑπόθεσιν προὔργου

οἶμαι ἔχειν πρὸς τὸ πρᾶγμα τοιάνδε· εἰ μέν ἐστιν τοῦτο τὸ ABEF

χωρίον τοιοῦτον οἷον παρὰ τὴν δοθεῖσαν αὐτοῦ γραμμὴν AF AD

παρατείναντα ἐλλείπειν τοιούτῳ χωρίῳ οἷον ἂν αὐτὸ τὸ 5 FECD

ἀρχή, ἡ: beginning; rule, office, 5
ἄρχω: to begin; rule, be leader of (gen), 8
αὖ: again, once more; further, moreover, 8
γεωμετρία, ἡ: geometry, land-survey, 2
δίδωμι: to give, offer, grant, provide, 6
ἐλεύθερος, -α, -ον: free, 2
ἐλ-λείπω: leave behind, be lacking in (dat.) 1
ἐν-τείνω: to inscribe; stretch tight, exert, 1
ἐπειδάν: whenever, 3
ἔρομαι (not in pres.): ask, inquire, question, 7
κύκλος, ὁ: circle, 2
ὁπωσοῦν: in any way whatever, 1
οὔ-πω: not yet, 1

παρα-τείνω: to extend, stretch along, 2
πολλάκις: many times, often, frequently, 5
προὔργου (πρὸ ἔργου): useful, workable, 2
σκεπτέος, -ον: to be examined/considered, 2
σμικρός, -ά, -όν: small, little, 1
συγ-χωρέω: to concede, yield (dat), 2
τοιόσδε, -άδε, -όνδε: this sort, following, 5
τρίγωνος, ὁ: of three angles, triangle, 1
ὑπό-θεσις, -εως, ἡ: hypothesis, assumption, 5
χαλάω: to slacken, loosen, relax, 1
χρή: it is necessary, fitting; must, ought, 2
ὧδε: in this way, in the following way, 7

d7 ἵνα δὴ...ἦς: *just so that, precisely so...may*
purpose, 2s subj. εἰμί; δή implies that the
purpose is not worthwhile (S2842); 82a2
ἐμοῦ: obj. of ἄρχειν and ἄρχεις
8 σκεπτέον εἶναι: *that it must be...*; 'it is to
be...' impersonal use of verbal adj. + εἰμί
e1 ποῖον τί: *what sort at all*; (S1268)
ἴσμεν: 1p οἶδα
εἰ μή τι οὖν: *if (you) not (do) anything then*;
protasis with missing verb
ἀλλὰ σμικρόν γέ: *rather...a little at least*;
ἀλλὰ...γε in the apodosis (D12, S2782)
μοι: *for...*; dat. of interest
τῆς ἀρχῆς: *from your rule*; separation
χάλασον, συγχώρησον: aor. act. imper.
3 ἐξ ὑποθέσεως: *by hypothesis*
4 λέγω τὸ ἐξ ὑποθέσεως ὧδε: *I mean "by*

hypothesis" in this way; see 72e6
5 ἔρηται: subj. ἔρομαι; a general temporal cl.
οἷον: *for example*; 'in respect to such'
6 εἰ οἷόν τε (ἐστί): *whether it is possible that
this here area be inscribed as a triangle
into a circle*; aor. pass. inf. ἐν-τείνω
87a εἰ ἔστιν τοῦτο τοιοῦτον: *whether this
(area) is sufficient*; see Figure 3 (p. 54)
2 ὥσπερ: *as it were*; parenthetical
3 πρὸς τὸ πρᾶγμα: *for the problem*
τοιάδε: *as follows*; modifying ὑπόθεσιν
4 τοιοῦτον οἷον...ἐλλείπειν: *is such that
falls short extending along a given line of it
(i.e. the circle)*; aor. pass. pple δίδωμι (see
Fig. 3 p.54: whether ABEF is such that line
AF along diameter AD is short by FECD)
5 τοιούτῳ...οἷον: *by such a space as*; FECD

51

παρατεταμένον ᾖ, ἄλλο τι συμβαίνειν μοι δοκεῖ, καὶ ἄλλο   ABEF
αὖ, εἰ ἀδύνατόν ἐστιν ταῦτα παθεῖν. ὑποθέμενος οὖν ἐθέλω
εἰπεῖν σοι τὸ συμβαῖνον περὶ τῆς ἐντάσεως αὐτοῦ εἰς τὸν   b ΔAEG
κύκλον, εἴτε ἀδύνατον εἴτε μή.' οὕτω δὴ καὶ περὶ ἀρετῆς
ἡμεῖς, ἐπειδὴ οὐκ ἴσμεν οὔθ' ὅ τι ἐστὶν οὔθ' ὁποῖόν τι, ὑπο-
θέμενοι αὐτὸ σκοπῶμεν εἴτε διδακτὸν εἴτε οὐ διδακτόν ἐστιν,
ὧδε λέγοντες· εἰ ποῖόν τί ἐστιν τῶν περὶ τὴν ψυχὴν ὄντων   5
ἀρετή, διδακτὸν ἂν εἴη ἢ οὐ διδακτόν; πρῶτον μὲν δὴ εἰ
ἔστιν ἀλλοῖον ἢ οἷον ἐπιστήμη, ἆρα διδακτὸν ἢ οὔ, ἢ ὃ
νυνδὴ ἐλέγομεν, ἀναμνηστόν—διαφερέτω δὲ μηδὲν ἡμῖν
ὁποτέρῳ ἂν τῷ ὀνόματι χρώμεθα—ἀλλ' ἆρα διδακτόν; ἢ   c
τοῦτό γε παντὶ δῆλον, ὅτι οὐδὲν ἄλλο διδάσκεται ἄνθρωπος
ἢ ἐπιστήμην;

    ΜΕΝ. ἔμοιγε δοκεῖ.

    ΣΩ. εἰ δέ γ' ἐστὶν ἐπιστήμη τις ἡ ἀρετή, δῆλον ὅτι   5
διδακτὸν ἂν εἴη.

    ΜΕΝ. πῶς γὰρ οὔ;

ἀ-δύνατος, -ον: incapable, impossible, 3
ἀλλοῖος, -α, -ον: of another kind, different, 3
ἀναμνηστός, -όν: able to be recollected, 1
ἔν-τασις, -εως, ἡ: inscribing, 1
κύκλος, ὁ: circle, 2
μηδ-είς, μηδ-εμία, μηδ-έν: no one, nothing, 8
νυν-δή: just now, 8
ὁποῖος, -α, -ον: what sort or kind, 5

ὁπότερος, -α, -ον: which (of two), 2
παρα-τείνω: to stretch out, extend, 2
πάσχω: to suffer; allow, experience, 4
πρῶτος, -η, -ον: first, earliest, 9
συμ-βαίνω: to happen, occur, result, 3
ὑπο-τίθημι: to set down; suggest, advise, 2
ὄνομα, -ατος, τό: name, 6
χράομαι: to use, employ, experience (dat.) 4
ὧδε: in this way, in the following way, 7

a6 τὸ (χωρίον) παρατεταμένον: *the area itself extended*; i.e. ABEF; pf. pass. pple
  ἂν ᾖ: general relative cl.; 3s pres. subj. εἰμί
  ἄλλο...συμβαίνειν: *that one thing...*
  καὶ ἄλλο αὖ: *and another (result) in turn*; i.e there are two possible things that result
7 ἀδύνατόν ἐστιν: *it is...*; impersonal
  ταῦτα παθεῖν: *to allow these things*; i.e. to allow 87a3-6; aor. inf. πάσχω
  ὑποθέμενος: *making a hypothesis*; aor. pple
b1 τὸ συμβαῖνον: *what results*; neut. pple
  αὐτοῦ: *of it*; area ABEF as ΔAEG (p. 54)
2 εἴτε ἀδύνατον εἴτα μή: *whether (what results is) possible or not*; prolepsis
  οὕτως δὴ καί: *exactly in this way also*
3 ἴσμεν: 1s οἶδα

  ὅ τι: *what...*; ind. question; neut. sg. ὅστις
  ὁμοῖον τι (ἐστίν): *what sort at all (it is)*
  ὑποθέμενοι: see a7
4 σκοπῶμεν: *let...*; 1p hortatory subj.
  διδακτόν...ἐστιν: ἡ ἀρετή is subject
5 εἰ ποιόν...διδακτόν: *if virtue is what sort of the things which are in the soul, would it be something teachable or not teachable?*
7 οἷον: *for example*; 'in respect to such'
8 διαφερέτω: *let it differ not at all*; 3s imper. and adv. acc. (inner acc.: 'no difference')
c1 ὁποτέρῳ: *whichever...*; general relative cl.
2 τοῦτο...(ἐστι) ὅτι: *is this clear to all that...*
5 ἐπιστήμη τις: i.e. a kind of knowledge
7 πῶς γὰρ οὔ: *how could it not?*; '(yes) for how not?' a common reply

ΣΩ. τούτου μὲν ἄρα ταχὺ ἀπηλλάγμεθα, ὅτι τοιοῦδε
μὲν ὄντος διδακτόν, τοιοῦδε δ᾽ οὔ.

ΜΕΝ. πάνυ γε.   10

ΣΩ. τὸ δὴ μετὰ τοῦτο, ὡς ἔοικε, δεῖ σκέψασθαι πότερόν
ἐστιν ἐπιστήμη ἡ ἀρετὴ ἢ ἀλλοῖον ἐπιστήμης.

ΜΕΝ. ἔμοιγε δοκεῖ τοῦτο μετὰ τοῦτο σκεπτέον εἶναι.   d

ΣΩ. τί δὲ δή; ἄλλο τι ἢ ἀγαθὸν αὐτό φαμεν εἶναι τὴν
ἀρετήν, καὶ αὕτη ἡ ὑπόθεσις μένει ἡμῖν, ἀγαθὸν αὐτὸ εἶναι;

ΜΕΝ. πάνυ μὲν οὖν. ΣΩ. οὐκοῦν εἰ μέν τί ἐστιν
ἀγαθὸν καὶ ἄλλο χωριζόμενον ἐπιστήμης, τάχ᾽ ἂν εἴη ἡ   5
ἀρετὴ οὐκ ἐπιστήμη τις· εἰ δὲ μηδέν ἐστιν ἀγαθὸν ὃ οὐκ
ἐπιστήμη περιέχει, ἐπιστήμην ἄν τιν᾽ αὐτὸ ὑποπτεύοντες εἶναι
ὀρθῶς ὑποπτεύοιμεν. ΜΕΝ. ἔστι ταῦτα. ΣΩ. καὶ μὴν
ἀρετῇ γ᾽ ἐσμὲν ἀγαθοί; ΜΕΝ. ναί. ΣΩ. εἰ δὲ ἀγαθοί,   e
ὠφέλιμοι· πάντα γὰρ τἀγαθὰ ὠφέλιμα. οὐχί; ΜΕΝ. ναί.

ἀλλοῖος, -α, -ον: of another kind, different, 3
ἀπ-αλλάττω: to free from, release from, 1
μένω: to stay, remain, abide, 1
μηδ-είς, μηδ-εμία, μηδ-έν: no one, nothing, 8
περι-έχω: to contain, embrace; encompass, 2
σκεπτέος, -ον: to be examined/considered, 2

ταχύ: quickly, presently; perhaps, 4
τοιόσδε, -άδε, -όνδε: this sort, following, 5
ὑπό-θεσις, -εως, ἡ: hypothesis, assumption, 5
ὑποπτεύω: to be suspicious; suspect, 2
χωρίζω: to separate; sever, divide, 1

c8 τούτου...ὅτι...: *from this (namely) that...*;
gen. separation; ὅτι is in apposition
ἀπηλλάγμεθα: 1p pf. pass.; i.e. they can
use this as a starting premise and do not
have to continue arguing for it
ὅτι...οὔ: *that, (virtue) being this kind, it is
teachable, and, (virtue being) that kind, it
is not (teachable)*; gen. abs. are conditional
in sense; ἀρετή is treated as if neuter sg.
11 τὸ δὴ μετὰ τοῦτο: *accordingly, in respect
to the (question) after this one*; 'as for the
next (question),' acc. of respect
12 ἐπιστήμης: *than...*; gen. of comparison
d1 τοῦτο...εἶναι: *that this next question...*;
ind. disc. τοῦτο μετὰ τοῦτο is a acc. subj.
σκεπτέον εἶναι: *must be...*; 'is to be...'
2 τί δὲ δή: *just what then?*; τί δὲ often draws
attention to a question that follows
ἄλλο τι ἤ: *(Is) anything else the case than*;
often elicits a 'no' reply: 'Do we not...?'
ἀγαθὸν αὐτὸ...ἀρετὴν: *that it is a good,*

(namely) virtue; i.e. 'that virtue is a good;'
αὐτό is acc. subj. and τὴν ἀρετὴν is in
apposition to αὐτὸ
φαμεν: 1s φημί governing the ind. disc.
ἡμῖν: *for...*; dat of interest
ἀγαθὸν αὐτὸ εἶναι: *(namely) that it...*;
neuter αὐτό refers to fem. ἀρετή
4 πάνυ μὲν οὖν: *quite certainly*; (S2901)
τί: *something*; τι before an enclitic
5 ἐπιστήμης: *from...*; separation
ἂν εἴη: *would...*; potential opt. εἰμί
7 ἐπιστήμην τινὰ...εἶναι: *that it...*; ind. disc.
governed by the pple ὑποπτεύοντες;
αὐτὸ is acc. subj. and refers to ἀρετή ;
ἂν ὑποπτεύοιμεν: potential opt.
8 ἔστι: *are the case*; i.e. are true
καὶ μὴν...γε: *and certainly...indeed*; marks
a transition of greater importance (S2921),
γε emphasizes the preceding word
e1 ἀρετῇ: *because of...*; dat. of cause
2 τἀγαθά (ἐστιν): *good things*; τὰ ἀγαθὰ

53

ΣΩ. καὶ ἡ ἀρετὴ δὴ ὠφέλιμόν ἐστιν; ΜΕΝ. ἀνάγκη
ἐκ τῶν ὡμολογημένων.

ΣΩ. σκεψώμεθα δὴ καθ᾽ ἕκαστον ἀναλαμβάνοντες ποῖά 5
ἐστιν ἃ ἡμᾶς ὠφελεῖ. ὑγίεια, φαμέν, καὶ ἰσχὺς καὶ κάλλος
καὶ πλοῦτος δή· ταῦτα λέγομεν καὶ τὰ τοιαῦτα ὠφέλιμα.
οὐχί; ΜΕΝ. ναί. ΣΩ. ταὐτὰ δὲ ταῦτά φαμεν ἐνίοτε 88
καὶ βλάπτειν· ἢ σὺ ἄλλως φῂς ἢ οὕτως; ΜΕΝ. οὐκ, ἀλλ᾽
οὕτως. ΣΩ. σκόπει δή, ὅταν τί ἑκάστου τούτων ἡγῆται,
ὠφελεῖ ἡμᾶς, καὶ ὅταν τί, βλάπτει; ἆρ᾽ οὐχ ὅταν μὲν ὀρθὴ
χρῆσις, ὠφελεῖ, ὅταν δὲ μή, βλάπτει; ΜΕΝ. πάνυ γε. 5
ΣΩ. ἔτι τοίνυν καὶ τὰ κατὰ τὴν ψυχὴν σκεψώμεθα.
σωφροσύνην τι καλεῖς καὶ δικαιοσύνην καὶ ἀνδρείαν καὶ

ἄλλως: otherwise, in another way, 5
ἀνάγκη, ἡ: necessity, force, constraint, 6
ἀνα-λαμβάνω: to take up or back, restore, 3
ἀνδρεία, ἡ: courage, manliness, bravery, 4
ἐνί-οτε: sometimes, from time to time, 1
ἰσχύς, ἰσχύος ὁ: strength, power, force, 6

κάλλος, -εος, ὁ: beauty, 2
πλοῦτος, ὁ: wealth, riches, 4
σωφροσύνη, ἡ: temperance, moderation, 7
ὑγίεια, ἡ: health, soundness, 6
χρῆσις, -εως, ἡ: usage, use, employment, 1
ὠφελέω: to help, benefit, improve, 9

e3 δὴ: *of course, indeed, accordingly*
   inferential (S2841, S2846)
   ἀνάγκη (ἐστίν): a common impersonal;
   translate the noun as 'necessary'
4 τῶν ὡμολογημένων: *those things…*;
   pf. pass. pple ὁμολογέω
5 σκεψώμεθα: *let…*; 1p hortatory subj.
   δή: *now, just*; intensive with the subj.
   καθ᾽ ἕκαστον: *in detail*; 'over each thing'
6 ἃ: *(the things) which*; (ταῦτα) ἃ
   ὑγίεια…πλοῦτος: in apposition
   φαμέν: parenthetical, 1p φημί
7 δή: *of course*
   ταῦτα (εἶναι): acc. subj. in ind. disc.
   οὐχί (λέγομεν): *Are we not (saying this)?*
88a ταῦτα ταὐτα…βλάπτειν: *that these
   same…*; τὰ αὐτὰ; ind. disc.; αὐτός in the
   attributive position means 'same'
2 φῂς: 2s φημί
   σκόπει: *keep…,continue…*; σκόπε-ε, imper.
   δή: *now, just*; intensive with an imperative
3 ὅταν τί…ἡγῆται: *What, whenever (it) leads
   to* + gen.; Translate the interrogative τί
   first. ἑκάστου τούτων refers to health,
   etc.; general temporal cl. with 3s mid. subj.

4 ὅταν τί (ἑκάστου τούτων ἡγῆται,),
   βλάπτει (ἡμᾶς): *What, whenever (it)
   leads to…*; ellipsis, see note a3 above
   οὐχ ὅταν (ἑκάστου τούτων ἡγῆται,):
   supply verb and gen. obj.
6 τὰ κατὰ τὴν ψυχὴν: *the things in the soul*
   σκεψώμεθα: *let…*; 1p hortatory subj.
7 τι καλεῖς: *you call something…*

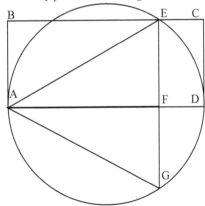

Figure 3: Inscribing a Triangle in a Circle

εὐμαθίαν καὶ μνήμην καὶ μεγαλοπρέπειαν καὶ πάντα τὰ
τοιαῦτα; ΜΕΝ. ἔγωγε. ΣΩ. σκόπει δή, τούτων ἄττα b
σοι δοκεῖ μὴ ἐπιστήμη εἶναι ἀλλ' ἄλλο ἐπιστήμης, εἰ οὐχὶ
τοτὲ μὲν βλάπτει, τοτὲ δὲ ὠφελεῖ; οἷον ἀνδρεία, εἰ μὴ ἔστι
φρόνησις ἡ ἀνδρεία ἀλλ' οἷον θάρρος τι· οὐχ ὅταν μὲν
ἄνευ νοῦ θαρρῇ ἄνθρωπος, βλάπτεται, ὅταν δὲ σὺν νῷ, 5
ὠφελεῖται; ΜΕΝ. ναί. ΣΩ. οὐκοῦν καὶ σωφροσύνη
ὡσαύτως καὶ εὐμαθία· μετὰ μὲν νοῦ καὶ μανθανόμενα καὶ
καταρτυόμενα ὠφέλιμα, ἄνευ δὲ νοῦ βλαβερά; ΜΕΝ. πάνυ
σφόδρα. ΣΩ. οὐκοῦν συλλήβδην πάντα τὰ τῆς ψυχῆς c
ἐπιχειρήματα καὶ καρτερήματα ἡγουμένης μὲν φρονήσεως εἰς
εὐδαιμονίαν τελευτᾷ, ἀφροσύνης δ' εἰς τοὐναντίον; ΜΕΝ.
ἔοικεν. ΣΩ. εἰ ἄρα ἀρετὴ τῶν ἐν τῇ ψυχῇ τί ἐστιν καὶ
ἀναγκαῖον αὐτῷ ὠφελίμῳ εἶναι, φρόνησιν αὐτὸ δεῖ εἶναι, 5

ἀναγκαῖος, -α, -ον: necessary, inevitable, 5
ἀνδρεία, ἡ: courage, manliness, bravery, 4
ἄνευ: without (gen.) 5
ἀ-φροσύνη, ἡ:, senselessness, folly, 3
βλαβερός, -ά, -όν: harmful, 6
ἐναντίος, -α, -ον: opposite, contrary, 8
ἐπι-χείρημα, -ατος, τό: undertaking, attempt 1
εὐ-δαιμονία, ἡ: happiness, good fortune, 1
εὐ-μαθία, ἡ: readiness or ease to learn, 2
θαρρέω: be confident, take heart; be bold, 2
θάρρος, -εος, τό: confidence, boldness, 1

καρτέρημα, -ατος, τό: (act of) endurance, 1
κατ-αρτύω: to train, educate, discipline, 1
μεγαλοπρέπεια, ἡ: magnificence, 2
μνήμη, ἡ: memory, record, remembrance, 1
συλλήβδην: collectively, in sum, in short, 1
σύν: with, along with, 1
σφόδρα: exceedingly, very (much), 3
σωφροσύνη, ἡ: temperance, moderation, 7
τελευτάω: to end, complete, finish; die, 4
ὡσαύτως: in the same manner, just so, 6
ὠφελέω: to help, benefit, improve, 9

88b σκόπει: *keep...,continue...*; sg. imperative
δή: *now, just*; intensive with an imperative
ἄττα: *which...*; alternative form for ἅτινα,
neut. pl. ὅστις; here, nom. subject of 3s
δοκεῖ; τούτων is partitive
2 ἐπιστήμης: *than...*; gen. of comparison
τοτὲ μὲν...τοτὲ δὲ: *sometimes...other times*
3 οἷον: *for example*; 'in respect to such'
4 οἷον...τι: *some sort (of)*
οὐχ ὅταν...θαρρῇ: *(is it) not whenever...*;
general temporal clause; 3s subj. θαρρέω;
οὐχ elicits a 'yes' reply to the question
5 νοῦ: gen. sg. νοῦς (νό-ος)
νῷ: dat. sg. νοῦς
7 καὶ μανθανόμενα καὶ καταρτυόμενα: *both
things learned and things trained*; i.e.
εὐμαθία and σωφροσύνη mentioned above

8 ὠφέλιμα (ἐστίν): predicate, add verb
c1 τῆς ψυχῆς: modifies both ἐπιχειρήματα
and καρτερήματα
2 ἡγουμένης...φρονέσεως: *while...*; gen. abs.
ἡγέομαι again means 'to guide, be leader'
3 τελευτᾷ: τελευτά-ει; 3s pres. α-contract
ἀφρονύνης (ἡγουμένης): *while...*; gen. abs.
τοὐναντίον: τὸ ἐναντίον
4 τῶν ἐν τῇ ψυχῇ τί: *one of the things...*;
nom. pred.; indefinite τι
5 ἀναγκαῖον: *something necessary*; neut. sg.
second pred. of ἐστίν
αὐτῷ: *for it*; i.e. for ἀρετή
ὠφελίμῳ εἶναι: epexegetical (explanatory)
inf. with ἀναγκαῖον; the pred. is attracted
into the dat. of the αὐτῷ
αὐτὸ: *that it...*; acc. subj., i.e. ἀρετή

ἐπειδήπερ πάντα τὰ κατὰ τὴν ψυχὴν αὐτὰ μὲν καθ' αὑτὰ
οὔτε ὠφέλιμα οὔτε βλαβερά ἐστιν, προσγενομένης δὲ φρο-
νήσεως ἢ ἀφροσύνης βλαβερά τε καὶ ὠφέλιμα γίγνεται. **d**
κατὰ δὴ τοῦτον τὸν λόγον ὠφέλιμόν γε οὖσαν τὴν ἀρετὴν
φρόνησιν δεῖ τιν' εἶναι. ΜΕΝ. ἔμοιγε δοκεῖ.

ΣΩ. καὶ μὲν δὴ καὶ τἆλλα ἃ νυνδὴ ἐλέγομεν, πλοῦτόν
τε καὶ τὰ τοιαῦτα, τοτὲ μὲν ἀγαθὰ τοτὲ δὲ βλαβερὰ εἶναι, 5
ἆρα οὐχ ὥσπερ τῇ ἄλλῃ ψυχῇ ἡ φρόνησις ἡγουμένη ὠφέλιμα τὰ
τῆς ψυχῆς ἐποίει, ἡ δὲ ἀφροσύνη βλαβερά, οὕτως αὖ
καὶ τούτοις ἡ ψυχὴ ὀρθῶς μὲν χρωμένη καὶ ἡγουμένη ὠφέ- **e**
λιμα αὐτὰ ποιεῖ, μὴ ὀρθῶς δὲ βλαβερά; ΜΕΝ. πάνυ γε.
ΣΩ. ὀρθῶς δέ γε ἡ ἔμφρων ἡγεῖται, ἡμαρτημένως δ' ἡ
ἄφρων; ΜΕΝ. ἔστι ταῦτα. ΣΩ. οὐκοῦν οὕτω δὴ κατὰ
πάντων εἰπεῖν ἔστιν, τῷ ἀνθρώπῳ τὰ μὲν ἄλλα πάντα εἰς τὴν 5

ἀ-φροσύνη, ἡ:, senselessness, folly, 3
ἄ-φρων, -ον: senseless, foolish, silly, 1
αὖ: again, once more; further, moreover, 8
βλαβερός, -ά, -όν: harmful, 6
ἔμ-φρων, -ον: sensible, intelligent, 1
ἐπειδήπερ: when, after, since, because, 1

ἡμαρτημένως: erroneously, mistakenly, 1
νυν-δή: just now, 8
πλοῦτος, ὁ: wealth, riches, 4
προσ-γίγνομαι: to come to be in addition, 1
χράομαι: to use, employ, experience (dat.) 4

c6 τὰ κατὰ τὴν ψυχὴν: *the things in the soul*
αὐτὰ κατὰ (ἑ)αυτα: *themselves in themselves*; intensive, reflexive pronouns
7 προσγενομένης... ἀφροσύνης: *while...*; gen. abs.
d2 κατὰ: *according to...*,
δή: *accordingly, then*; inferential
ὠφέλιμόν γε οὖσαν: *(while)...at least*; pple εἰμί modifying ἀρετὴν; restrictive γε
3 φρόνησιν τιν(ά): pred. of εἶναι
4 καὶ μὲν δὴ καὶ: *and indeed also*; μὲν δή expresses positive certainty in conclusions (S2900); the first καί is a conjunction and the second, as often, is, adverbial; Socrates now adds that what is true for goods of the soul is true for external goods
τἆλλα: *in (respect to) other things*; or 'as for other things;' τὰ ἄλλα, acc. of respect
πλοῦτον...: acc. in apposition to τἆλλα
5 τοτέ μὲν...τοτέ δὲ: *that sometimes...at other times...*; ind. disc.with ἐλέγομεν
6 ἆρα οὐχ: *is it not...?*; after the initial acc.

of respect, a question eliciting a 'yes' reply
ὥσπερ...: *just as...*; a clause of comparison
τῇ ἄλλῃ ψυχῇ: *for...*; dat. of interest with ὠφέλιμα
ἡγουμένη: *while guiding*
τὰ τῆς ψυχῆς: *matters of the soul*
ἐποίει: governs a double acc.; ποιέω
7 ἡ δὲ ἀφροσύνη (ἡγουμένη) βλαβερά (τὰ τῆς ψυχῆς ἐποίει): *and...*; heavy ellipsis, supply the word from the previous clause
e1 καὶ τούτοις: *these also*; i.e. external goods noted in d4-5; dat. object of pple χρωμένη
2 αὐτὰ: *them*; i.e. the τὰ ἄλλα in d4
μὴ ὀρθῶς δὲ (χρωμένη) βλαβερά (αὐτὰ ποιεῖ): *but (if) not correctly...*; ellipsis; μή reveals that the missing pple is conditional,
3 δέ γε: *yes, and*; joining Socrates' current words with his previous response
4 δή: *just, precisely*; with adv. οὕτω
κατὰ πάντων: *with regard to all, over all*
5 ἔστιν: *it is possible*
τὰ ἄλλα: *that other things...*; external goods

ψυχὴν ἀνηρτῆσθαι, τὰ δὲ τῆς ψυχῆς αὐτῆς εἰς φρόνησιν, εἰ
μέλλει ἀγαθὰ εἶναι· καὶ τούτῳ τῷ λόγῳ φρόνησις ἂν εἴη   89
τὸ ὠφέλιμον· φαμὲν δὲ τὴν ἀρετὴν ὠφέλιμον εἶναι;
ΜΕΝ. πάνυ γε. ΣΩ. φρόνησιν ἄρα φαμὲν ἀρετὴν εἶναι,
ἤτοι σύμπασαν ἢ μέρος τι; ΜΕΝ. δοκεῖ μοι καλῶς λέγε-
σθαι, ὦ Σώκρατες, τὰ λεγόμενα. ΣΩ. οὐκοῦν εἰ ταῦτα   5
οὕτως ἔχει, οὐκ ἂν εἶεν φύσει οἱ ἀγαθοί. ΜΕΝ. οὔ μοι
δοκεῖ.

ΣΩ. καὶ γὰρ ἄν που καὶ τόδ' ἦν· εἰ φύσει οἱ ἀγαθοὶ   b
ἐγίγνοντο, ἦσάν που ἂν ἡμῖν οἳ ἐγίγνωσκον τῶν νέων τοὺς
ἀγαθοὺς τὰς φύσεις, οὓς ἡμεῖς ἂν παραλαβόντες ἐκείνων
ἀποφηνάντων ἐφυλάττομεν ἂν ἐν ἀκροπόλει, κατασημηνά-
μενοι πολὺ μᾶλλον ἢ τὸ χρυσίον, ἵνα μηδεὶς αὐτοὺς διέ-   5
φθειρεν, ἀλλ' ἐπειδὴ ἀφίκοιντο εἰς τὴν ἡλικίαν, χρήσιμοι
γίγνοιντο ταῖς πόλεσι.

ἀκρόπολις, -εως, ἡ: acropolis, 1
ἀν-αρτάω: to hang on, depend on, 1
ἀπο-φαίνω: to show, declare, present, 3
ἀφ-ικνέομαι: to come, arrive, 5
δια-φθείρω: to destroy, corrupt, kill, 3
ἡλικία, ἡ: age, time of life, 2
ἤ-τοι: either, you know; either, truly, 2
ἵνα: in order that, so that (subj.); where, 9
κατα-σημαίνω: to seal up, 1

μέλλω: to be going to, intend to, 4
μέρος, -έος, τό: a part, share, portion, 2
μηδ-είς, μηδ-εμία, μηδ-έν: no one, nothing, 8
νέος, -α, -ον: young; new, novel, strange, 5
παρα-λαμβάνω: to take up, receive from, 3
συμπᾶς, -πᾶσα, -πᾶν: all together, whole, 1
φυλάττω: to keep watch, keep guard, 2
χρήσιμος, -η, -ον: useful, serviceable, fit, 1
χρυσίον, τό: gold piece, money, 3

e6 **εἰς τὴν ψυχὴν ἀνηρτῆσθαι**: *depend on the
soul*; in ind. disc., pf. mid. inf.
τὰ τῆς ψυχῆς εἰς φρόνησιν (ἀνηρτῆσθαι):
that matters of…; ind. disc.; add inf.
89a **μέλλει**: **τὰ τῆς ψυχῆς** is the subject
τούτῳ τῷ λόγῳ: *by…*; means
ἂν εἴη: 3s potential opt. εἰμί
2 **τὸ ὠφέλιμον**: *the beneficial*; the subject
φαμέν: 1p φημί
4 **ἤτοι…ἤ…**: *either, you know,…or…*
6 **οὕτως ἔχει**: ἔχω ('holds' or 'is disposed')
+ adv. is often equiv. to εἰμί + adj. in sense
ἂν εἶεν: 3p potential opt. εἰμί add ἀγαθοί
φύσει: *by…*; φύσε-ι, dat. of means, φύσις
b1 **καὶ γὰρ**: *for in fact*
ἄ…ἦν: *would be*; ἄν + 3s impf εἰμί
expressing pres. unreal potential

τόδε: i.e. the following result
εἰ…ἐγίγνοντο, ἦσαν ἄν: *if…were,…would
be…*; pres. contrary to fact condition
2 **ἡμῖν**: dat. of possession, ἡμεῖς
οἳ ἐγίγνωσκον…φύσεις: *(some) who would
recognize (which) natures of the youth
(are) good men*; relative clause; the missing
antecedent is subject of ἦσαν; a customary
impf. that here governs a double acc.
3 **ἐκείνων ἀποφηνάντων**: gen. abs.,
ἐφυλάττομεν (ἄν): *would…*
5 **πολὺ**: *much, far*; acc. of extent in degree
ἵνα…διέφθειρεν…γίγνοιντο: *so that…
might have corrupted…might become…*;
purpose + opt. in secondary seq.; the aor.
ind. denotes unfulfilled purpose following
a contrary to fact condition (S2185c)
ταῖς πόλεσι: *for…*; dat. interest πόλις

ΜΕΝ. εἰκός γέ τοι, ὦ Σώκρατες.

ΣΩ. ἆρ᾽ οὖν ἐπειδὴ οὐ φύσει οἱ ἀγαθοὶ ἀγαθοὶ γίγνονται,
ἆρα μαθήσει;   c

ΜΕΝ. δοκεῖ μοι ἤδη ἀναγκαῖον εἶναι· καὶ δῆλον, ὦ
Σώκρατες, κατὰ τὴν ὑπόθεσιν, εἴπερ ἐπιστήμη ἐστὶν ἀρετή,
ὅτι διδακτόν ἐστιν.

ΣΩ. ἴσως νὴ Δία· ἀλλὰ μὴ τοῦτο οὐ καλῶς ὡμολογή- 5
σαμεν;

ΜΕΝ. καὶ μὴν ἐδόκει γε ἄρτι καλῶς λέγεσθαι.

ΣΩ. ἀλλὰ μὴ οὐκ ἐν τῷ ἄρτι μόνον δέῃ αὐτὸ δοκεῖν
καλῶς λέγεσθαι, ἀλλὰ καὶ ἐν τῷ νῦν καὶ ἐν τῷ ἔπειτα, εἰ
μέλλει τι αὐτοῦ ὑγιὲς εἶναι.   10

ΜΕΝ. τί οὖν δή; πρὸς τί βλέπων δυσχεραίνεις αὐτὸ d
καὶ ἀπιστεῖς μὴ οὐκ ἐπιστήμη ᾖ ἡ ἀρετή;

ἀναγκαῖος, -α, -ον: necessary, inevitable, 5

ἀ-πιστέω: to distrust, not believe (dat.), 2

ἄρτι: just, exactly; just now, 9

βλέπω: to look at, see, 3

δυσχεραίνω: feel annoyance at, be vexed at, 1

εἰκός -ότος τό: likely, probable, reasonable 3

ἔπ-ειτα: then, next, secondly; hereafter, 5

ἤδη: already, now, at this time, 7

μάθησις, ἡ: learning, 2

μέλλω: to be going to, intend to, 4

νή: by + acc. (invoking a divinity), 2

τοι: ya know, let me tell you, surely, 2

ὑγιής, -ές: sound, healthy, 2

ὑπό-θεσις, -εως, ἡ: hypothesis, assumption, 5

b8 **εἰκός (ἐστι)**: supply verb; γε in replies can
mean 'yes, indeed' (S2825)

9 **φύσει**: *by…*; φύσε-ι, dat. of means, φύσις

c1 **μαθήσει**: μαθήσε-ι, dat. of means, μάθησις
δῆλον (ἐστίν): *it…*; impersonal, add verb
κατά: *according to*

4 **διδακτόν**: *something teachable*; neut. pred.
Δία: acc. Ζεύς

5 **μή**…: *surely…not?*; μή + ind. in a question
anticipates and elicits a 'no' reply

7 **καὶ μὴν…γε**: *and certainly…indeed*; in
replies, καὶ μήν confirms (S2921); γε
emphasizes ἐδόκει
καλῶς: *well*

8 **μὴ οὐκ μόνον…ἀλλὰ καὶ…δέῃ**: *(I suspect)
that it is necessary…not only…but also…*;

'surely it is necessary…' μή + pres. subj. of
doubtful assertion (S1801); 3s subj. δεῖ

ἐν τῷ ἄρτι: *in (the moment) just now*; see
also ἐν τῷ νῦν and ἐν τῷ ἔπειτα for
present and future time

10 **τι αὐτοῦ**: *any of it*; nom. subject and
partitive gen.

d1 **τί…δή**: *why exactly then?*; causal τί is an
acc. of respect: 'in respect to what;' οὖν is
used in questions to express impatience
'why, pray?' or 'why, then?' (S2962).
Meno reacts to Socrates' doubtful assertion
in c8-10

2 **μὴ οὐκ…ᾖ**: *that…not*; neg. fearing clause;
μὴ οὐκ + 3s subj. εἰμί (S2221)

ΣΩ. ἐγώ σοι ἐρῶ, ὦ Μένων. τὸ μὲν γὰρ διδακτὸν
αὐτὸ εἶναι, εἴπερ ἐπιστήμη ἐστίν, οὐκ ἀνατίθεμαι μὴ οὐ
καλῶς λέγεσθαι· ὅτι δὲ οὐκ ἔστιν ἐπιστήμη, σκέψαι ἐάν σοι 5
δοκῶ εἰκότως ἀπιστεῖν. τόδε γάρ μοι εἰπέ· εἰ ἔστιν διδα-
κτὸν ὁτιοῦν πρᾶγμα, μὴ μόνον ἀρετή, οὐκ ἀναγκαῖον αὐτοῦ
καὶ διδασκάλους καὶ μαθητὰς εἶναι;

ΜΕΝ. ἔμοιγε δοκεῖ.

ΣΩ. οὐκοῦν τοὐναντίον αὖ, οὗ μήτε διδάσκαλοι μήτε   e
μαθηταὶ εἶεν, καλῶς ἂν αὐτὸ εἰκάζοντες εἰκάζοιμεν μὴ
διδακτὸν εἶναι;

ΜΕΝ. ἔστι ταῦτα· ἀλλ' ἀρετῆς διδάσκαλοι οὐ δοκοῦσί
σοι εἶναι;   5

ΣΩ. πολλάκις γοῦν ζητῶν εἴ τινες εἶεν αὐτῆς διδά-
σκαλοι, πάντα ποιῶν οὐ δύναμαι εὑρεῖν. καίτοι μετὰ πολλῶν
γε ζητῶ, καὶ τούτων μάλιστα οὓς ἂν οἴωμαι ἐμπειροτάτους

ἀνα-τίθημι: to set up; retract, put back, 1
ἀναγκαῖος, -α, -ον: necessary, inevitable, 5
ἀ-πιστέω: to distrust, not believe (dat.), 2
αὖ: again, once more; further, moreover, 8
γοῦν (γε οὖν): at any rate; *a reply*: yes, well 7
δύναμαι: to be able, can, be capable, 9
εἰκάζω: liken, compare; guess, conjecture, 6

d3 ἐρῶ: 1s fut. λέγω
   τό...εἶναι: *that it is something teachable*; or
   'in respect to it's being something
   teachable,' an articular inf. and acc. of
   respect; αὐτό, as often, refers to ἀρετή;
   parallel to d5
4 οὐκ ἀνατίθεμαι: *I do not retract*; the verb
   may refer to the taking back of a move in a
   game equiv. to checkers/draughts (πέσσοι)
   μὴ οὐ...λέγεσθαι: *that (it)* ...; μή οὐ + inf. is
   used with verbs of denial or hindering; μή
   οὐ is expressed positively when the main
   verb is negative (S2742)
5 ὅτι...ἐπιστήμη: *and the fact that it is not
   knowledge*; acc. of respect parallel to d3
   σκέψαι: aor. mid. imper. σκέπτομαι
6 εἰπέ: aor. imper. λέγω
7 ὁτιοῦν: neut. sg. indefinite ὅσ-τισ-οῦν
   μὴ μόνον ἀρετή: *(and) not just virtue*;
   part of the conditional εἰ ἔστιν...πρᾶγμα

εἰκότως: suitably, reasonably, 3
ἔμ-πειρος, -ον: experienced in (gen.), 1
ἐναντίος, -α, -ον: opposite, contrary, 8
εὑρίσκω: to find, discover, devise, invent, 4
καί-τοι: and yet, and indeed, and further, 4
μαθητής, -οῦ ὁ: learner, student, pupil, 6
πολλάκις: many times, often, frequently, 5

ἀναγκαῖον (ἐστίν): *(it is)* ...; impersonal
αὐτοῦ: *for it*; i.e. something teachable
e1 τ(ὸ) ἐναντίον: *on the contrary*; adv. acc.
   οὗ...εἶεν: *(a matter) for which...should be...*;
   gen. sg. relative with 3p opt. εἰμί; equiv. to
   the protasis of a fut. less. vivid (οὗ = εἴ
   τινος): 'if we should not find teachers...'
2 καλῶς: *correctly*; 'well'
   ἂν...εἰκάζοιμεν: *we would...*; potential opt.
   equiv. to apodosis in a fut. less. vivid
   αὐτὸ μὴ...εἶναι: *that it is not teachable*; ind.
   disc. with αὐτὸ as the acc. subj.; μή is used
   instead of οὐ with a verb of belief (S2725)
4 ἔστι: *are (the case)*; i.e. are true
6 γοῦν: *yes, well...*; γε οὖν as often in replies
   εἴ...εἶεν: *whether there were...*; ind. question
   with 3p pres. opt. εἰμί in secondary seq.
8 τούτων...οὕς: *among these, whomever...*
   general relative clause with ἄν + 1s subj.

εἶναι τοῦ πράγματος. καὶ δὴ καὶ νῦν, ὦ Μένων, εἰς καλὸν
ἡμῖν Ἄνυτος ὅδε παρεκαθέζετο, ᾧ μεταδῶμεν τῆς ζητήσεως.   10
εἰκότως δ' ἂν μεταδοῖμεν· Ἄνυτος γὰρ ὅδε πρῶτον μέν ἐστι   **90**
πατρὸς πλουσίου τε καὶ σοφοῦ Ἀνθεμίωνος, ὃς ἐγένετο
πλούσιος οὐκ ἀπὸ τοῦ αὐτομάτου οὐδὲ δόντος τινός, ὥσπερ
ὁ νῦν νεωστὶ εἰληφὼς τὰ Πολυκράτους χρήματα Ἰσμηνίας
ὁ Θηβαῖος, ἀλλὰ τῇ αὑτοῦ σοφίᾳ κτησάμενος καὶ ἐπιμελείᾳ,   5
ἔπειτα καὶ τὰ ἄλλα οὐχ ὑπερήφανος δοκῶν εἶναι πολίτης
οὐδὲ ὀγκώδης τε καὶ ἐπαχθής, ἀλλὰ κόσμιος καὶ εὐσταλὴς
ἀνήρ· ἔπειτα τοῦτον εὖ ἔθρεψεν καὶ ἐπαίδευσεν, ὡς δοκεῖ   **b**
Ἀθηναίων τῷ πλήθει· αἱροῦνται γοῦν αὐτὸν ἐπὶ τὰς μεγί-
στας ἀρχάς. δίκαιον δὴ μετὰ τοιούτων ζητεῖν ἀρετῆς πέρι
διδασκάλους, εἴτ' εἰσὶν εἴτε μή, καὶ οἵτινες. σὺ οὖν ἡμῖν,
ὦ Ἄνυτε, συζήτησον, ἐμοί τε καὶ τῷ σαυτοῦ ξένῳ Μένωνι   5

Ἀθηναῖος, ὁ: an Athenian, 9
αἱρέω: to seize, take; *mid.* choose, 1
Ἀνθεμίων, -ωνος, ὁ: Anthemion, 1
ἀρχή, ἡ: beginning; rule, office, 5
αὐτομάτον, τό: mere chance, 2
γοῦν (γε οὖν): at any rate; *a reply*: yes, well 7
δίδωμι: to give, offer, grant, provide, 6
δίκαιος, -α, -ον: just, right, lawful, fair, 8
εἰκότως: suitably, reasonably, 3
ἐπ-αχθής, -ές: heavy; grievous, offensive, 1
ἔπ-ειτα: then, next, secondly, 5
ἐπι-μέλεια, ἡ: care, attention; pursuit, 2
εὐ-σταλής, -ές: well-mannered; equipped, 1
ζήτησις, -εως, ἡ: a seeking; inquiry, 3
Θηβαῖος, -α, -ον: Theban, 1
Ἰσμηνίας, ὁ: Ismenias (personal name) 1
κόσμιος, -α, -ον: well-ordered, decent, 1
κτάομαι: to acquire, gain, get, 5

μεγίστος, -η, -ον: very big, greatest, 2
μετα-δίδωμι: to give a part/share of (gen), 2
νεωστί: recently, just now, 1
ὀγκώδης, -ες: puffed up; inflated, swollen, 1
παιδεύω: to educate, teach, 7
παρά-καθέζομαι: to sit down beside, 1
πατήρ, πατρός, ὁ: a father, 3
πλῆθος, -εος, τό: multitude; majority, 1
πλούσιος, -α, -ον: rich, wealthy, opulent, 3
πολίτης, ὁ: citizen, 4
Πολυκράτης, -εος, ὁ: Polycrates, 1
πρῶτος, -η, -ον: first, earliest, 9
σαυτοῦ, -ῆ, -οῦ: yourself, 4
σοφός, -ή, -όν: wise, skilled, 9
συζητέω: to share in seeking with (dat), 2
τρέφω: to rear, foster, nuture, 4
ὑπερ-ήφανος, -ον: arrogant, proud, 1
χρῆμα, -ατος, τό: thing, possession, money, 5

---

e9 καὶ δὴ καὶ: *in particular*; 'and indeed also'
   εἰς καλὸν: *at a good (time)*; idiom
10 ὅδε: *here*; Anytus is present beside them
   ᾧ: *to whom*; dat. ind. obj.
   μεταδῶμεν: *let us...*; hortatory aor. subj.
90a ἂν μεταδοῖμεν: 1p potential aor. opt.
   πατρὸς...Ἀνθεμίωνος: *(son) of...*; pred.
2 δόντος τινός: gen. abs., aor. δίδωμι
   ὁ...εἰληφὼς: *the one...*; pf. pple λαμβάνω
   Ἰσμηνίας ὁ Θηβαῖος: in apposition

5 σοφίᾳ, ἐπιμελείᾳ: *because of...*; dat. cause
   κτήσομενος: i.e. his wealth
6 τὰ ἄλλα: *in other respects*; acc. respects
b1 ἔθρεψεν: aor. τρέφω
2 ἐπὶ...ἀρχάς: *for the highest offices*
3 δίκαιον (ἐστί): *(it is) right accordingly...*
   ἀρετῆς πέρι: περὶ ἀρετῆς, anastrophe
4 διδασκάλους: prolepsis, make this acc. the
   subject of the following ind. questions
5 συζήτησον: aor. imperative

τῷδε, περὶ τούτου τοῦ πράγματος τίνες ἂν εἶεν διδάσκαλοι.

ὧδε δὲ σκέψαι· εἰ βουλοίμεθα Μένωνα τόνδε ἀγαθὸν ἰατρὸν

γενέσθαι, παρὰ τίνας ἂν αὐτὸν πέμποιμεν διδασκάλους; ἆρ᾽   c

οὐ παρὰ τοὺς ἰατρούς;

ΑΝ. πάνυ γε.

ΣΩ. τί δ᾽ εἰ σκυτοτόμον ἀγαθὸν βουλοίμεθα γενέσθαι,

ἆρ᾽ οὐ παρὰ τοὺς σκυτοτόμους;   5

ΑΝ. ναί.

ΣΩ. καὶ τἆλλα οὕτως;

ΑΝ. πάνυ γε.

ΣΩ. ὧδε δή μοι πάλιν περὶ τῶν αὐτῶν εἰπέ. παρὰ τοὺς

ἰατρούς, φαμέν, πέμποντες τόνδε καλῶς ἂν ἐπέμπομεν, βου-   10

λόμενοι ἰατρὸν γενέσθαι· ἆρ᾽ ὅταν τοῦτο λέγωμεν, τόδε

λέγομεν, ὅτι παρὰ τούτους πέμποντες αὐτὸν σωφρονοῖμεν   d

ἄν, τοὺς ἀντιποιουμένους τε τῆς τέχνης μᾶλλον ἢ τοὺς μή,

ἀντι-ποιέω: to lay claim to (gen., inf.), 2
ἰατρός, ὁ: physician, doctor, 4
πάλιν: again, once more; back, backwards, 9
πέμπω: to send, conduct, convey, 9
σκυτο-τόμος, ὁ: cobbler, shoemaker, 2

σωφρονέω: to be temperate, moderate,
prudent, 1
τέχνη, ἡ: art, skill, craft, 4
ὧδε: in this way, in the following way, 7

b6 τίνες: *who*...; ind. question with potential
opt. 3p εἰμί
7 σκέψαι: aor. mid. imperative
εἰ βουλοίμεθα, ἂν πέμποιμεν: *if...should...*,
would...; fut. less vivid condition (εἰ opt.,
ἂν opt.)
c1 παρὰ τίνας...διδασκάλους: *to what*...; acc.
place to which, interrogative adj.
2 παρὰ: *to (the side of)*...; place to which
3 πάνυ γε: *quite so*; common response
4 τί δέ: *What?*; 'what about this?' or 'well
then' introducing another question
(Μέμνων τόνδε) γενέσθαι: *that Meno
here*...; supply acc. subj. from above
7 τ(ὰ) ἄλλα: *in other respects*; acc. respect
δή: *precisely, just*; intensive with ὧδε
εἰπέ: aor. imperative λέγω

παρὰ: *to (the side of)*...
10 φαμὲν: parenthetical; 1p pres. φημί
ἂν ἐπέμπομεν: *would...*; pres. unreal
potential (ἂν + impf. ind.)
11 (Μέμνων) γενέσθαι: *that Meno*...;
supply acc. subject
ὅταν...λέγωμεν: *whenever*...; general
temporal clause with 1p pres. subj.
d1 ὅτι...σωφρονοῖμεν ἄν: *(namely) that*...;
ind. disc. in apposition to τόδε; potential
opt.
παρὰ: *to (the side of)*...
2 τοὺς ἀντιποιουμένους τε: *both those*...;
in apposition to τούτους; mid. pple
τοὺς μή (ἀντιποιουμένους): *those not*...;
supply participle

καὶ τοὺς μισθὸν πραττομένους ἐπ' αὐτῷ τούτῳ, ἀποφήναντας
αὐτοὺς διδασκάλους τοῦ βουλομένου ἰέναι τε καὶ μανθάνειν;
ἆρ' οὐ πρὸς ταῦτα βλέψαντες καλῶς ἂν πέμποιμεν;   5
ΑΝ. ναί.

ΣΩ. οὐκοῦν καὶ περὶ αὐλήσεως καὶ τῶν ἄλλων τὰ αὐτὰ
ταῦτα; πολλὴ ἄνοιά ἐστι βουλομένους αὐλητήν τινα ποιῆσαι   e
παρὰ μὲν τοὺς ὑπισχνουμένους διδάξειν τὴν τέχνην καὶ
μισθὸν πραττομένους μὴ ἐθέλειν πέμπειν, ἄλλοις δέ τισιν
πράγματα παρέχειν, ζητοῦντα μανθάνειν παρὰ τούτων, οἳ
μήτε προσποιοῦνται διδάσκαλοι εἶναι μήτ' ἔστιν αὐτῶν μαθη- 5
τὴς μηδεὶς τούτου τοῦ μαθήματος ὃ ἡμεῖς ἀξιοῦμεν μανθά-
νειν παρ' αὐτῶν ὃν ἂν πέμπωμεν. οὐ πολλή σοι δοκεῖ
ἀλογία εἶναι;

ΑΝ. ναὶ μὰ Δία ἔμοιγε, καὶ ἀμαθία γε πρός.

ΣΩ. καλῶς λέγεις. νῦν τοίνυν ἔξεστί σε μετ' ἐμοῦ   10

ἀ-λογία, ἡ: absurdity, unreasonableness, 1
ἀ-μαθία, ἡ: ignorance, folly, 1
ἄ-νοια, ἡ: folly, foolishness, 1
ἀξιόω: to think worthy, deem right, 4
ἀπο-φαίνω: to show, declare, present, 3
αὔλησις, -εως, ἡ: flute-playing, 1
αὐλητής, -οῦ ὁ: a flute-player, 1
βλέπω: to look at, see, 3
ἔξεστι: it is allowed, permitted; is possible, 1
ἔρχομαι: to come or go, 6

μά: by + acc. (in an oath), 8
μάθημα, -ατος, τό: instruction, teaching, 2
μαθητής, -οῦ ὁ: learner, student, pupil, 6
μηδ-είς, μηδ-εμία, μηδ-έν: no one, nothing, 8
μισθός, ὁ: fee, pay; wage, hire, 4
παρ-έχω: to provide, furnish, supply, 3
πέμπω: to send, conduct, convey, 9
προσ-ποιοῦμαι: lay claim to, pretend, 1
τέχνη, ἡ: art, skill, craft, 4
ὑπ-ισχνέομαι: to promise, 4

d3 **πραττομένους**: *exacting, demanding*
ἐπ(ὶ)...: *(in return) for*...;
ἀποφήναντας: *declaring (x) (y)*; aor. pple
ἀποφαίνω with a double acc.; (ἐ)αυτούς
4 **τοῦ βουλομένου**: *of (anyone)*...; pres. mid.
ἰέναι: inf. ἔρχομαι
5 **ἂν πέμποιμεν**: 1p potential opt.
7 **τὰ αὐτὰ ταῦτα**: αὐτός in the attributive
position means 'same'
e1 **πολλὴ ἄνοιά ἐστι**: *it is*...; impersonal
βουλομένους...μὴ ἐθέλειν πέμπειν...
παρέχειν: *that those wishing*...; ind. disc.
ποιῆσαι: aor. inf. governs a double acc.
2 **παρὰ**: *to (the side of)*...; place to which
3 **πραττομένους**: *those*...; see d3
δέ...πράγματα παρέχειν: *but cause
trouble for* + dat.; i.e. enlist the help of

non-teachers; a common idiom; this inf. is
parallel to ἐθέλειν; βουλόμενους is subject
4 **ζητοῦντα μανθάνειν παρὰ τούτων**: a shift
from acc. pl. subject to sg. is difficult to
explain. Some omit the phrase, while others
have the pple ζητοῦντα agree with τινα
παρὰ: *from*...
**οἳ μήτε...μήτ(ε) ἔστιν αὐτῶν μαθητής
μηδεὶς**: *who neither...nor have any pupils*;
'nor any pupil is theirs,' there is a lack of
parallel as the pronouns shift from relative
(οἳ) to personal (αὐτῶν)
7 **παρ(ὰ)**: *from*...
ὃν ἂν πέμπωμεν: *(the pupil) whomever*...;
general relative clause + subj.; the missing
antecedent is acc. subj. of μανθάνειν
9 **πρός**: *in addition, besides*; adv.

κοινῇ βουλεύεσθαι περὶ τοῦ ξένου τουτουΐ Μένωνος. οὗτος   91

γάρ, ὦ Ἄνυτε, πάλαι λέγει πρός με ὅτι ἐπιθυμεῖ ταύτης

τῆς σοφίας καὶ ἀρετῆς ᾗ οἱ ἄνθρωποι τάς τε οἰκίας καὶ τὰς

πόλεις καλῶς διοικοῦσι, καὶ τοὺς γονέας τοὺς αὑτῶν θερα-

πεύουσι, καὶ πολίτας καὶ ξένους ὑποδέξασθαί τε καὶ ἀπο-   5

πέμψαι ἐπίστανται ἀξίως ἀνδρὸς ἀγαθοῦ. ταύτην οὖν τὴν

ἀρετὴν σκόπει παρὰ τίνας ἂν πέμποντες αὐτὸν ὀρθῶς πέμ-   b

ποιμεν. ἢ δῆλον δὴ κατὰ τὸν ἄρτι λόγον ὅτι παρὰ τούτους

τοὺς ὑπισχνουμένους ἀρετῆς διδασκάλους εἶναι καὶ ἀποφή-

ναντας αὑτοὺς κοινοὺς τῶν Ἑλλήνων τῷ βουλομένῳ μανθάνειν,

μισθὸν τούτου ταξαμένους τε καὶ πραττομένους;   5

ΑΝ. καὶ τίνας λέγεις τούτους, ὦ Σώκρατες;

ΣΩ. οἶσθα δήπου καὶ σὺ ὅτι οὗτοί εἰσιν οὓς οἱ ἄνθρωποι

καλοῦσι σοφιστάς.

ἄξιος, -α, -ον: worthy of, deserving of (gen) 7
ἀπο-πέμπω: to send away, dismiss, 2
ἀπο-φαίνω: to show, declare, present, 3
ἄρτι: just, exactly; just now, 9
βουλεύω: to deliberate, plan, take counsel, 2
γονεύς, -έως, ὁ: a begetter, parent, 1
δι-οικέω: to manage, manage a house, 6
Ἕλλην, Ἕλληνος, ἡ: Greece, 1
θεραπεύω: to attend to, care for, serve, 1
κοινῇ: in common, together, 2

κοινός, -ή, -όν: common, shared; public, 1
μισθός, ὁ: fee, pay; wage, hire, 4
οἰκία, ἡ: a house, home, dwelling, 6
πάλαι: long ago, long; of long, 3
πέμπω: to send, conduct, convey, 9
πολίτης, ὁ: citizen, 4
σοφιστής, ὁ: sophist, 8
τάττω: to arrange, fix, order, ordain, 1
ὑπ-ισχνέομαι: to promise, 4
ὑπο-δέχομαι: to welcome, receive, 1

91a τουτουΐ: *this here*; deictic iota suggests that Socrates is pointing
2 λέγει: *has been saying*; with πάλαι, λέγει is pf. progressive in sense
3 ᾗ: *by which...*; abl. of means or cause
4 τοὺς αὑτῶν: τοὺς (ἑ)αυτῶν, reflexive in attributive position modifying γονέας
5 καὶ...καὶ...: *both...and...*
   ἀποπέμψαι: aor. inf.
6 ἐπίστανται: *know how...*; + inf.; 3s pres.
   ἀξίως: adv. + gen.
   ταύτην...ἀρετὴν: *in respect to...*; or 'as for...' acc. of respect
b1 σκόπει: *keep...,continue...*; pres. imper.
   παρὰ τίνας...πέμποιμεν: *to whom...*; ind. question with 1p potential opt.
   αὐτὸν: *him*; i.e. Meno
2 δῆλον δὴ: *(is it) quite clear...?*; impersonal
   κατὰ: *according to...*

ὅτι (ἂν αὐτὸν πέμποιμεν) παρὰ...: *that (we would send him) to...*; supply verb from above
3 ἀποφήναντας: *declaring (x) (y)*; aor. pple ἀποφαίνω with a double acc.; (ἑ)αυτοὺς
4 κοινοὺς (διδασκάλους): second acc.
   τῷ βουλομένῳ: *to (anyone)...*; mid. pple,
   τούτου: *for this (instruction)*
   ταξαμένους: *having arranged*; or 'fixed' aor. mid. pple; μισθὸν is object of both participles
   πραττομένους: *exacting, demanding*
6 λέγεις: with a double acc., translate λέγεις either (1) 'you say (x) (y)' or (2) 'you mean (x) by (y)'
7 οἶσθα: 2s οἶδα
   καὶ: *also, too*
   οὓς: *(those) whom...*; relative clause, the antecedent is pred. of 3p εἰμί

ΑΝ. Ἡράκλεις, εὐφήμει, ὦ Σώκρατες. μηδένα τῶν γ’ c
ἐμῶν μήτε οἰκείων μήτε φίλων, μήτε ἀστὸν μήτε ξένον,
τοιαύτη μανία λάβοι, ὥστε παρὰ τούτους ἐλθόντα λωβηθῆναι,
ἐπεὶ οὗτοί γε φανερά ἐστι λώβη τε καὶ διαφθορὰ τῶν
συγγιγνομένων.   5

ΣΩ. πῶς λέγεις, ὦ Ἄνυτε; οὗτοι ἄρα μόνοι τῶν ἀντι-
ποιουμένων τι ἐπίστασθαι εὐεργετεῖν τοσοῦτον τῶν ἄλλων
διαφέρουσιν, ὅσον οὐ μόνον οὐκ ὠφελοῦσιν, ὥσπερ οἱ ἄλλοι,
ὅ τι ἄν τις αὐτοῖς παραδῷ, ἀλλὰ καὶ τὸ ἐναντίον διαφθεί-
ρουσιν; καὶ τούτων φανερῶς χρήματα ἀξιοῦσι πράττεσθαι; d
ἐγὼ μὲν οὖν οὐκ ἔχω ὅπως σοι πιστεύσω· οἶδα γὰρ ἄνδρα
ἕνα Πρωταγόραν πλείω χρήματα κτησάμενον ἀπὸ ταύτης
τῆς σοφίας ἢ Φειδίαν τε, ὃς οὕτω περιφανῶς καλὰ ἔργα

ἀντι-ποιέω: to lay claim to (gen., inf.), 2
ἀξιόω: to think worthy, deem right, 4
ἀστός, ὁ: townsman, citizen, 2
δια-φθείρω: to destroy, corrupt, kill, 3
διαφθορά, ἡ: corruption, destruction, 1
ἐμός, -ή, -όν: my, mine, 2
ἐναντίος, -α, -ον: opposite, contrary, 8
ἐπεί: when, after; since, because, 3
ἔργον, τό: deed, act; work; result, effect, 6
ἔρχομαι: to come or go, 6
εὐ-εργετέω: provide a benefit, assist, 2
εὐ-φημέω: hold your tongue, be quiet, 1
Ἡρακλέης, ὁ: Heracles, 1
κτάομαι: to acquire, gain, get, 5
λωβάομαι: to ruin, maltreat, victimize, 2
λώβη, ὁ: ruin, maltreatment, outrage, 1
μανία, ἡ: madness, frenzy; enthusiasm, 1

μηδ-είς, μηδ-εμία, μηδ-έν: no one, nothing, 8
οἰκεῖος, -α, -ον: one's own; relative; friend, 1
ὅπως: how, in what way; (in order) that, 5
ὅσος, -η, -ον: as much/many as; all who, that 8
παρα-δίδωμι: to hand over, transmit, 3
περι-φανῶς: conspicuously, very visibly, 1
πιστεύω: to trust, believe, 2
πλέων, -ον: more, greater, 2
Πρωταγόρας, ὁ: Protagoras (sophist), 3
συγ-γίγνομαι: to be with, associate with, 6
τοσοῦτος, -αύτη, -οῦτο: so great/much/long 9
φανερός, -ά, -όν: visible, manifest, evident 2
Φειδίας, ὁ: Phidias, 1
φίλος, -η, -ον: dear, friendly; a friend, kin, 6
χρῆμα, -ατος, τό: thing, possession, money, 5
ὠφελέω: to help, benefit, improve, 9

c1 **Ἡράκλεις**: *by Heracles!*; in exclamation
   εὐφήμει: εὐφήμε-ε; sg. imperative
   μηδένα...λάβοι: *May....not seize any...*;
   ἄν + aor. opt. of wish
3 **ὥστε...λωβηθῆναι**: *so that (anyone)...*;
   result clause, ὥστε + inf. (aor. pass. inf.)
   παρὰ τούτους ἐλθόντα: aor. pple ἔρχομαι
   modifying the missing acc. subj.
4 **ἐπεί... φανερά ἐστι**: *since...are clearly*;
   'are clear,' both verb and adj. have been
   attracted into the fem. sg. of pred. λώβη
6 **πῶς λέγεις**: *what do you mean?*
7 **τι εὐεργετεῖν**: *provide some benefit*; inner

acc. just as τοσοῦτον below
   τοσοῦτον: *so much*; 'such a difference,'
   τῶν ἄλλων: *from...* gen. of separation
8 **ὅσον**: *insofar as..*; 'as much as,' a relative
   and inner acc. with ὠφελοῦσιν
   οὐ μόνον...ἀλλὰ καί: *not only...but also...*
9 **ὅ τι ἄν τις αὐτοῖς παραδῷ**: *whatever...*;
   general relative clause, obj. of ὠφελοῦσιν
   τὸ ἐναντίον: *on the contrary*; adv. acc.
d1 **τούτων**: *in return for these*; gen. of price
2 **μὲν οὖν**: *certainly*
   ἔχω: *I know*
3 **πλείο(ν)α**: acc. sg. comparative

ἠργάζετο, καὶ ἄλλους δέκα τῶν ἀνδριαντοποιῶν. καίτοι 5
τέρας λέγεις εἰ οἱ μὲν τὰ ὑποδήματα ἐργαζόμενοι τὰ παλαιὰ
καὶ τὰ ἱμάτια ἐξακούμενοι οὐκ ἂν δύναιντο λαθεῖν τριάκονθ'
ἡμέρας μοχθηρότερα ἀποδιδόντες ἢ παρέλαβον τὰ ἱμάτιά τε e
καὶ ὑποδήματα, ἀλλ' εἰ τοιαῦτα ποιοῖεν, ταχὺ ἂν τῷ λιμῷ
ἀποθάνοιεν, Πρωταγόρας δὲ ἄρα ὅλην τὴν Ἑλλάδα ἐλάν-
θανεν διαφθείρων τοὺς συγγιγνομένους καὶ μοχθηροτέρους
ἀποπέμπων ἢ παρελάμβανεν πλέον ἢ τετταράκοντα ἔτη— 5
οἶμαι γὰρ αὐτὸν ἀποθανεῖν ἐγγὺς καὶ ἑβδομήκοντα ἔτη γεγο-
νότα, τετταράκοντα δὲ ἐν τῇ τέχνῃ ὄντα—καὶ ἐν ἅπαντι
τῷ χρόνῳ τούτῳ ἔτι εἰς τὴν ἡμέραν ταυτηνὶ εὐδοκιμῶν
οὐδὲν πέπαυται, καὶ οὐ μόνον Πρωταγόρας, ἀλλὰ καὶ

ἀνδριαντοποιός, ὁ: sculptor, statue-maker, 1
ἅπας, ἅπασα, ἅπαν: every, quite all, 7
ἀπο-δίδωμι: to give back, render, return, 2
ἀπο-θνῄσκω: to die off, perish, 3
ἀπο-πέμπω: to send away or back, dismiss, 2
δέκα: ten, 1
δια-φθείρω: to destroy, corrupt, kill, 3
δύναμαι: to be able, can, be capable, 9
ἑβδομήκοντα: seventy, 1
ἐγγύς: near (gen.); adv. nearly, 1
Ἑλλάς, Ἑλλάδος, ὁ, ἡ: Greek, 5
ἐξ-ακέομαι: to mend or heal completely, 1
ἐργάζομαι: to work, labor, accomplish, 4
ἔτος, -εως, τό: a year, 3
εὐ-δοκιμέω: to be of good repute, honored, 1
ἡμέρα, ἡ: day, 2
ἱμάτιον, τό: a cloak, mantle, 2

καί-τοι: and yet, and indeed, and you know, 4
λανθάνω: to escape notice of; forget, 4
λιμός, ὁ: famine, hunger, 1
μοχθηρός, -ή, -όν: wretched, worse-off, 3
παλαιός, -ά, -όν: old, aged, ancient, 2
παρα-λαμβάνω: to take up, receive from, 3
παύω: to stop, make cease; mid. cease, 3
πλέων, -ον: more, greater, 2
Πρωταγόρας, ὁ: Protagoras, 3
συγ-γίγνομαι: to be with, associate with, 6
ταχύ: quickly, presently; perhaps, 4
τέρας, τό: a bizarre thing, wonder, marvel, 1
τετταράκοντα: forty, 2
τέχνη, ἡ: art, skill, craft, 4
τριάκοντα: thirty, 1
ὑπό-δημα, ὑποδημάτος, τό: sandal, 2
χρόνος, ὁ: time, 9

6 τέρας λέγεις: *you say something bizarre*
εἰ...ἂν δύναιντο: *if...would be able*; after
verbs of wonder, εἰ can be used instead of
ὅτι to express a general opinion (S2247)
τὰ παλαιὰ: modifying ὑποδήματα
7 λαθεῖν: aor. inf. λανθάνω, which governs
a complementary pple: e.g. (1) 'to escape
notice Xing' or (2) 'to X unnoticed'
τριάκοντ(α) ἡμέρας: *for...*; acc. of duration
e1 ἀποδιδόντες: *giving back (x) (y)*; governs
a double acc. (acc. obj. and acc. pred.)
2 εἰ...ποιοῖεν, ἂν ἀποθάνοιειν: *if...should,
would...*; fut. less vivid condition (εἰ opt.,
ἂν + opt.) aor. opt. ἀποθνησκω
τῷ λιμῷ: dat. of cause

3 δὲ ἄρα: *but, it turns out...*; in contrast
ἐλάνθανεν διαφθείρων: see d7; a
customary impf.: 'used to...' or 'would...'
5 ἀποπέμπων: *sending back (x) (y)*; governs
a double acc.
ἢ: *than*
πλέον...τετταράκοντα ἔτη: *for...*; ἔτε-α,
neuter acc. pl.. acc. of duration
6 αὐτὸν ἀποθανεῖν: *that...*; ind. disc.
ἑβδομήκοντα ἔτη: *70 years ago*; duration
γεγονότα: *(being) born*; acc. pf. pple
ὄντα: pple εἰμί modifying αὐτόν
9 οὐδὲν: *not at all*; 'no ceasing,' inner acc.
πέπαυται: pf. mid. + complementary pple
οὐ μόνον...ἀλλὰ καὶ: *not only...but also*

ἄλλοι πάμπολλοι, οἱ μὲν πρότερον γεγονότες ἐκείνου, οἱ 92
δὲ καὶ νῦν ἔτι ὄντες. πότερον δὴ οὖν φῶμεν κατὰ τὸν
σὸν λόγον εἰδότας αὐτοὺς ἐξαπατᾶν καὶ λωβᾶσθαι τοὺς
νέους, ἢ λεληθέναι καὶ ἑαυτούς; καὶ οὕτω μαίνεσθαι
ἀξιώσομεν τούτους, οὓς ἔνιοί φασι σοφωτάτους ἀνθρώπων 5
εἶναι;

ΑΝ. πολλοῦ γε δέουσι μαίνεσθαι, ὦ Σώκρατες, ἀλλὰ
πολὺ μᾶλλον οἱ τούτοις διδόντες ἀργύριον τῶν νέων, τούτων δ᾽
ἔτι μᾶλλον οἱ τούτοις ἐπιτρέποντες, οἱ προσήκοντες, πολὺ b
δὲ μάλιστα πάντων αἱ πόλεις, ἐῶσαι αὐτοὺς εἰσαφικνεῖσθαι
καὶ οὐκ ἐξελαύνουσαι, εἴτε τις ξένος ἐπιχειρεῖ τοιοῦτόν τι
ποιεῖν εἴτε ἀστός.

ΣΩ. πότερον δέ, ὦ Ἄνυτε, ἠδίκηκέ τίς σε τῶν σοφιστῶν, 5
ἢ τί οὕτως αὐτοῖς χαλεπὸς εἶ;

ἀ-δικέω: to be unjust, do wrong, injure, 1
ἀξιόω: to think worthy, deem right, 4
ἀργύριον, τό: silver piece, silver coin, 4
ἀστός, ὁ: townsman, citizen, 2
δίδωμι: to give, offer, grant, provide, 6
ἐάω: to permit, allow, let be, suffer, 4
εἰσ-αφ-ικνέομαι: to arrive at, come into, 1
ἔνιοι, -αι, -α: some, 2
ἐξ-απατάω: to deceive, beguile, trick, 2
ἐξ-ελαύνω: to drive away; march out, 1
ἐπι-τρέπω: to entrust, commit; permit, 1

λανθάνω: to escape notice of; forget, 4
λωβάομαι: to ruin, maltreat, victimize, 2
μαίνομαι: to be mad, demented; rage, 2
νέος, -α, -ον: young; new, novel, strange, 5
πάμπολυς, -πολλη, -πολυ: very many 4
προσ-ήκων, -οντος, ὁ, ἡ: relatives, kin, 1
σός, -ή, -όν: your, yours, 6
σοφιστής, ὁ: sophist, 8
σοφός, -ή, -όν: wise, skilled, 9
χαλεπός, -ά, -όν: difficult, hard, harsh, 3

92a οἱ γεγονότες: *those...*; pf. pple γίγνομαι
πρότερον: comparative adv. (adv. acc.)
ἐκείνου: gen. of comparison; i.e. Protagoras
2 οἱ...ὄντες: i.e. those living...; pple εἰμί
καὶ: even; adv.
δὴ οὖν: *accordingly then*; inferential
πότερον is left untranslated
φῶμεν: *are we to...*; deliberative subj. φημί
κατὰ...: *according to...*
3 εἰδότας: i.e. knowingly; acc. pl. pple οἶδα
αὐτοὺς ἐξαπατᾶν...λωβᾶσθαι: *that...*; ind.
disc. with α-contract inf. and pres. mid. inf.
4 λεληθέναι: pf. act. λανθάνω without pple
καὶ: also, too; adv.
5 φασι: 3p φημί
σοφωτάτους: superlative
7 πολλοῦ δέουσι: *they are far (from)...*; 'they
lack from much,' gen. of separation + inf.;

emphatic γε in replies can mean 'yes'
8 πολὺ: *far, much*; acc. of extent in degree
οἱ...διδόντες...οἱ...οἱ: supply μαίνονται 'are
mad' as a verb
τούτοις: i.e. to the sophists
τούτων: *than...*; gen. of comparison
b1 οἱ τούτοις ἐπιτρέποντες: *those entrusting
(the young) to them*; or likely, 'those
permitting them (i.e. the young),' parallel
to the comment about cities below
οἱ προσήκοντες: in apposition to οἱ
ἐπιτρέποντες
2 ἐῶσαι: ἐά-ουσαι, fem. pl. pres. pple ἐάω
3 τι: *at all*; closely after τοιοῦτον (S1268)
5 τίς: *any*; indefinite τις
6 τί: *why...?*; 'in respect to what?'
αὐτοῖς: *toward...*; dat. of interest
εἶ: 2s εἰμί

ΑΝ. οὐδὲ μὰ Δία ἔγωγε συγγέγονα πώποτε αὐτῶν οὐδενί, οὐδ' ἂν ἄλλον ἐάσαιμι τῶν ἐμῶν οὐδένα.

ΣΩ. ἄπειρος ἄρ' εἶ παντάπασι τῶν ἀνδρῶν;

ΑΝ. καὶ εἴην γε.　　　　　　　　　　　　　　　　　10

ΣΩ. πῶς οὖν ἄν, ὦ δαιμόνιε, εἰδείης περὶ τούτου τοῦ c πράγματος, εἴτε τι ἀγαθὸν ἔχει ἐν αὐτῷ εἴτε φλαῦρον, οὗ παντάπασιν ἄπειρος εἴης;

ΑΝ. ῥᾳδίως· τούτους γοῦν οἶδα οἵ εἰσιν, εἴτ' οὖν ἄπειρος αὐτῶν εἰμι εἴτε μή.　　　　　　　　　　　5

ΣΩ. μάντις εἶ ἴσως, ὦ Ἄνυτε· ἐπεὶ ὅπως γε ἄλλως οἶσθα τούτων πέρι, ἐξ ὧν αὐτὸς λέγεις θαυμάζοιμ' ἄν. ἀλλὰ γὰρ οὐ τούτους ἐπιζητοῦμεν τίνες εἰσίν, παρ' οὓς ἂν Μένων ἀφικόμενος μοχθηρὸς γένοιτο—οὗτοι μὲν γάρ, εἰ σὺ d βούλει, ἔστων οἱ σοφισταί—ἀλλὰ δὴ ἐκείνους εἰπὲ ἡμῖν,

---

ἄλλως: otherwise, in another way, 5
ἄ-πειρος, -ον: inexperienced in, unacquainted with (gen), 3
ἀφ-ικνέομαι: to come, arrive, 5
γοῦν (γε οὖν): at any rate; *a reply*: yes, well 7
δαιμόνιος, ὁ: divine-sent; *voc.* good sir, 1
ἐάω: to permit, allow, let be, suffer, 4
ἐμός, -ή, -όν: my, mine, 2
ἐπεί: when, after; since, because, 3
ἐπί-ζητέω: to seek after, wish for; miss, 1
θαυμάζω: wonder, marvel at, admire, 7

μά: by + acc. (in an oath), 8
μάντις, -εως ὁ: seer, clairvoyant, soothsayer, 2
μοχθηρός, -ή, -όν: wretched, worse-off, 3
ὅπως: how, in what way; (in order) that, 5
παντά-πασι: all in all, altogether, 3
πώ-ποτε: ever yet, ever, 3
ῥᾴδιος, -α, -ον: easy, ready, 6
σοφιστής, ὁ: sophist, 8
συγ-γίγνομαι: to be with, associate with, 6
φλαῦρος, -α, -ον: trivial, slight; bad, 1

b7 οὐδὲ...: *No,....even*; equiv. to οὐ, καὶ
Δία: acc. Ζεύς
συγγέγονα: *I have associated*; 1s pf.
οὐδενί: *with any*; dat. of compound verb
8 οὐδὲ: *nor*
ἂν ἐάσαιμι (συγγίγνεσθαι): 1s potential aor. opt. ἐάω; the inf. is understood
τῶν ἐμῶν: *of my (people)*; i.e. family
9 εἶ: 2s pres. εἰμί
τῶν ἀνδρῶν: i.e. sophists
10 καὶ...γε: *yes, and may I continue to be...*; i.e. unacquainted; 1s pres. opt. of wish, εἰμί; the pres. opt. suggests ongoing action
c1 οὖν: *then*; expressing impatience when following an interrogative (S2962)
ἄν...εἰδείης: *would...*; 2s potential opt. οἶδα
2 αὐτῷ: (ἑ)αυτῷ; reflexive

οὗ: *in which*; relative, gen. with ἄπειρος
3 εἴης: *were...*; 2s pres. opt. εἰμί; elsewhere a past general relative clause, but here not generalizing but equiv. to a fut. less vivid
4 τούτους...οἵ εἰσιν: *who these...*; prolepsis
6 ἐπεὶ...θαυμάζοιμι ἄν: *since...*; potential opt.
7 οἶσθα: 2s οἶδα
τούτων πέρι: περὶ τούτων; anastrophe
ἐξ ὧν...λέγεις: *based on what...*; 'from which,' relative clause
8 ἀλλὰ γὰρ: *but since/because...* (S2811,17)
τούτους τίνες εἰσιν: *who these...*; prolepsis
παρ(ὰ) οὓς: *to whom*; + potential opt.
d1 γάρ: do not translate: explanatory (S2809)
βούλει: βούλε(σ)αι, 2s pres. mid.
ἔστων: *let these be...*; 3p imperative εἰμί
ἀλλὰ δὴ: *come now*; else 'well then' (D13)

καὶ τὸν πατρικὸν τόνδε ἑταῖρον εὐεργέτησον φράσας αὐτῷ
παρὰ τίνας ἀφικόμενος ἐν τοσαύτῃ πόλει τὴν ἀρετὴν ἣν
νυνδὴ ἐγὼ διῆλθον γένοιτ' ἂν ἄξιος λόγου.   5

ΑΝ. τί δὲ αὐτῷ οὐ σὺ ἔφρασας;

ΣΩ. ἀλλ' οὓς μὲν ἐγὼ ᾤμην διδασκάλους τούτων εἶναι,
εἶπον, ἀλλὰ τυγχάνω οὐδὲν λέγων, ὡς σὺ φῄς· καὶ ἴσως τὶ
λέγεις. ἀλλὰ σὺ δὴ ἐν τῷ μέρει αὐτῷ εἰπὲ παρὰ τίνας   e
ἔλθῃ Ἀθηναίων· εἰπὲ ὄνομα ὅτου βούλει.

ΑΝ. τί δὲ ἑνὸς ἀνθρώπου ὄνομα δεῖ ἀκοῦσαι; ὅτῳ γὰρ
ἂν ἐντύχῃ Ἀθηναίων τῶν καλῶν κἀγαθῶν, οὐδεὶς ἔστιν ὃς
οὐ βελτίω αὐτὸν ποιήσει ἢ οἱ σοφισταί, ἐάνπερ ἐθέλῃ   5
πείθεσθαι.

ΣΩ. πότερον δὲ οὗτοι οἱ καλοὶ κἀγαθοὶ ἀπὸ τοῦ
αὐτομάτου ἐγένοντο τοιοῦτοι, παρ' οὐδενὸς μαθόντες ὅμως

Ἀθηναῖος, ὁ: an Athenian, 9
ἄξιος, -α, -ον: worthy of, deserving of (gen) 7
αὐτομάτον, τό: mere chance, 2
ἀφ-ικνέομαι: to come, arrive, 5
βελτίων, -ον: better, 9
δι-έρχομαι: to go or pass through, 2
ἐάν-περ: if really, 4
ἐν-τυγχάνω: to chance upon, meet (dat) 5
ἔρχομαι: to come or go, 6
ἑταῖρος, ὁ: comrade, companion, mate, 6

εὐ-εργετέω: provide a benefit, assist, 2
μέρος, -εος, τό: a part, share, portion, 2
νυν-δή: just now, 8
ὅμως: nevertheless, however, yet, 5
ὄνομα, -ατος, τό: name, 6
πατρικός, -ή, -ήν: of the father, ancestral, 2
πείθω: to persuade (acc) of (acc); *mid.* obey, 8
σοφιστής, ὁ: sophist, 8
τοσοῦτος, -αύτη, -οῦτο: so great/much/long 9
φράζω: to point out, tell, indicate, 2

d3 εὐεργέτησον: aor. ac. imperative
  φράσας: *by...*; aor. pple is causal, φράζω
  αὐτῷ: i.e. to Meno
  παρὰ τίνας...: *to whom*; ind. question;
    the interrogative is acc. place to which,
    referring to the same as ἐκείνους in d2
4 τὴν ἀρετὴν: *in (respect to)...*; acc. respect
    that qualifies ἄξιος λόγου
5 διῆλθον: 1s aor. δι-έρχομαι
  γένοιτο ἄν: *(Meno) would...*; potential opt.
  ἄξιος λόγου: *worthy of mention*; or
    'worthy of account'
6 τί: *why*; 'in respect to what'
7 ἀλλά: *well*; as often in replies
  οὓς...: *(those) whom...*; (τούτους) οὓς
  ᾤμην: 1s impf. οἴομαι
8 εἶπον: 1s aor.
  τυγχάνω λέγων: *happen to...*; + pple

  οὐδὲν: *nothing (important)*
  ὡς: *as...*; parenthetical
  τὶ: *something (important)*; indefinite τι
  ἀλλὰ δή: *come now*; else 'well then' (D13)
e1 ἐν τῷ μέρει: *in your turn*; i.e. for your part
  παρὰ τίνας...: *to whom...*; ind. question, τίς
  ἔλθῃ: *he is to go*; deliberative subj. 3s aor.
  Ἀθηναίων: partitive gen.
2 ὅτου: alternative form for οὗτινος, gen. for
    the relative ὅστις
  βούλει: βούλε(σ)αι, 2s pres. mid.
3 τί: *why?*
  ἀκοῦσαι: aor. inf.
  ὅτῳ: *anyone whom*; ᾧτινι, dat. compound
5 βελτίο(ν)α...ποιήσει: governs a double acc.
  ἐθέλῃ: i.e. Meno; 3s aor.
8 παρ(ὰ) οὐδενὸς: *from no one*
  μαθόντες: aor. pple μανθάνω

μέντοι ἄλλους διδάσκειν οἷοί τε ὄντες ταῦτα ἃ αὐτοὶ οὐκ
ἔμαθον;   93

ΑΝ. καὶ τούτους ἔγωγε ἀξιῶ παρὰ τῶν προτέρων μαθεῖν,
ὄντων καλῶν κἀγαθῶν· ἢ οὐ δοκοῦσί σοι πολλοὶ καὶ ἀγαθοὶ
γεγονέναι ἐν τῇδε τῇ πόλει ἄνδρες;

ΣΩ. ἔμοιγε, ὦ Ἄνυτε, καὶ εἶναι δοκοῦσιν ἐνθάδε ἀγαθοὶ 5
τὰ πολιτικά, καὶ γεγονέναι ἔτι οὐχ ἧττον ἢ εἶναι· ἀλλὰ
μῶν καὶ διδάσκαλοι ἀγαθοὶ γεγόνασιν τῆς αὐτῶν ἀρετῆς;
τοῦτο γάρ ἐστιν περὶ οὗ ὁ λόγος ἡμῖν τυγχάνει ὤν· οὐκ εἰ
εἰσὶν ἀγαθοὶ ἢ μὴ ἄνδρες ἐνθάδε, οὐδ᾽ εἰ γεγόνασιν ἐν τῷ
πρόσθεν, ἀλλ᾽ εἰ διδακτόν ἐστιν ἀρετὴ πάλαι σκοποῦμεν. b
τοῦτο δὲ σκοποῦντες τόδε σκοποῦμεν, ἆρα οἱ ἀγαθοὶ ἄνδρες
καὶ τῶν νῦν καὶ τῶν προτέρων ταύτην τὴν ἀρετὴν ἣν αὐτοὶ
ἀγαθοὶ ἦσαν ἠπίσταντο καὶ ἄλλῳ παραδοῦναι, ἢ οὐ παρα-
δοτὸν τοῦτο ἀνθρώπῳ οὐδὲ παραληπτὸν ἄλλῳ παρ᾽ ἄλλου· 5

ἀξιόω: to think worthy, deem right, 4
ἐνθάδε: hither, here; thither, there, 7
ἥττων, -ον: less, weaker, inferior, 8
μέν-τοι: however, moreover; certainly, 6
μῶν: but surely...not? (expects 'no' reply), 3
πάλαι: long ago, long; of long, 3

παρα-δίδωμι: to hand over, transmit, 3
παρα-δοτός, -ή, -όν: able to be handed over, 1
παρα-ληπτος, -ή, -όν: able to be received, 1
πολιτικός, -ή, -όν: political; *subst.* statesman 7
πρόσ-θεν: before, 2

e9 μέντοι: *however*
  οἷοί τε ὄντες: οἷός τε εἰμί is an idiom for
  'to be able' + inf.; here, a pres. pple
  modifying καλοὶ κ(αὶ) ἀγαθοὶ
  αὐτοὶ: intensive; i.e. the καλοὶ καὶ ἀγαθοὶ
93a1 ἔμαθον: 3p aor. μανθάνω
2 ἀξιῶ: *I expect*; elsewhere 'I deem'
  παρὰ: *from...*
3 ὄντων...κἀγαθῶν: gen. abs. εἰμί
4 γεγονέναι: *have been*; pf. act. γίγνομαι
5 ἀγαθοὶ: nom. pred. of εἶναι
6 τὰ πολιτικά: *in...*; acc. of respect; supply
  'matters' or 'affairs' in the neut. pl.
  καὶ...ἔτι: *and...already*; for the translation
  of ἔτι, see Liddell and Scott and Verdenius
  (τούτους) γεγονέναι...εἶναι: *that (these)
  have been...*; pf. inf.; supply a acc. subj.
  ἧττον: comparative adv.
7 μῶν: *surely...not*; a question which
  anticipates and elicits a 'no' reply

γεγόνασιν: *have proved to be*; 3p pf.
αὐτῶν: (ἐ)αυτῶν, reflexive
8 ἡμῖν: *our*; dat. of possession
  τυγχάνω ὤν: *happen to...*; + pple εἰμί
9 οὐκ εἰ...οὐδὲ εἰ...ἀλλὰ εἰ: *not whether...nor
  whether...but whether...*; ind. question
  governed by σκοποῦμεν
  γεγόνασιν: 3p pf. γίγνομαι
  ἐν τῷ πρόσθεν: i.e. time
b1 σκοποῦμεν: *we have been examining*; with
  πάλαι, the verb is pf. progressive in sense
3 καὶ τῶν νῦν καὶ τῶν προτέρων: *both
  among those in the present and among
  those in the past*; partitive gen.
  ἣν...ἦσαν: *in which...*; relative clause with
  acc. of respect; impf. εἰμί
4 ἠπίσταντο: impf. ἐπίσταμαι 'know how'
5 καὶ: *also, too*
  παραδοῦναι: aor. inf.
  παρ(ὰ): *from...*

τοῦτ᾽ ἔστιν ὃ πάλαι ζητοῦμεν ἐγώ τε καὶ Μένων. ὧδε οὖν
σκόπει ἐκ τοῦ σαυτοῦ λόγου· Θεμιστοκλέα οὐκ ἀγαθὸν ἂν
φαίης ἄνδρα γεγονέναι;   c

ΑΝ. ἔγωγε, πάντων γε μάλιστα.

ΣΩ. οὐκοῦν καὶ διδάσκαλον ἀγαθόν, εἴπερ τις ἄλλος τῆς
αὑτοῦ ἀρετῆς διδάσκαλος ἦν, κἀκεῖνον εἶναι;

ΑΝ. οἶμαι ἔγωγε, εἴπερ ἐβούλετό γε.   5

ΣΩ. ἀλλ᾽, οἴει, οὐκ ἂν ἐβουλήθη ἄλλους τέ τινας
καλοὺς κἀγαθοὺς γενέσθαι, μάλιστα δέ που τὸν υἱὸν τὸν
αὑτοῦ; ἢ οἴει αὐτὸν φθονεῖν αὑτῷ καὶ ἐξεπίτηδες οὐ παρα-
διδόναι τὴν ἀρετὴν ἣν αὐτὸς ἀγαθὸς ἦν; ἢ οὐκ ἀκήκοας ὅτι   d
Θεμιστοκλῆς Κλεόφαντον τὸν υἱὸν ἱππέα μὲν ἐδιδάξατο
ἀγαθόν; ἐπέμενεν γοῦν ἐπὶ τῶν ἵππων ὀρθὸς ἑστηκώς, καὶ

γοῦν (γε οὖν): at any rate; *a reply*: yes, well 7
ἐξεπίτηδες: on purpose, 1
ἐπι-μένω: to stay on, abide, 1
Θεμιστοκλέης, -εους, ὁ: Themistocles, 4
ἱππεύς, -έως, ὁ: horseman, 2
ἵππος, ὁ: a horse, 2
ἵστημι: to stand, set up, stop, establish, 1

Κλεόφαντος, ὁ: Cleophantus, 2
πάλαι: long ago, long; of long, 3
παρα-δίδωμι: to hand over, transmit, 3
σαυτοῦ, -ῆ, -οῦ: yourself, 4
υἱός, -οῦ ὁ: a son, 8
φθονέω: begrudge, bear ill-will, envy (dat) 2
ὧδε: in this way, in the following way, 7

b6 ζητοῦμεν: *we have been seeking*; with
πάλαι, the verb is pf. progressive in sense
σκόπει: *keep..., continue...*; σκόπε-ε, imper.
7 Θεμιστοκλέ-α: 3rd decl. acc. subject
ἂν φαίης: *would...*; 2s pres. potential opt.
c1 γεγονέναι: pf. act. inf. γίγνομαι: translate
as 'was' or 'has proved to be'
2 πάντων μάλιστα: *most of all*; partitive
3 οὐκοῦν (ἂν φαίης Θεμιστοκλέα εἶναι) καὶ
διδάσκαλον ἀγαθόν: *Then, (would you say
that he is) also a good teacher*; ellipsis
4 εἴπερ: *(and) if...*; asyndeton
αὑτοῦ: (ἑ)αυτοῦ, reflexive
ἦν: impf. εἰμί
κ(αὶ) ἐκεῖνον εἶναι: *that that man is also*;
6 ἀλλὰ: *well*
οἴει: οἴε(σ)αι, 2s pres. οἴομαι
ἂν ἐβουλήθη: *he would have...*; ἂν + 3s

aor. pass. dep. is past unreal potential
7 υὸν: υἱὸν, acc. sg. υἱός
τὸν αὑτοῦ: *his own*; (ἑ)αυτοῦ, reflexive in
the attributive position modifying υὸν
d1 ἣν...: *in which...*; relative and acc. of
respect qualifying ἀγαθός
ἀκήκοας: 2s pf. ἀκούω
2 τὸν υἱὸν ἱππέα ἐδιδάξατο... ἀγαθόν: *had
the son taught (to be) a good horseman*
διδάσκω governs a double acc.; in mid.
voice it can be an indirect reflexive
(performed by someone on the subject's
behalf) (S1719); 3s aor. mid.
3 ἐπέμενεν: *he used to..., he would...*;
customary impf. ἐπι-μένω
ἐπὶ...: *on horses*; i.e. on horseback
ἑστηκώς: *while...*; nom. sg. pf. pple ἵστημι

ἠκόντιζεν ἀπὸ τῶν ἵππων ὀρθός, καὶ ἄλλα πολλὰ καὶ θαυ-
μαστὰ ἠργάζετο ἃ ἐκεῖνος αὐτὸν ἐπαιδεύσατο καὶ ἐποίησε 5
σοφόν, ὅσα διδασκάλων ἀγαθῶν εἴχετο· ἢ ταῦτα οὐκ ἀκήκοας
τῶν πρεσβυτέρων;

ΑΝ. ἀκήκοα.

ΣΩ. οὐκ ἂν ἄρα τήν γε φύσιν τοῦ υέος αὐτοῦ ἠτιάσατ᾽
ἄν τις εἶναι κακήν. 10

ΑΝ. ἴσως οὐκ ἄν. e

ΣΩ. τί δὲ τόδε; ὡς Κλεόφαντος ὁ Θεμιστοκλέους ἀνὴρ
ἀγαθὸς καὶ σοφὸς ἐγένετο ἅπερ ὁ πατὴρ αὐτοῦ, ἤδη του
ἀκήκοας ἢ νεωτέρου ἢ πρεσβυτέρου;

ΑΝ. οὐ δῆτα. 5

ΣΩ. ἆρ᾽ οὖν ταῦτα μὲν οἰόμεθα βούλεσθαι αὐτὸν τὸν
αὐτοῦ υὸν παιδεῦσαι, ἣν δὲ αὐτὸς σοφίαν ἦν σοφός, οὐδὲν
τῶν γειτόνων βελτίω ποιῆσαι, εἴπερ ἦν γε διδακτὸν ἡ ἀρετή;

αἰτιάομαι: to allege, charge, accuse, 1
ἀκοντίζω: to hurl a javelin, 1
βελτίων, -ον: better, 9
γείτων, -ονος, ὁ, ἡ: neighbor, 1
δῆτα: certainly, to be sure, of course, 7
ἐργάζομαι: to work, labor, accomplish, 4
ἤδη: already, now, at this time, 7
θαυμαστός, -ή, -όν: wonderful, marvelous, 2
Θεμιστοκλέης, -εους, ὁ: Themistocles, 4

ἵππος, ὁ: a horse, 2
Κλεόφαντος, ὁ: Cleophantus, 2
νέος, -α, -ον: young; new, novel, strange, 5
ὅσος, -η, -ον: as much/many as; all who, that 8
παιδεύω: to educate, teach, 7
πατήρ, πατρός, ὁ: a father, 3
πρεσβύτης (πρέσβυς), ὁ: old man, elder, 6
σοφός, -ή, -όν: wise, skilled, 9
υἱός (ὑός), -οῦ ὁ: a son, 8

d4 ἠκόντιζεν...ἠργάζετο: *used to/would...*
5 ἐπαιδεύσατο: *had him taught...*; aor. mid.
for ind. reflexive and double acc.; cf. 93d2
ἐποίησε (αὐτὸν) σοφόν: a double acc. (acc.
obj. and acc. pred.); ποιέω
6 ὅσα: *in what subjects ...*; 'in respect to as
many things as...' relative and acc. respect
εἴχετο: *connected with, depend on*; 'were
clinging to' + partitive gen.; impf. mid.
ἀκήκοας: 2s pf. ἀκούω
7 τῶν πρεσβυτέρων: gen. of source
9 ἄν...ἠτιάσατ(ο): *would have...*; ἄν + 3s
aor. mid. ind.. is past unreal potential
τὴν γε φύσιν...: *that the nature...*; ind. disc.
e1 ἴσως οὐκ ἄν (ἠτιάσατο): *perhaps not*;
Anytus repeats a word to express approval
2 τί δὲ: *what about...?, what of...?*; colloquial
ὡς...: *that...*; 'how...' following ἀκήκοας

Κλεόφαντος ὁ (υἱός) Θεμιστοκλέους:
Cleophantus, son of Themistocles; (S1301)
3 ἅπερ: *just as*; 'in respect to which very
things' relative and acc. of respect
του: gen. of source obj. of 2s pf. ἀκήκοας;
alternative form for indefinite gen. τινος
4 ἢ...ἢ...: *either...or...*; in apposition to του
6 αὐτὸν τὸν (ἑ)αυτοῦ υὸν: intensive and
reflexive pronouns respectively
7 παιδεῦσαι: aor. inf. with a double acc.
ἣν δὲ...σοφίαν: *but in which (sort) of
wisdom...*; relative adj. and acc. of respect
αὐτὸς: *he himself*; i.e. Themistocles
8 οὐδὲν: *not at all*; acc. of extent in degree
τῶν γειτόνων: gen. of comparison
βελτίο(ν)α: acc. sg. pred. with ποιῆσαι
(βούλεσθαι) ποιῆσαι: *that (he wished) to
make (him)*; aor. inf. governs a double acc.

ΑΝ. ἴσως μὰ Δί᾽ οὔ.

ΣΩ. οὗτος μὲν δή σοι τοιοῦτος διδάσκαλος ἀρετῆς, ὃν 10
καὶ σὺ ὁμολογεῖς ἐν τοῖς ἄριστον τῶν προτέρων εἶναι· ἄλλον
δὲ δὴ σκεψώμεθα, Ἀριστείδην τὸν Λυσιμάχου· ἢ τοῦτον 94
οὐχ ὁμολογεῖς ἀγαθὸν γεγονέναι;

ΑΝ. ἔγωγε, πάντως δήπου.

ΣΩ. οὐκοῦν καὶ οὗτος τὸν υἱὸν τὸν αὑτοῦ Λυσίμαχον,
ὅσα μὲν διδασκάλων εἴχετο, κάλλιστα Ἀθηναίων ἐπαίδευσε, 5
ἄνδρα δὲ βελτίω δοκεῖ σοι ὁτουοῦν πεποιηκέναι; τούτῳ γάρ
που καὶ συγγέγονας καὶ ὁρᾷς οἷός ἐστιν. εἰ δὲ βούλει,
Περικλέα, οὕτως μεγαλοπρεπῶς σοφὸν ἄνδρα, οἶσθ᾽ ὅτι δύο b
υἱεῖς ἔθρεψε, Πάραλον καὶ Ξάνθιππον;

ΑΝ. ἔγωγε.

ΣΩ. τούτους μέντοι, ὡς οἶσθα καὶ σύ, ἱππέας μὲν ἐδί-

Ἀθηναῖος, ὁ: an Athenian, 9
Ἀριστείδης, ὁ: Aristides, 1
ἄριστος, -η, -ον: best, most excellent, noble, 5
βελτίων, -ον: better, 9
ἱππεύς, -έως, ὁ: horseman, 2
Λυσίμαχος, ὁ: Lysimachus, 2
μά: by + acc. (in an oath), 8
μεγαλοπρεπῶς: magnificently, 2
μέν-τοι: however, moreover; certainly, 6
Ξάνθιππος, ὁ: Xanthippus, 1

ὁράω: to see, look, behold, 6
ὅσος, -η, -ον: as much/many as; all who, that 8
παιδεύω: to educate, teach, 7
πάντως: entirely, absolutely 2
Πάραλος, ὁ: Paralus, 1
Περικλῆς, ὁ: Pericles, 1
σοφός, -ή, -όν: wise, skilled, 9
συγ-γίγνομαι: to be with, associate with, 6
τρέφω: to rear, foster, nuture, 4
υἱός (ὑός), -οῦ ὁ: a son, 8

9 Δί(α): acc. Ζεύς
10 μὲν δή: *certainly*; expresses positive
certainty in conclusions (S2900)
τοιοῦτος (ἦν): *(was) this sort of*; predicate
σοι: either a dat. of interest, 'for you,' or an
ethical dat. (dat. of feeling) used to secure
the interestt of the addressee: 'you know'
11 ἐν τοῖς (τοιούτοις) ἄριστον: *best among
this sort*; or 'among the best (ἀρίστοις)'
τῶν προτέρων: i.e. previous generations
94a δὲ δή: *but now*; indicating a transition to
a new point (S2839); δή is also used as an
intensive before imperatives or commands
σκεψώμεθα: *let...*; 1p hortatory subj.
τὸν (υἱὸν) Λυσιμαζου: *(son) of Lysimachus*
2 γεγονέναι: *was*; 'has proved to be'
4 οὗτος: i.e. Aristides
τὸν υὸν τὸν (ἑ)αυτοῦ Λυσίμαχον: Greeks

often named a son after the father's father:
the Lysimachus above is Aristides' son and
fellow interlocutor in Plato's *Laches*, where
he laments the quality of his upbringing
5 ὅσα: *(all things) in which ...*; πάντα ὅσα
'(all things) in respect to as many things
as...' relative and acc. of respect; the
missing antecedent is acc. obj.
εἴχετο: *depended on*; 'clung to' + partitive
κάλλιστα: superlative adv. καλῶς, 'well'
ἐπαίδευσε: governs a double acc.
6 βελτίο(ν)α: 3ʳᵈ decl. acc.
ὁτουοῦν: *than...*; gen. of comparison;
alternative form for οὗτινος-οῦν
7 καὶ συγγένοας: *you actually...* ; 2s pf.
βούλει: βούλε(σ)αι, 2s pres. mid.
b2 ἔθρεψε: aor. τρέφω
4 ἐδιδάξεν: + double acc.; cf. 92d2

δαξεν οὐδενὸς χείρους Ἀθηναίων, καὶ μουσικὴν καὶ ἀγωνίαν 5
καὶ τἆλλα ἐπαίδευσεν ὅσα τέχνης ἔχεται οὐδενὸς χείρους·
ἀγαθοὺς δὲ ἄρα ἄνδρας οὐκ ἐβούλετο ποιῆσαι; δοκῶ μέν,
ἐβούλετο, ἀλλὰ μὴ οὐκ ᾖ διδακτόν. ἵνα δὲ μὴ ὀλίγους οἴῃ
καὶ τοὺς φαυλοτάτους Ἀθηναίων ἀδυνάτους γεγονέναι τοῦτο
τὸ πρᾶγμα, ἐνθυμήθητι ὅτι Θουκυδίδης αὖ δύο ὑεῖς ἔθρεψεν, c
Μελησίαν καὶ Στέφανον, καὶ τούτους ἐπαίδευσεν τά τε ἄλλα
εὖ καὶ ἐπάλαισαν κάλλιστα Ἀθηναίων—τὸν μὲν γὰρ Ξανθίᾳ
ἔδωκε, τὸν δὲ Εὐδώρῳ· οὗτοι δέ που ἐδόκουν τῶν τότε
κάλλιστα παλαίειν—ἢ οὐ μέμνησαι; 5

ΑΝ. ἔγωγε, ἀκοῇ.

ΣΩ. οὐκοῦν δῆλον ὅτι οὗτος οὐκ ἄν ποτε, οὗ μὲν ἔδει
δαπανώμενον διδάσκειν, ταῦτα μὲν ἐδίδαξε τοὺς παῖδας τοὺς d
αὐτοῦ, οὗ δὲ οὐδὲν ἔδει ἀναλώσαντα ἀγαθοὺς ἄνδρας ποιῆσαι,

ἀγωνία, ἡ: contest; struggle for victory, 1
ἀ-δύνατος, -ον: incapable, impossible, 3
Ἀθηναῖος, ὁ: an Athenian, 9
ἀκοή, ἡ: hearing, 1 ἀναλίσκω: spend, use up 1
αὖ: again, once more; further, moreover, 8
δαπανάω: to spend, expend, pay for, 1
δίδωμι: to give, offer, grant, provide, 6
ἐν-θυμέομαι: to take to heart, consider well 1
Εὔδωρος, ὁ: Eudorus (wrestling coach), 1
Θουκυδίδης, ὁ: Thucydides, 2
ἵνα: in order that, so that (subj.); where, 9
Μελησίας, ὁ: Melesias, 1
μιμνήσκω: recall, remind (acc. gen.), 4
μουσικός, -ή, -όν: educated, cultured, 1

Ξάνθιας, ὁ: Xanthias (wrestling coach) 1
ὀλίγος -η, -ον: few, little, small, 6
ὅσος, -η, -ον: as much/many as; all who, that 8
οὗ: where, 4
παιδεύω: to educate, teach, 7
παῖς, παιδός, ὁ, ἡ: child, boy, girl; slave, 9
παλαίω: to wrestle, 2
Στέφανος, ὁ: Stephanus, 1
τέχνη, ἡ: art, skill, craft, 4
τότε: at that time, then, 6
τρέφω: to rear, foster, nuture, 4
υἱός (ὑός), -οῦ ὁ: a son, 8
φαῦλος, -η, -ον: slight, trivial, 3
χείρων, -ον: worse, inferior, more severe, 6

b5 οὐδενὸς: gen. of comparison
   χείρο(ν)ας: acc. comparative with ἱππέας
   μουσικὴν...τὰ ἄλλα: acc. of ἐπαίδευσαν
6 ὅσα: as many things as; subject of 3s verb
   ἔχεται: depend on; 'cling to' + partitive
   ἐπαίδευσεν: he taught (x) (y)
   δὲ ἄρα: but, it turns out...; in contrast
7 ποιῆσαι: aor. inf. with double acc.
   δοκῶ...ἐβούλετο: I expect, he did wish (it)
8 μὴ οὐκ ᾖ διδακτόν: (I suspect) it is not
   something teachable; 'surely it is not...'
   μή (μή οὐ) + pres. subj. for doubtful
   assertion or denial, (S1801); 3s subj. εἰμί
   ἵνα...: and so that you may think; purpose

9 τοῦ τὸ πρᾶγμα: in this matter; acc. respect
c1 ἐνθυμήθητι: aor. pass. dep. imperative
2 τὰ τε ἄλλα: both in other matters; 2nd acc.
3 τὸν μὲν...τὸν δὲ: one son...the other son
4 ἔδωκε: aor. δίδωμαι
   τῶν τότε: of those at the time; partitive
3 μέμνησαι: 2s pf. mid. μιμνήσκω, as pres.
7 δῆλον ὅτι: (Is it) clear that...?.; or 'clearly'
   ἄν...ἐδίδαξε: would have...; unreal potential
   οὗ μὲν...ταῦτα μὲν: these things where it
   was necessary (that he) teach by paying...
d2 οὗ δὲ...ταῦτα δὲ: but those things where it
   was not necessary (that he) make (them)
   good men by paying...; οὗ is a relative adv.

ταῦτα δὲ οὐκ ἐδίδαξεν, εἰ διδακτὸν ἦν; ἀλλὰ γὰρ ἴσως ὁ
Θουκυδίδης φαῦλος ἦν, καὶ οὐκ ἦσαν αὐτῷ πλεῖστοι φίλοι
Ἀθηναίων καὶ τῶν συμμάχων; καὶ οἰκίας μεγάλης ἦν καὶ 5
ἐδύνατο μέγα ἐν τῇ πόλει καὶ ἐν τοῖς ἄλλοις Ἕλλησιν, ὥστε
εἴπερ ἦν τοῦτο διδακτόν, ἐξευρεῖν ἂν ὅστις ἔμελλεν αὐτοῦ
τοὺς ὑεῖς ἀγαθοὺς ποιήσειν, ἢ τῶν ἐπιχωρίων τις ἢ τῶν
ξένων, εἰ αὐτὸς μὴ ἐσχόλαζεν διὰ τὴν τῆς πόλεως ἐπιμέλειαν.   e
ἀλλὰ γάρ, ὦ ἑταῖρε Ἄνυτε, μὴ οὐκ ᾖ διδακτὸν ἀρετή.

ΑΝ. ὦ Σώκρατες, ῥᾳδίως μοι δοκεῖς κακῶς λέγειν ἀν-
θρώπους. ἐγὼ μὲν οὖν ἄν σοι συμβουλεύσαιμι, εἰ ἐθέλεις
ἐμοὶ πείθεσθαι, εὐλαβεῖσθαι· ὡς ἴσως μὲν καὶ ἐν ἄλλῃ πόλει 5

Ἀθηναῖος, ὁ: an Athenian, 9
δύναμαι: to be able, can, be capable, 9
Ἕλλην, Ἕλληνος, ἡ: Greece, 1
ἐξ-ευρίσκω: to find out, discover, 2
ἐπι-μέλεια, ἡ: care, attention; pursuit, 2
ἐπι-χώριοι, οἱ: inhabitants, locals, natives, 1
ἑταῖρος, ὁ: comrade, companion, mate, 6
εὐλαβέομαι: to be cautious, beware, 2
Θουκυδίδης, ὁ: Thucydides, 2
μέγας, μεγάλη, μέγα: big, great, important 7
μέλλω: to be going to, intend to, 4

οἰκία, ἡ: a house, home, dwelling, 6
πείθω: to persuade (acc) of (acc); *mid*. obey, 8
πλεῖστος, -η, -ον: most, greatest, 1
ῥᾴδιος, -α, -ον: easy, ready, 6
συμ-βουλεύω: to advise, counsel (+ inf.), 1
συμ-μάχος, -ον: allied; ally, 1
σχολάζω: to have (free), have a break, 1
υἱός (ὑός), -οῦ ὁ: a son, 8
φαῦλος, -η, -ον: slight, trivial, 3
φίλος, -η, -ον: dear, friendly; a friend, kin, 6

d3 (ἄν) ἐδίδαξεν: see note on 94c7 above
εἰ...ἦν: *if it were*...; a mixed contrary to fact
condition (εἰ impf., ἄν + aor.); Socrates
asks, why teach other skills but fail to make
them good men if ἀρετή is teachable
ἀλλὰ γάρ: *but*...; ' (no), for on the
contrary;' ἀλλὰ γάρ, used three times in
the *Meno*, is very hard to interpret (cf.
'but since,' 92c8). Here, they introduce an
imaginary objection which lasts until
συμμάχων (D105, S2818). γάρ, '(no), for'
offers an explanation for the reponse to the
preceding question, while ἀλλά, 'on the
contrary,' is an objection to a negative
statement (S2785). English prefers to omit
'for' and supply the understood reply 'no.'
4 αὐτῷ: dat. of possession: translate as either
(1) 'there were to him' or (2) 'he had'
5 καὶ οἰκίας... ἐπιμέλειαν: *and yet he was*...;
καί is here an adversative similar to καίτοι
(S2871) which introduces a lengthy reply
to the imaginary objection in lines 4-5.

οἰκίας μεγάλης: *of*...; gen. quality as pred.
6 ἐδύνατο μέγα: *had great influence*; idiom
ὥστε: *so that* + inf.; a result clause
7 εἴπερ ἦν, ἐξευρεῖν ἄν: *if...were, he would
have*...; a mixed contrary to fact condition
(εἰ impf., ἄν + aor.); aor. inf. ἐξευρίσκω
τοῦτο: i.e. ἀρετή; the subject
ὅστις...: *someone who*...; relative clause,
the antecedent is object of ἐξευρεῖν.
ἔμελλεν: often governs a fut. inf.
e2 ἀλλὰ γάρ: *but*...; '(no), for on the
contrary' here marks the unfulfillment of
the condition (D104)
μὴ οὐκ ᾖ διδακτὸν ἀρετή: *(I suspect) virtue
is not*...; 'surely it is not...' μή (μή οὐ) +
pres. subj. for doubtful assertion (denial)
(S1801)
3 κακῶς λέγειν: *to speak poorly (about)*
4 μὲν οὖν: *certainly*; (S2901)
ἄν συμβουλεύσαιμι: 1s aor. potential opt.
5 ὡς...πάνω: *just as*...; introduces a lengthy
comparative clause (D2462); καί is 'also'

ῥᾷόν ἐστιν κακῶς ποιεῖν ἀνθρώπους ἢ εὖ, ἐν τῇδε δὲ καὶ
πάνυ· οἶμαι δὲ σὲ καὶ αὐτὸν εἰδέναι. **95**

ΣΩ. ὦ Μένων, Ἄνυτος μέν μοι δοκεῖ χαλεπαίνειν, καὶ
οὐδὲν θαυμάζω· οἴεται γάρ με πρῶτον μὲν κακηγορεῖν τούτους
τοὺς ἄνδρας, ἔπειτα ἡγεῖται καὶ αὐτὸς εἶναι εἷς τούτων. ἀλλ᾽
οὗτος μὲν ἐάν ποτε γνῷ οἷόν ἐστιν τὸ κακῶς λέγειν, παύσεται 5
χαλεπαίνων, νῦν δὲ ἀγνοεῖ· σὺ δέ μοι εἰπέ, οὐ καὶ παρ᾽ ὑμῖν
εἰσιν καλοὶ κἀγαθοὶ ἄνδρες;

ΜΕΝ. πάνυ γε.

ΣΩ. τί οὖν; ἐθέλουσιν οὗτοι παρέχειν αὑτοὺς διδασκά- **b**
λους τοῖς νέοις, καὶ ὁμολογεῖν διδάσκαλοί τε εἶναι καὶ
διδακτὸν ἀρετήν;

ΜΕΝ. οὐ μὰ τὸν Δία, ὦ Σώκρατες, ἀλλὰ τοτὲ μὲν ἂν
αὐτῶν ἀκούσαις ὡς διδακτόν, τοτὲ δὲ ὡς οὔ. 5

ἀγνοέω: not know, be ignorant of, 3
ἔπ-ειτα: then, next, secondly, 5
θαυμάζω: wonder, marvel at, admire, 7
κακ-ηγορέω: to speak ill of, abuse, slander 1
μά: by + acc. (in an oath), 8
νέος, -α, -ον: young; new, novel, strange, 5

παρ-έχω: to provide, furnish, supply, 3
παύω: to stop, make cease; *mid.* cease, 3
πρῶτος, -η, -ον: first, earliest, 9
ῥᾴδιος, -α, -ον: easy, ready, 6
χαλεπαίνω: to be sore, angry, grievous, 2

e6 ῥᾷόν ἐστιν: *it is* ...; impersonal, neut.
comparative adj. of ῥᾴδιος
κακῶς ποιεῖν: *to treat poorly*
εὖ (ποιεῖν): see above
ἐν τῇδε (πόλει) δὲ καὶ πάνυ (ῥᾷόν ἐστιν):
in this here (city it is) also quite (easy);
heavy ellipsis
95a σὲ...εἰδεναι: *that* ...; ind. disc. inf. οἶδα;
neut. αὐτὸν refers the previous clause
3 οὐδὲν: *not at all*; 'no wonder,' inner acc.
πρῶτον μὲν...ἔπειτα: *first he ... second he* ...
4 ἡγεῖται: *believes*; elsewhere 'leads'
καὶ αὐτὸς εἶναι: *that (he)* ...; ind. disc.; καί
is an adv.; αὐτός is an intensive pronoun
5 ἐάν...γνῷ, παύσεται: *if he realizes* ...; a fut.
more vivid condition (ἐάν + subj., fut.);
translate the 3s aor. subj. γιγνώσκω as
pres. with fut. sense; παύσεται is fut. mid.
οἷον...: *what sort of thing* ...; neut. relative
τὸ κακῶς λέγειν: translate this articular inf.

as a gerund (-ing); nom. pred.
6 νῦν δὲ: *but as it is*
παρὰ: *among* ...; 'at the side of...' + dat. of
place where
b1 τί οὖν: *well then*; 'why then?' causal τί
is an acc. of respect; οὖν is employed in
questions to express impatience that what
was asked has not been done (S2962)
(ἑ)αυτούς: reflexive accusative
διδασκάλους: *as teachers*
2 τοῖς νέοις: *to* ...; dat. ind. obj.
διδάσκαλοί...εἶναι: *that they* ...; ind. disc.
the acc. pred. is attracted into the case of
the nom. pl. antecedent οὗτοι
4 τὸν Δία: acc. Ζεύς
ποτὲ μὲν...ποτὲ δέ: *sometimes ... other times*
5 αὐτῶν: gen. of source
ὡς διδακτόν (ἐστιν ἀρετή): *that* ...; 'how...'
ὡς οὔ (διδακτόν ἐστιν ἀρετή): ellipsis

ΣΩ. φῶμεν οὖν τούτους διδασκάλους εἶναι τούτου τοῦ
πράγματος, οἷς μηδὲ αὐτὸ τοῦτο ὁμολογεῖται;

ΜΕΝ. οὔ μοι δοκεῖ, ὦ Σώκρατες.

ΣΩ. τί δὲ δή; οἱ σοφισταί σοι οὗτοι, οἵπερ μόνοι
ἐπαγγέλλονται, δοκοῦσι διδάσκαλοι εἶναι ἀρετῆς;   10

ΜΕΝ. καὶ Γοργίου μάλιστα, ὦ Σώκρατες, ταῦτα ἄγαμαι, c
ὅτι οὐκ ἄν ποτε αὐτοῦ τοῦτο ἀκούσαις ὑπισχνουμένου, ἀλλὰ
καὶ τῶν ἄλλων καταγελᾷ, ὅταν ἀκούσῃ ὑπισχνουμένων· ἀλλὰ
λέγειν οἴεται δεῖν ποιεῖν δεινούς.

ΣΩ. οὐδ' ἄρα σοὶ δοκοῦσιν οἱ σοφισταὶ διδάσκαλοι 5
εἶναι;

ΜΕΝ. οὐκ ἔχω λέγειν, ὦ Σώκρατες. καὶ γὰρ αὐτὸς
ὅπερ οἱ πολλοὶ πέπονθα· τοτὲ μέν μοι δοκοῦσιν, τοτὲ δὲ οὔ.

ἄγαμαι: to wonder at, marvel at, admire, 1
Γοργίας, ὁ: Gorgias, 8
δεινός, -ή, -όν: clever; terrible, 1
ἐπ-αγγέλλω: to tell, proclaim, announce, 1
κατα-γελάω: to laugh at, mock (gen.) 1

μη-δέ: and not, but not, nor; not even, 7
πάσχω: to suffer; allow, experience, 4
σοφιστής, ὁ: sophist, 8
ὑπ-ισχνέομαι: to promise, 4

b6 φῶμεν: *let...*; 1p hortatory subj. φημί
   τούτους...εἶναι: *that...*; ind. disc.
7 οἷς: *by whom*; relative; dat. of agent is more
   common with pf. pass., but here with pres.
   μηδέ: *not even*; adv., the use of μή suggests
   that the relative is conditional in sense
   αὐτὸ τοῦτο: nom. subj. and intensive
9 τί δὲ δή: *just what then?*; 'exactly what
   about this?' a stronger form of τί δέ,
   which expresses surprise and introduces
   another question
10 ἐπαγγέλλονται: *profess (to be sophists)*;
   pres. mid.
c1 καὶ Γοργίου: *about Gorgias in fact*; i.e.
   'these aspects of Gorgias' a partitive gen.;
   καίis an intensive adv. similar here to the
   intensive δή (D320)
2 ὅτι...: *(namely) that...*
   ἄν...ἀκούσαις: potential opt.
   αὐτοῦ τοῦτο...ὑπισχνουμένου: *him...*; gen.
   of source and complementary pple equiv. to
   ind. disc.
3 καὶ: *even*

καταγελᾷ: καταγελά-ει, 3s pres.
ὅταν...: *whenever...*; ἄν + subj. in a
general temporal clause
(τῶν ἄλλων τοῦτο) ὑπισχνουμένων: see
note for c2; add the missing gen. pl. of
source and obj.
4 λέγειν: *in speaking*; an epexegetical
(explanatory) inf. with δεινούς; the position
at the beginning of the clause is emphatic
δεῖν ποιεῖν (ἄλλους): *that it is...*; ind. disc.
with an impersonal inf. δεῖ; ποιεῖν governs
a double acc.: add ἄλλους as acc. obj.
5 οὐδὲ...σοί: *not even to you*; adv. emphasizes
σοί
ἔχω: *I am able*
7 καὶ γὰρ: *for in fact*; καί is adv.
ὅπερ οἱ πολλοὶ (πεπόνθασι): *just as...*;
'which very thing,' a relative clause with
missing verb; the missing antecedent is obj.
of main verb πέπονθα
8 πέπονθα: 1s pf. πάσχω
τοτέ μέν...τοτέ δὲ: *sometimes...other times*

ΣΩ. οἶσθα δὲ ὅτι οὐ μόνον σοί τε καὶ τοῖς ἄλλοις τοῖς
πολιτικοῖς τοῦτο δοκεῖ τοτὲ μὲν εἶναι διδακτόν, τοτὲ δ' οὔ, 10
ἀλλὰ καὶ Θέογνιν τὸν ποιητὴν οἶσθ' ὅτι ταὐτὰ ταῦτα λέγει; **d**

MEN. ἐν ποίοις ἔπεσιν;

ΣΩ. ἐν τοῖς ἐλεγείοις, οὗ λέγει—

καὶ παρὰ τοῖσιν πῖνε καὶ ἔσθιε, καὶ μετὰ τοῖσιν
ἵζε, καὶ ἄνδανε τοῖς, ὧν μεγάλη δύναμις. 5
ἐσθλῶν μὲν γὰρ ἀπ' ἐσθλὰ διδάξεαι· ἢν δὲ κακοῖσιν
συμμίσγῃς, ἀπολεῖς καὶ τὸν ἐόντα νόον. **e**

οἶσθ' ὅτι ἐν τούτοις μὲν ὡς διδακτοῦ οὔσης τῆς ἀρετῆς λέγει;

MEN. φαίνεταί γε.

ΣΩ. ἐν ἄλλοις δέ γε ὀλίγον μεταβάς,—

εἰ δ' ἦν ποιητόν, φησί, καὶ ἔνθετον ἀνδρὶ νόημα, 5
λέγει πως ὅτι—

ἀνδάνω: to delight, please, gratify, 1
ἀπ-όλλυμι: destroy, ruin, kill; *mid.* perish, 2
δύναμις, -εως, ἡ: power, force; faculty, 2
ἐλεγεῖα, τά: elegiac poem, 1
ἔν-θετος, -ον: able to be put in, 1
ἔπος, -εος τό: word; *pl.* poetry, verses, lines, 1
ἐσθίω: to eat, 1
ἐσθλός, -ή, -όν: good, brave, 2
Θέογνις, ὁ: Theognis, 1
ἵζω: to make sit, place, 1

μέγας, μεγάλη, μέγα: big, great, important 7
μετα-βαίνω: to pass over, pass from one point to another, change, 1
νόημα, -ατος, τό: understanding, thought, 1
ὀλίγος -η, -ον: few, little, small, 6
οὗ: where, 4   πίνω: to drink, 1
ποιητός, -ή, -όν: made, created, 2
πολιτικός, -ή, -όν: political; *subst.* statesman 7
πως: somehow, in any way, 5
συμ-μίγνυμι: to mix together, associate, 1

c9 οἶσθα: 2s οἶδα
 οὐ μόνον...ἀλλὰ καὶ: *not only...but also*
 τοῖς πολιτικοῖς: *citizens*; else 'members of
 the public' or 'statesmen'
 τοτὲ μὲν...τοτὲ δὲ: *sometimes...other times*
d1 Θέογνιν τὸν ποιητὴν: prolepsis: make
 this acc. the subject of λέγει
 οἶσθ(α): 2s οἶδα
 ταὐτὰ: τ(ὰ) αὐτα; αὐτός in the attributive
 position is translated 'same'
2 ἐν ποίοις ἔπεσιν: *in which verses?*
3 οὗ: relative adv.
 καὶ παρὰ...νόον: *Drink and eat beside
 them, sit among them, and be pleasing to
 them, whose power is great. For from good
 men you will learn good things, but if you
 mingle with the bad, you will lose even the
 sense you have;* 'teach yourself,' fut. mid.

e2 οἶσθ(α): 2s οἶδα
 ἐν τούτοις (ἔπεσιν): *in these verses*
 ὡς διδακτοῦ...ἀρετῆς: *as if...*; elsewhere
 'on the grounds that...' or 'in the opinion
 that...' ὡς + pple (here, a gen. abs.)
 indicates an alleged cause, intention, or
 assertion from a character's point of view
 (S2086c). Socrates suggests that Theognis
 speaks with this assumption in mind.
 δέ γε: *yes, and*; joining Socrates' current
 words with his previous response
4 ἐν ἄλλοις (ἔπεσιν): i.e. in another passage
 in the poetry; add dat. pl. of ἔπος
 ὀλίγον: *a little, slightly*; inner acc.
 μεγαβάς: nom. sg. aor. pple; (1) changing
 attitude or (2) passing over to other lines
5 εἰ δ...νόημα: *if understanding, he says, were
 created, and placed into a man*

πολλοὺς ἂν μισθοὺς καὶ μεγάλους ἔφερον
οἱ δυνάμενοι τοῦτο ποιεῖν, καὶ—
    οὔ ποτ᾽ ἂν ἐξ ἀγαθοῦ πατρὸς ἔγεντο κακός,
πειθόμενος μύθοισι σαόφροσιν. ἀλλὰ διδάσκων   **96**
    οὔ ποτε ποιήσεις τὸν κακὸν ἄνδρ᾽ ἀγαθόν.
ἐννοεῖς ὅτι αὐτὸς αὑτῷ πάλιν περὶ τῶν αὐτῶν τἀναντία
λέγει;

MEN. φαίνεται.   5

ΣΩ. ἔχεις οὖν εἰπεῖν ἄλλου ὁτουοῦν πράγματος, οὗ οἱ
μὲν φάσκοντες διδάσκαλοι εἶναι οὐχ ὅπως ἄλλων διδάσκαλοι
ὁμολογοῦνται, ἀλλ᾽ οὐδὲ αὐτοὶ ἐπίστασθαι, ἀλλὰ πονηροὶ
εἶναι περὶ αὐτὸ τοῦτο τὸ πρᾶγμα οὗ φασι διδάσκαλοι εἶναι,   **b**
οἱ δὲ ὁμολογούμενοι αὐτοὶ καλοὶ κἀγαθοὶ τοτὲ μέν φασιν
αὐτὸ διδακτὸν εἶναι, τοτὲ δὲ οὔ; τοὺς οὖν οὕτω τεταραγμένους
περὶ ὁτουοῦν φαίης ἂν σὺ κυρίως διδασκάλους εἶναι;

δύναμαι: to be able, can, be capable, 9
ἐν-νοέω: to have in mind, notice, 3
ἐναντίος, -α, -ον: opposite, contrary, 8
κυρίως: legitimately, authoritatively, 1
μέγας, μεγάλη, μέγα: big, great, important 7
μισθός, ὁ: fee, pay; wage, hire, 4
μῦθος, ὁ: story, tale, 1
ὅπως: how, in what way; (in order) that, 5

πάλιν: again, once more; back, backwards, 9
πατήρ, πατρός, ὁ: a father, 3
πείθω: to persuade (acc) of (acc); *mid.* obey, 8
πονηρός, -ή, -όν: worthless, base, 1
σώφρων, -ονος: temperate, moderate, 2
ταράττω: to trouble, agitate, stir up, 1
φάσκω: to say, affirm, claim, 1
φέρω: to bear, carry, bring, convey, 3

e7 πολλοὺς...ἀγαθον: *those being able to do this 'would carry off many large rewards,' and 'not ever would a bad son be born from a good father, (if the son) obeys temperate words. but by teaching you will never make the bad son a good man.*
96a3 αὐτῷ...τ(ὰ) ἐναντία λέγει: *contradicts himself;* 'says things contrary to himself'
6 ἔχεις: *are you able*; + inf.
ἄλλου ὁτουοῦν πράγματος: *(about) anysoever other thing*; either (1) acc. obj. made gen. by inverse attraction (S2533) to the relative pronoun that follows or (2) a gen. of source (ablatival gen.): 'about...' or 'from...' or (3) a partitive gen.: 'something of anysoever other thing,' gen. ὅστις-οῦν
οὗ: *of which*; i.e. the subject matter; relative and objective gen. modifying διδάσκαλοι

οἱ...φάσκοντες: *those...*; pres. pple
7 οὐχ ὅπως...ἀλλὰ οὐδὲ: *not only not... but not even...*; (S2763b)
8 αὐτοὶ (ὁμολογοῦνται) ἐπίστασθαι: supply the main verb
b1 περὶ: *about...regarding...*; + acc.
οὗ: *of which*; i.e. the subject matter; relative and objective gen. modifying διδάσκαλοι
φασι: *they claim*; 3p φημί
2 οἱ ὁμολογούμενοι (εἶναι): *those...*; add the inf. εἰμί ; καλοὶ κἀγαθοὶ are predicates
τοτὲ μίν...τοτὲ δὲ: *sometimes...other times*
3 τοὺς...τεταραγμένους: *those...*; pf. pass. pple ταράττω (ταραγ-)
4 ὁτουοῦν: alternative form for οὔτινοσ-οῦν, gen. sg. ὅστισ-οῦν
φαίης ἂν: *would...*; pres. potential opt. φημί

ΜΕΝ. μὰ Δί᾽ οὐκ ἔγωγε. 5

ΣΩ. οὐκοῦν εἰ μήτε οἱ σοφισταὶ μήτε οἱ αὐτοὶ καλοὶ κἀγαθοὶ ὄντες διδάσκαλοί εἰσι τοῦ πράγματος, δῆλον ὅτι οὐκ ἂν ἄλλοι γε;

ΜΕΝ. οὔ μοι δοκεῖ.

ΣΩ. εἰ δέ γε μὴ διδάσκαλοι, οὐδὲ μαθηταί; c

ΜΕΝ. δοκεῖ μοι ἔχειν ὡς λέγεις.

ΣΩ. ὡμολογήκαμεν δέ γε, πράγματος οὗ μήτε διδάσκαλοι μήτε μαθηταὶ εἶεν, τοῦτο μηδὲ διδακτὸν εἶναι;

ΜΕΝ. ὡμολογήκαμεν. 5

ΣΩ. οὐκοῦν ἀρετῆς οὐδαμοῦ φαίνονται διδάσκαλοι;

ΜΕΝ. ἔστι ταῦτα.

ΣΩ. εἰ δέ γε μὴ διδάσκαλοι, οὐδὲ μαθηταί;

ΜΕΝ. φαίνεται οὕτως.

ΣΩ. ἀρετὴ ἄρα οὐκ ἂν εἴη διδακτόν; 10

μά: by + acc. (in an oath), 8
μαθητής, -οῦ ὁ: learner, student, pupil, 6
μη-δέ: and not, but not, nor; not even, 7

b5 Διὰ: acc. Ζεύς
6 μήτε...μήτε: *neither...nor*
  οἱ...ὄντες: *those...*; pple εἰμί
  καλοὶ κ(αὶ) ἀγαθοὶ: predicate
  εἰσι: 3p εἰμί
7 δῆλον (ἐστίν): *it is...*; impersonal; add verb
8 ἂν (εἶεν διδάσκαλοι): *would (be)*; ellipsis, 3p potential pot. εἰμί
  οὔ μοι δοκεῖ: Meno repeats the οὐ from b7 in agreement to Socrates' question
c1 δέ γε: *yes, and...*; in dialogue, δέ γε picks up from another's reply and joins the speaker's words with the his previous words (D154); Some suggest δέ γε is used to indicate a new premise in the argument.
  οὐδὲ: *not also*; often equiv. to οὐ καί
2 ἔχειν (οὕτως) ὡς: *to be as...*; 'holds (in this way) as...'; translate ἔχω ('is disposed' or 'hold') + adv. as εἰμί + adj.; ὡς introduces

οὐδαμοῦ: nowhere, 1
σοφιστής, ὁ: sophist, 8

a clause of comparison and the correlative οὕτως is missing
3 ὡμολογήκαμεν: 1p pf.
  δέ γε: *yes, and...*; see note for c1
  πράγματος...εἶναι: *that a subject...*; ind. disc.; the acc. subj. πρᾶγμα is made gen. through inverse attraction (S2533) to the gen. sg. relative that follows
  οὗ: *of which*; i.e. the subject matter; relative and objective gen. modifying διδάσκαλοι
4 εἶεν: 3p opt. εἰμί; in a general relative clause in secondary seq.
  τοῦτο: i.e. πρᾶγμα; a second acc. subject; perhaps included because πράγματος is so far away from the inf. εἶναι
7 ἔστι: *are the case*; i.e. are true
8 εἰ δέ γε...μαθηταί: see note for 96c1
10 ἂν εἴη: *would...*; 3s potential opt. εἰμί

ΜΕΝ. οὐκ ἔοικεν, εἴπερ ὀρθῶς ἡμεῖς ἐσκέμμεθα. ὥστε   d
καὶ θαυμάζω δή, ὦ Σώκρατες, πότερόν ποτε οὐδ' εἰσὶν ἀγαθοὶ
ἄνδρες, ἢ τίς ἂν εἴη τρόπος τῆς γενέσεως τῶν ἀγαθῶν
γιγνομένων.

ΣΩ. κινδυνεύομεν, ὦ Μένων, ἐγώ τε καὶ σὺ φαῦλοί τινες   5
εἶναι ἄνδρες, καὶ σέ τε Γοργίας οὐχ ἱκανῶς πεπαιδευκέναι
καὶ ἐμὲ Πρόδικος. παντὸς μᾶλλον οὖν προσεκτέον τὸν νοῦν
ἡμῖν αὐτοῖς, καὶ ζητητέον ὅστις ἡμᾶς ἑνί γέ τῳ τρόπῳ βελτίους
ποιήσει· λέγω δὲ ταῦτα ἀποβλέψας πρὸς τὴν ἄρτι ζήτησιν,   e
ὡς ἡμᾶς ἔλαθεν καταγελάστως ὅτι οὐ μόνον ἐπιστήμης
ἡγουμένης ὀρθῶς τε καὶ εὖ τοῖς ἀνθρώποις πράττεται τὰ
πράγματα, ἧ ἴσως καὶ διαφεύγει ἡμᾶς τὸ γνῶναι τίνα ποτὲ
τρόπον γίγνονται οἱ ἀγαθοὶ ἄνδρες.   5
ΜΕΝ. πῶς τοῦτο λέγεις, ὦ Σώκρατες;

ἀπο-βλέπω: to look (away) at, gaze, 2
ἄρτι: just, exactly; just now, 9
βελτίων, -ον: better, 9
γένεσις, -εως, ἡ: generation, production, 1
Γοργίας, ὁ: Gorgias, 8
δια-φεύγω: to flee, get away from, escape, 1
ζήτησις, -εως, ἡ: a seeking; inquiry, 3
ζητητέος, -ον: to be sought or examined, 2
θαυμάζω: wonder, marvel at, admire, 7

ἱκανός, -ή, -όν: enough, sufficient; capable, 3
κατα-γέλαστος, -ον: laughable, ridiculous 1
κινδυνεύω: run the risk, be likely (inf.), 6
λανθάνω: to escape notice of; forget, 4
παιδεύω: to educate, teach, 7
Πρόδικος, ὁ: Prodicus, 2
προσ-εκτέος, -ον: to be directed/applied, 1
φαῦλος, -η, -ον: slight, trivial, 3

d1 ἐσκέμμεθα: 1p pf. mid. σκέπτομαι
2 καὶ θαυμάζω δή: *I actually wonder*; the δή
  stresses the importance of adv. καί (D245)
πότερον...ἤ...: *whether...or...*; ind. question
οὐδὲ: *not even*; adv.
3 ἢ τίς...τρόπος: *or (if there are good men)
what...*; ind. question
ἂν εἴη: 3s potential opt. εἰμί
τῶν...γίγνομένων: *of those...*; mid. pple,
ἀγαθῶν is a predicate
6 καί: *and*
σέ τε Γοργίας (κινδυνεύει)....πεπαιδευκέναι:
both Gorgias...; add verb; pf. act. inf.
παιδεύω
7 καὶ ἐμὲ Πρόδικος (κινδυνεύει οὐχ ἱκανῶς
πεπαιδευκέναι): *and Prodicus...*; ellipsis
παντός: gen. of comparison
μᾶλλον: comparative adv.
προσεκτέον (ἐστίν) τὸν νοῦν ἡμῖν: *we must*

pay attention; *lit.* 'it is to be directed by us
in respect to attention,' an impersonal use
of a verbal adj. + εἰμί construction with dat.
of agent; νοῦν is acc. of respect. Note that
προσέχειν τὸν νοῦν means 'pay attention.'
8 ζητητέον (ἐστίν ἡμῖν): *it is...*; 'it must
be...'impersonal use of the verbal adj. +
εἰμί with a dat. of agent; see note above
ἑνί γέ τῳ τρόπῳ: *in one way or other*
βελτίο(ν)ας: acc. pl. comparative
e2 ὡς...: *that...*; 'how' (S2578c)
ἔλαθεν...ὅτι: *it...(namely that...)*; impers.
aor. λανθάνω
οὐ μόνον: *not only*
ἐπιστήμης ἡγουμένης: gen. abs.
3 τοῖς ἀνθρώποις: *by...*; dat. of agent/interest
4 ᾗ: *in which way*; relative, dat. of manner
τὸ γνῶναι: *knowing*; articular inf., subject
τίνα...τρόπον: *in whatever way*; adv. acc.

ΣΩ. ὧδε· ὅτι μὲν τοὺς ἀγαθοὺς ἄνδρας δεῖ ὠφελίμους εἶναι,

ὀρθῶς ὡμολογήκαμεν τοῦτό γε ὅτι οὐκ ἂν ἄλλως ἔχοι· ἦ γάρ;   97

MEN. ναί.

ΣΩ. καὶ ὅτι γε ὠφέλιμοι ἔσονται, ἂν ὀρθῶς ἡμῖν ἡγῶνται

τῶν πραγμάτων, καὶ τοῦτό που καλῶς ὡμολογοῦμεν;

MEN. ναί.   5

ΣΩ. ὅτι δ' οὐκ ἔστιν ὀρθῶς ἡγεῖσθαι, ἐὰν μὴ φρόνιμος

ᾖ, τοῦτο ὅμοιοί ἐσμεν οὐκ ὀρθῶς ὡμολογηκόσιν.

MEN. πῶς δὴ ὀρθῶς λέγεις;

ΣΩ. ἐγὼ ἐρῶ. εἰ εἰδὼς τὴν ὁδὸν τὴν εἰς Λάρισαν ἢ

ὅποι βούλει ἄλλοσε βαδίζοι καὶ ἄλλοις ἡγοῖτο, ἄλλο τι ὀρθῶς   10

ἂν καὶ εὖ ἡγοῖτο;

MEN. πάνυ γε.

ἄλλο-σε: to another place, to elsewhere, 1
ἄλλως: otherwise, in another way, 5
βαδίζω: to walk, go, 2
ἦ: in truth, truly (begins open question), 4
Λάρισα, ἡ: Larisa (town), 1

ὁδός, ἡ: road, way, path, journey, 2
ὅμοιος, -α, -ον: like, resembling, similar (dat) 5
ὅποι: to which place, whither, 1
φρόνιμος, -ον: sensible, prudent, intelligent 1
ὧδε: in this way, in the following way, 7

e7 ὅτι...: *(namely) that...*; ind. disc. in
response to Meno's πῶς τοῦτο λέγεις;
ὡμολογήκαμεν: pf. ὁμολογέω

97a τοῦτο γε ὅτι: *this, at least, (namely)*
that...; ὅτι is in apposition to τοῦτο
ἂν ἄλλως ἔχοι: potential opt., and ἔχω ('is
disposed' or 'hold') + adv. is often
translated as εἰμί + adj.
ἦ γάρ;: *is it not so?*; (S2865) (D86)

3 καὶ ὅτι γε: *yes, and that...*; γε often means
'yes' in replies; Meno adds another point
ἔσονται, ἂν...ἡγῶνται: *will be...if...guide*
(dat) *in* (gen); fut. more vivid condition
(ἐάν + subj., fut. ind.); 3p fut. εἰμί; (S1370,
S1537)

6 ὅτι δὲ: *but that...*; δέ is adversative
ἔστιν: *it is possible*
ἐὰν...ᾖ: *if (one) is...*; ἂν + 3s subj. εἰμί in a
pres. general condition (ean + subj., pres.)

7 τοῦτο: *in respect to this*; acc. respect
ἐσμεν: 1p pres. εἰμί
οὐκ ὀρθῶς ὡμολογηκόσιν: *to those...*;
dat. pl. pf. pple; dat. of special adjective

8 πῶς δὴ: *just how, precisely how*; or 'just
what, precisely what'

9 ἐρῶ: fut. λέγω
εἰ...ἡγοῖτο, ἡγοῖτο: *if...should, would*; a
fut. less vivid (εἰ + opt., ἂν + opt.)
εἰδὼς: nom. sg. pf. pple οἶδα
τὴν εἰς Λάρισαν: prepositional phrase in
the attributive position modifying ὁδὸν
ὅποι βούλει: relative clause; βούλε(σ)αι,
2s pres. βούλομαι

10 ἄλλο τι (ἤ): *(Is) anything else the case*
than; this often elicits a 'no' reply (cf.
nonne) and can be translated simply with
the word 'not:' e.g. 'would he not...'

11 ἂν ἡγοῖτο: ἡγέοιτο, potential opt.

ΣΩ.   τί δ' εἴ τις ὀρθῶς μὲν δοξάζων ἥτις ἐστὶν ἡ ὁδός,   b
ἐληλυθὼς δὲ μὴ μηδ' ἐπιστάμενος, οὐ καὶ οὗτος ἂν ὀρθῶς
ἡγοῖτο;

ΜΕΝ.   πάνυ γε.

ΣΩ.   καὶ ἕως γ' ἂν πού ὀρθὴν δόξαν ἔχῃ περὶ ὧν ὁ ἕτερος   5
ἐπιστήμην, οὐδὲν χείρων ἡγεμὼν ἔσται, οἰόμενος μὲν ἀληθῆ,
φρονῶν δὲ μή, τοῦ τοῦτο φρονοῦντος.

ΜΕΝ.   οὐδὲν γάρ.

ΣΩ.   δόξα ἄρα ἀληθὴς πρὸς ὀρθότητα πράξεως οὐδὲν
χείρων ἡγεμὼν φρονήσεως· καὶ τοῦτό ἐστιν ὃ νυνδὴ παρε-   10
λείπομεν ἐν τῇ περὶ τῆς ἀρετῆς σκέψει ὁποῖόν τι εἴη, λέγοντες
ὅτι φρόνησις μόνον ἡγεῖται τοῦ ὀρθῶς πράττειν· τὸ δὲ ἄρα   c
καὶ δόξα ἦν ἀληθής.

δοξάζω: to opine, have an opinion; suppose 2
ἔρχομαι: to come or go, 6
ἕως: until, as long as, 3
ἡγεμών, -ονος, ὁ, ἡ: guide, leader, 4
μη-δέ: and not, but not, nor; not even, 7
νυν-δή: just now, 8
ὁδός, ἡ: road, way, path, journey, 2

b1 τί δὲ: *well then*; 'what then?' a question
   that draws attention to what follows
   ὀρθῶς δοξάζων: *having the correct
   opinion about...*; + ind. question
2 ἐληλυθὼς δὲ μὴ: *(if)...*; nom. sg. pf. pple
   ἔρχομαι is conditional in sense
   μηδ(ὲ) ἐπιστάμενος: *nor...*; pple which is
   conditional in sense
   οὐ: in a question eliciting a 'yes' reply
   καὶ: *also*
5 καὶ ἕως γε: *yes, and as long as...*; γε often
   is affirmative and means 'yes' in replies
   ἄν...ἔχῃ: ἄν + 3s pres. subj. in a general
   temporal clause
   περὶ ὧν: *concerning what*; relative clause,
   as often, the demonstrative antecedent is
   missing: (περὶ τούτων) περὶ (ὧν)
   ὁ ἕτερος (ἔχει): supply a verb
6 οὐδὲν: *not at all; in no way*; acc. of extent
   in degree with a comparative adj.
   ἔσται: fut. εἰμί
   οἰόμενος μὲν:; equiv. to δοξάζων

ὁποῖος, -α, -ον: what sort or kind, 5
ὀρθότης, -ητος ἡ: straightness, uprightness 1
παρά-λείπω: to leave aside, pass over, 1
πρᾶξις, -εως ἡ: action, activity, transaction, 8
σκέψις, -εως, ἡ: examination, inquiry, 1
φρονέω: to think; be prudent, wise, 3
χείρων, -ον: worse, more severe, inferior, 6

   ἀληθῆ: *the truth*; 'true things,' ἀληθέ-α
7 τοῦ...φρονοῦντος: *than (one)...*; gen.
   of comparison with χείρων; pres. pple
8 οὐδὲν γάρ: *yes, not at all*; '(yes), for not at
   all...' repeating Socrates' words is a form
   of assent
9 δόξα ἀληθὴς: *true opinion*
   πρὸς: *regarding...*
   οὐδὲν: *not at all; in no way*; see b6 above
11 ὁποῖόν τι εἴη: *what sort at all it was*; ind.
   question with opt. in secondary seq.
   (S1268)
c1 μόνον: *alone*; adv. acc.
   τοῦ...πράττειν: *for acting correctly*; an
   articular inf.; gen. obj. of main verb
   τὸ δὲ (ὀρθῶς πράττειν): (1) demonstrative
   and acc. of respect: 'in respect to this' or (2)
   articular inf. and subject: 'acting correctly'
   δὲ ἄρα: *but, it turns out...*; in contrast
   καὶ: *also*
2 ἦν: *there is*; translate pres.; with ἄρα this is
   an 'imperfect of truth just realized' (S1902)

ΜΕΝ. ἔοικέ γε.

ΣΩ. οὐδὲν ἄρα ἧττον ὠφέλιμόν ἐστιν ὀρθὴ δόξα ἐπι-
στήμης. 5

ΜΕΝ. τοσούτῳ γε, ὦ Σώκρατες, ὅτι ὁ μὲν τὴν ἐπιστήμην
ἔχων ἀεὶ ἂν ἐπιτυγχάνοι, ὁ δὲ τὴν ὀρθὴν δόξαν τοτὲ μὲν ἂν
τυγχάνοι, τοτὲ δ' οὔ.

ΣΩ. πῶς λέγεις; ὁ ἀεὶ ἔχων ὀρθὴν δόξαν οὐκ ἀεὶ ἂν
τυγχάνοι, ἔωσπερ ὀρθὰ δοξάζοι; 10

ΜΕΝ. ἀνάγκη μοι φαίνεται· ὥστε θαυμάζω, ὦ Σώ-
κρατες, τούτου οὕτως ἔχοντος, ὅ τι δή ποτε πολὺ τιμιωτέρα   d
ἡ ἐπιστήμη τῆς ὀρθῆς δόξης, καὶ δι' ὅ τι τὸ μὲν ἕτερον, τὸ δὲ
ἕτερόν ἐστιν αὐτῶν.

ΣΩ. οἶσθα οὖν δι' ὅ τι θαυμάζεις, ἢ ἐγώ σοι εἴπω;

ΜΕΝ. πάνυ γ' εἰπέ. 5

ἀνάγκη, ἡ: necessity, force, constraint, 6
δοξάζω: to opine, have an opinion; suppose 2
ἐπι-τυγχάνω: to hit upon, attain, reach, 1
ἔωσ-περ: even until, 1

ἥττων, -ον: less, weaker, inferior, 8
θαυμάζω: wonder, marvel at, admire, 7
τίμιος, -α, -ον: valued, honored, prized, 2
τοσοῦτος, -αύτη, -οῦτο: so great/much/long 9

c4 οὐδὲν: *not at all*; acc. of extent in degree
  ἧττον: comparative adv.
  ἐπιστήμης: gen. of comparison
6 τοσούτῳ γε (ἧττον ὠφέλιμόν): *yes, this much (less beneficial), at least*; dat. of degree of difference with ἧττον from above missing but understood
  ὅτι: *(namely) that...*; in apposition
7 ἂν ἐπιτυγχάνοι: *would attain, would hit upon*; i.e. succeed; potential opt.
  ὁ...ὀρθὴν δόξαν (ἔχων): *the one...*; supply the pple from above
  τοτὲ μὲν...τοτὲ δὲ: *sometimes...other times*
8 (ἂν) τυγχάνοι: see note for c7, add ἂν
9 πῶς λέγεις: *how do you mean?*; 'in what sense do you speak?'
  ἂν τυγχάνοι: see note for c7
10 ἔωσπερ...: *as long as...*; + opt. in a past general temporal clause (translate opt. in the simple past)
  ὀρθὰ: neut. pl. acc.
11 ἀνάγκη (ἐστί): *it is necessary*

d1 τούτου οὕτως ἔχοντος: gen. abs., ἔχω ('is disposed' or 'hold') + adv. as often translated as εἰμί + adj.
  ὅ τι δή: *precisely why, just why...*; 'in respect to just what?' acc. respect of neut. sg. ὅστις; δή is intensive
  ποτε: *in the world*; with ὅ τι (S346)
  πολὺ: *much, far*; acc. of extent in degree
  τιμιωτέρα: comparative
2 τῆς ὀρθῆς δόξης: *than...*; gen. comparison
  δι(ὰ) ὅ τι: *why*; 'for what reason' or 'on account of what,' neut. sg. ὅστις
  τὸν μὲν (ἐστίν) ἕτερον...αὐτῶν: *this (is) one thing and that is another thing among them*; i.e. 'they are different;' τὸ is a demonstrative and ἕτερον a predicate; αὐτῶν is a partitive gen.
4 οἶσθα: 2s οἶδα
  δι(ὰ) ὅ τι: see d2
  εἴπω: *am I to...*; 1s deliberative aor. subj. λέγω

ΣΩ. ὅτι τοῖς Δαιδάλου ἀγάλμασιν οὐ προσέσχηκας τὸν
νοῦν· ἴσως δὲ οὐδ᾽ ἔστιν παρ᾽ ὑμῖν.

ΜΕΝ. πρὸς τί δὲ δὴ τοῦτο λέγεις;

ΣΩ. ὅτι καὶ ταῦτα, ἐὰν μὲν μὴ δεδεμένα ᾖ, ἀποδιδράσκει
καὶ δραπετεύει, ἐὰν δὲ δεδεμένα, παραμένει.   10

ΜΕΝ. τί οὖν δή;   e

ΣΩ. τῶν ἐκείνου ποιημάτων λελυμένον μὲν ἐκτῆσθαι οὐ
πολλῆς τινος ἄξιόν ἐστι τιμῆς, ὥσπερ δραπέτην ἄνθρωπον
—οὐ γὰρ παραμένει—δεδεμένον δὲ πολλοῦ ἄξιον· πάνυ γὰρ
καλὰ τὰ ἔργα ἐστίν. πρὸς τί οὖν δὴ λέγω ταῦτα; πρὸς   5
τὰς δόξας τὰς ἀληθεῖς. καὶ γὰρ αἱ δόξαι αἱ ἀληθεῖς, ὅσον
μὲν ἂν χρόνον παραμένωσιν, καλὸν τὸ χρῆμα καὶ πάντ᾽
ἀγαθὰ ἐργάζονται· πολὺν δὲ χρόνον οὐκ ἐθέλουσι παρα-   98
μένειν, ἀλλὰ δραπετεύουσιν ἐκ τῆς ψυχῆς τοῦ ἀνθρώπου,

ἄγαλμα, -ατος τό: statue, 1
ἄξιος, -α, -ον: worthy of, deserving of (gen) 7
ἀπο-διδράσκω: to escape, run away, desert, 1
Δαιδάλος, ὁ: Daedalus, 1
δέω (2): to bind fast, fasten down, 5
δραπετεύω: to run away, 2
δραπέτης, ὁ: a runaway, fugitive slave, 1
ἐργάζομαι: to work, labor, accomplish, 4
ἔργον, τό: deed, act; work; result, effect, 6

κτάομαι: to acquire, gain, get; possess, 5
λύω: to loosen, let go, release, 1
ὅσος, -η, -ον: as much/many as; all who, that 8
παρα-μένω: to abide, stay near, 4
ποίημα, -ατος, τό: creation; poem, 1
προσ-έχω: to offer, provide; direct, 3
τιμή, ἡ: honor, 2
χρῆμα, -ατος, τό: thing, possession, money, 5
χρόνος, ὁ: time, 9

d6 ὅτι: *because*
   τοῖς Δαιδάλου ἀγάλμασιν: i.e. robots
   προσέσχηκας: 2s pf., προσέχειν τὸν νοῦν
   is commonly translated 'to pay attention'
7 οὐδὲ (ταῦτα): *not even (these)*
   παρὰ: *among*; 'at the side of,' place where
8 πρὸς τί δὲ δὴ: *regarding just what then…*
9 ὅτι: *because*
   καὶ…καὶ…: *both…and*
   ταῦτα: i.e. ἀγάλματα; with 3s verbs
   ἐὰν…δεδεμένα ᾖ: *if…*; a pres. general
   condition (ἐάν + subj., pres.); periphrastic
   pf. pass. subj. (pf. pple + 3s subj. εἰμί).
   δέω, 'bind' or 'tie down,' is used often in
   this passage and is distinct from the verb
   δέω, 'need' and impersonal δεῖ.
10 δεδεμένα (ᾖ): see note above
e1 τί οὖν δή;: *Just what then?*; οὖν is used in
   questions to express impatience that what

was requested has not been accomplished
(S2962). Socrates failed to answer Meno's
question in d8.
2 ἐκείνου: i.e. Daedalus'
   λελυμένον (ποίημα): *a (creation) set free*;
   i.e. statue, pf. pass. pple and obj. of inf.
   ἐκτῆσθαι: pf. κτάομαι, subject of ἐστι
3 πολλῆς τινος τιμῆς: *of any great value*
4 δεδεμένον (ποίημα ἐστί): *but…*; i.e. statue,
   pf. pass. pple δέω, 'tie down,' and subject
   ἄξιον: predicate, supply linking verb
5 πρὸς τί οὖν δή: *regarding just what then…*
   καὶ γὰρ: *for in fact, for…also*
6 τὰς δόξας τὰς ἀληθεῖς: *true opinions*
   note: ἀληθεῖς is ἀληθέ-ας or ἀληθέ-ες
   ὅσον…χρόνον: *for as much…*; general
   relative clause with acc. of duration
7 (εἰσίν) καλὸν τὸ χρῆμα: pred., add verb
98a πολὺν χρόνον: *for…*; acc. of duration

ὥστε οὐ πολλοῦ ἄξιαί εἰσιν, ἕως ἄν τις αὐτὰς δήσῃ αἰτίας
λογισμῷ. τοῦτο δ᾽ ἐστίν, ὦ Μένων ἑταῖρε, ἀνάμνησις, ὡς
ἐν τοῖς πρόσθεν ἡμῖν ὡμολόγηται. ἐπειδὰν δὲ δεθῶσιν,   5
πρῶτον μὲν ἐπιστῆμαι γίγνονται, ἔπειτα μόνιμοι· καὶ διὰ
ταῦτα δὴ τιμιώτερον ἐπιστήμη ὀρθῆς δόξης ἐστίν, καὶ διαφέρει
δεσμῷ ἐπιστήμη ὀρθῆς δόξης.

MEN. νὴ τὸν Δία, ὦ Σώκρατες, ἔοικεν τοιούτῳ τινί.

ΣΩ. καὶ μὴν καὶ ἐγὼ ὡς οὐκ εἰδὼς λέγω, ἀλλὰ εἰκάζων·   b
ὅτι δέ ἐστίν τι ἀλλοῖον ὀρθὴ δόξα καὶ ἐπιστήμη, οὐ πάνυ
μοι δοκῶ τοῦτο εἰκάζειν, ἀλλ᾽ εἴπερ τι ἄλλο φαίην ἂν
εἰδέναι—ὀλίγα δ᾽ ἂν φαίην—ἓν δ᾽ οὖν καὶ τοῦτο ἐκείνων
θείην ἂν ὧν οἶδα.   5

MEN. καὶ ὀρθῶς γε, ὦ Σώκρατες, λέγεις.

αἰτία, ἡ: cause, responsibility, blame, 1
ἀλλοῖος, -α, -ον: of another kind, different, 3
ἀνάμνησις, ἡ: recollection, calling to mind, 4
ἄξιος, -α, -ον: worthy of, deserving of (gen) 7
δεσμός, ὁ: the binding; pl. chains, bonds, 1
δέω (2): to bind fast, fasten, 5
εἰκάζω: liken, compare; guess, conjecture, 6
ἔπ-ειτα: then, next, secondly, 5
ἐπειδάν: whenever, 3
ἑταῖρος, ὁ: comrade, companion, mate, 6

ἕως: until, as long as, 3
λογισμός, ὁ: calculation, reasoning, 2
μόνιμος, -α, -ον: steadfast, stable, lasting, 1
νή: by + acc. (invoking a divinity), 2
ὀλίγος -η, -ον: few, little, small, 6
πρόσ-θεν: before, 2
πρῶτος, -η, -ον: first, earliest, 9
τίθημι: to place, put, set, 1
τίμιος, -α, -ον: valued, honored, prized, 2

a3 ἕως ἄν δήσῃ: *until...*; ἄν + 3s aor. subj.
δέω, 'tie down,' in a general relative clause
αὐτὰς: i.e. fem. pl. αἱ δόξαι
αἰτίας λογισμῷ: *by calculation of cause,*
or 'by reasoning out the cause;' a difficult
and important phrase in the analysis of the
dialogue; αἰτίας is fem. sg. objective gen.
and λογισμῷ is a dat. of means/cause.
4 ὡς: *as...*
5 ἐν τοῖς πρόσθεν: i.e. the dialogue
ὡμολόγηται: pf. pass. ὁμολογέω with a
dat. of agent
ἐπειδὰν δὲ δεθῶσιν: *whenever...*; ἄν + 3p
aor. pass. subj. of δέω, 'tie down,' in a
general temporal clause
6 πρῶτον...ἔπειτα: *first...second*; merely a
list and not a progression over time
ἐπιστῆμαι: note the plural; see also 86a3
7 δὴ: *just, precisely*; an intensive with ταῦτα
τιμιώτερον: nom. pred. neut. comparative;

supply 'something...' or '...thing'
ὀρθῆς δόξης: gen. of comparison
δεσμῷ: dat. of means; some translate this
dat. as τῷ δεδέσθαι, 'by being tied down'
8 ὀρθῆς δόξης: *from...*; gen. of separation
Δία: acc. Ζεύς
τοιούτῳ τινί: *something (of) this sort*;
b1 καὶ μὴν: *and yet...*; (S2921)
καὶ ἐγώ: *I too*; i.e. I just as you
ὡς...εἰδώς: *on the grounds that...*; or 'as
if;' ὡς + pple (pf. οἶδα) for an alleged
cause, intention, or assertion (S2086c).
2 ὅτι...: *that...*; ind. disc.; 3s with pl. subject
τι ἀλλοῖον: *somewhat different*
3 εἴπερ φαίην, θείην ἄν: *if I should, I would*;
fut. less vivid; pres. φημί, aor. opt. τίθημι
ἄν εἰδέναι: *that I might know*; ind. disc.
equiv. to potential opt. in direct disc.
4 δὲ οὖν: *but in any case; at all events* (2929)
5 ὧν: *which*; ἅ, acc. attracted into the gen.

ΣΩ. τί δέ; τόδε οὐκ ὀρθῶς, ὅτι ἀληθὴς δόξα ἡγουμένη
τὸ ἔργον ἑκάστης τῆς πράξεως οὐδὲν χεῖρον ἀπεργάζεται ἢ
ἐπιστήμη;

ΜΕΝ. καὶ τοῦτο δοκεῖς μοι ἀληθῆ λέγειν.   10

ΣΩ. οὐδὲν ἄρα ὀρθὴ δόξα ἐπιστήμης χεῖρον οὐδὲ ἧττον c
ὠφελίμη ἔσται εἰς τὰς πράξεις, οὐδὲ ἀνὴρ ὁ ἔχων ὀρθὴν
δόξαν ἢ ὁ ἐπιστήμην.

ΜΕΝ. ἔστι ταῦτα.

ΣΩ. καὶ μὴν ὅ γε ἀγαθὸς ἀνὴρ ὠφέλιμος ἡμῖν ὡμο-   5
λόγηται εἶναι.

ΜΕΝ. ναί.

ΣΩ. ἐπειδὴ τοίνυν οὐ μόνον δι' ἐπιστήμην ἀγαθοὶ ἄνδρες
ἂν εἶεν καὶ ὠφέλιμοι ταῖς πόλεσιν, εἴπερ εἶεν, ἀλλὰ καὶ δι'
ὀρθὴν δόξαν, τούτοιν δὲ οὐδέτερον φύσει ἐστὶν τοῖς ἀνθρώ- 10

ἀπ-εργάζομαι: to finish off, complete, 1
ἔργον, τό: deed, act; work; result, effect, 6
ἥττων, -ον: less, weaker, inferior, 8

b7 τί δέ: *What then?*; 'what about this' offers
surprise and introduces another question
τόδε οὐκ ὀρθῶς (λέγω): *do I not (speak)
the following correctly...*
ὅτι: *(namely) that...*; ind. disc.
ἡγουμένη: *(when) guiding*
8 τὸ ἔργον: *the result*
οὐδὲν: *not at all*; acc. of extent in degree
χεῖρον: neut. comparative adj.
1 καὶ τοῦτο...λέγειν: *this also you seem to
speak truthfully*; likely, τοῦτο is obj. of
ἀληθῆ λέγειν, which is treated here as a
single verb that governs an acc. obj.
c1 οὐδὲν: *not at all*; modifying χεῖρον, which
is a neut. pred. adj.
ἐπιστήμης: gen. of comparison
ἥττον: comparative adv. with ὠφελίμη
2 ἔσται: 3s fut. εἰμί
εἰς τὰς πράξεις: *for...*; expressing purpose
οὐδὲ: *nor*

οὐδέτερος, -α, -ον: not either, neither, 1
πρᾶξις, -εως ἡ: action, activity, transaction, 8
χείρων, -ον: worse, more severe, inferior, 6

ἀνὴρ ὁ ἔχων ὀρθὴν δόξαν (χείρων οὐδὲ
ἧττον ὠφέλιμος ἔσται) ἢ (ἀνὴρ) ὁ (ἔχων)
ἐπιστήμην: heavy ellipsis; this clause is
parallel to the clause above
4 ἔστι: *are the case*; i.e. are true
5 καὶ μὴν...γε: *and certainly...*; marks a
transition of greater importance (S2921),
γε emphasizes the preceding world; the
article ὁ gains an accent from γε
ὠφέλιμος (εἶναι): nom. pred., add inf.
ὡμολόγηται: pf. pass. with dat. of agent
8 οὐ μόνον...ἀλλὰ καὶ: *not only...but also*
ἀγαθοὶ...καὶ ὠφέλιμοι: nom. pred.
ἂν εἶεν: *would...*; 3p potential opt. εἰμί
ταῖς πόλεσιν: *for...*; dat. of interest
9 εἴπερ εἶεν: *if they should be*; 3p opt. εἰμί
10 τούτοιν...τοῖς ἀνθρώποις: *and (since)
humans have neither of these by nature*
τούτοιν: dual gen.
φύσει: *by...*; φύσε-ι, dat. of means, φύσις
τοῖς ἀνθρώποις: dat. of possession

ποις, οὔτε ἐπιστήμη οὔτε δόξα ἀληθής, †οὗτ᾽ ἐπίκτητα—ἢ d
δοκεῖ σοι φύσει ὁποτερονοῦν αὐτοῖν εἶναι;

ΜΕΝ. οὐκ ἔμοιγε.

ΣΩ. οὐκοῦν ἐπειδὴ οὐ φύσει, οὐδὲ οἱ ἀγαθοὶ φύσει
εἶεν ἄν. 5

ΜΕΝ. οὐ δῆτα.

ΣΩ. ἐπειδὴ δέ γε οὐ φύσει, ἐσκοποῦμεν τὸ μετὰ τοῦτο
εἰ διδακτόν ἐστιν.

ΜΕΝ. ναί.

ΣΩ. οὐκοῦν διδακτὸν ἔδοξεν εἶναι, εἰ φρόνησις ἡ ἀρετή; 10

ΜΕΝ. ναί.

ΣΩ. κἂν εἴ γε διδακτὸν εἴη, φρόνησις ἂν εἶναι;

ΜΕΝ. πάνυ γε.

ΣΩ. καὶ εἰ μέν γε διδάσκαλοι εἶεν, διδακτὸν ἂν εἶναι, e
μὴ ὄντων δὲ οὐ διδακτόν;

δῆτα: certainly, to be sure, of course, 7
ἐπί-κτητος, -ον: acquired, gained, 1

ὁπότεροσοῦν, -α, -ον: either of two, 1

d1 οὔτε...ἀληθής: in apposition to οὐδέτερον
†οὗτ᾽: the single obelus symbol indicates
that the one word is corrupt, but the editor
does not know how to emend it.
οὔτ᾽ ἐπίκτητα...εἶναι: ...nor acquired—or
does it seem to you that either of them
exists by nature
4 οὐ φύσει (ὁποτερονοῦν αὐτοῖν ἐστίν):
not (either of them exists) by nature;
ellipsis, add subject and verb from above
οὐδὲ: and...not; equiv. to οὐ καὶ
5 εἶεν ἄν: would...; 3p potential opt. εἰμί
7 δέ γε: yes, and...; in dialogue, δὲ γε picks
up from another's reply and joins the
speaker's words with the previous words
(D154); Some suggest δέ γε is used to
indicate a new premise in the argument.

οὐ φύσει: see not for d4
τὸ μετὰ τοῦτο: next; 'after this,' i.e. 96b
εἰ...: whether...; ind. question
12 φρόνησις (ἐστίν): nom. pred., add verb
κ(αὶ) ἂν εἰ γε (διδακτὸν) εἴη, (φρόνησις)
(ἔδοξεν) ἂν εἶναι: yes, and if...it should,
would...; fut. less vivid (εἰ opt., ἄν + opt.);
with duplicated ἄν; καὶ γε in a reply can
means 'yes, and...'
e1 καὶ εἰ μὲν γε: yes, and if...; fut. less vivid;
supply ἔδοξεν to the apodosis ἂν εἶναι
2 μὴ ὄντων (διδασκάλων): but if...not...;
gen. abs. conditional in sense
οὐ διδακτόν (ἔδοξεν ἂν εἶναι): supply the
rest of the apodosis from above

MEN. οὕτω.

ΣΩ. ἀλλὰ μὴν ὡμολογήκαμεν μὴ εἶναι αὐτοῦ διδασκά-
λους; 5

MEN. ἔστι ταῦτα.

ΣΩ. ὡμολογήκαμεν ἄρα μήτε διδακτὸν αὐτὸ μήτε φρό-
νησιν εἶναι;

MEN. πάνυ γε.

ΣΩ. ἀλλὰ μὴν ἀγαθόν γε αὐτὸ ὁμολογοῦμεν εἶναι; 10

MEN. ναί.

ΣΩ. ὡφέλιμον δὲ καὶ ἀγαθὸν εἶναι τὸ ὀρθῶς ἡγούμενον;

MEN. πάνυ γε.

ΣΩ. ὀρθῶς δέ γε ἡγεῖσθαι δύο ὄντα ταῦτα μόνα, δόξαν 99
τε ἀληθῆ καὶ ἐπιστήμην, ἃ ἔχων ἄνθρωπος ὀρθῶς ἡγεῖται—

---

4 ἀλλὰ μὴν: *well certainly*...; introducing a
new point in reply (S2786, D346)
ὡμολογήκαμεν: pf. ὁμολογέω
μὴ εἶναι: *that...not*...; ind. disc., μή is likely
used instead of οὐ because the verb is an
expression of subjective belief instead of
fact (S2723)
αὐτοῦ: i.e. ἀρετῆς
6 ἔστι: *are the case*; i.e. are true
μήτε...μήτε: *that neither...nor*...; ind. disc.,
see note on μή for e4
αὐτὸ (εἶναι): *that it*...; i.e. ἀρετὴν, acc.
subj.
10 ἀλλὰ μὴν...γε: *but certainly...indeed*;
introducing a new point in reply (S2786,
D346), γε emphasizes the intervening word

12 τὸ ὀρθῶς ἡγούμενον: *that the thing*...;
acc. subj. in ind. disc. governed by
ὡμολογήκαμεν; mid. ἡγέομαι 'guide;'
see 88b -e for the discussion;
99a δέ γε: *yes, and*...; in dialogue, δέ γε
picks up from another's reply and joins the
speaker's words with the his previous
words (D154); Some suggest δέ γε is used
to indicate a new premise in the argument.
ὀρθῶς...ἡγεῖσθαι...ταῦτα μόνα: *that these
alone*...; ind. disc., add ὡμολογήκαμεν;
see 96e-97c for the discussion;
δύο ὄντα: pple εἰμί and pred. modifying
ταῦτα
δόξαν...ἐπιστήμην: in apposition

τὰ γὰρ ἀπὸ τύχης τινὸς ὀρθῶς γιγνόμενα οὐκ ἀνθρωπίνῃ
ἡγεμονίᾳ γίγνεται—ὧν δὲ ἄνθρωπος ἡγεμών ἐστιν ἐπὶ τὸ
ὀρθόν, δύο ταῦτα, δόξα ἀληθὴς καὶ ἐπιστήμη.   5

ΜΕΝ. δοκεῖ μοι οὕτω.

ΣΩ. οὐκοῦν ἐπειδὴ οὐ διδακτόν ἐστιν, οὐδ' ἐπιστήμη δὴ
ἔτι γίγνεται ἡ ἀρετή;

ΜΕΝ. οὐ φαίνεται.

ΣΩ. δυοῖν ἄρα ὄντοιν ἀγαθοῖν καὶ ὠφελίμοιν τὸ μὲν b
ἕτερον ἀπολέλυται, καὶ οὐκ ἂν εἴη ἐν πολιτικῇ πράξει
ἐπιστήμη ἡγεμών.

ΜΕΝ. οὔ μοι δοκεῖ.

ΣΩ. οὐκ ἄρα σοφίᾳ τινὶ οὐδὲ σοφοὶ ὄντες οἱ τοιοῦτοι 5
ἄνδρες ἡγοῦντο ταῖς πόλεσιν, οἱ ἀμφὶ Θεμιστοκλέα τε καὶ

ἀμφί: around, about, regarding, (acc), 1
ἀνθρώπινος, -η, -ον: of a human, human, 1
ἀπο-λύω: to let go, set free, loosen, 1
ἡγεμονία, ἡ: guidance, leadership, rule, 1
ἡγεμών, ονος, ὁ, ἡ: guide, leader, 4

a3 τὰ...γιγνόμενα: *the things...*; or 'what
comes to be...' a substantive formed from
the middle participle which is conditional
in sense: i.e. 'if things come to be...'
ἀνθρωπίνῃ ἡγεμονίᾳ: dat. of means
4 ὧν δὲ: *but (the things) for which...*;
(ταῦτα) ὧν; relative clause, the missing
antecedent is subject of the main clause
ἐπὶ τὸ ὀρθόν: *to the correct (outcome)*
5 δύο ταῦτα (ἐστίν): nom. pred., add verb
δόξα ἀληθὴς καὶ ἐπιστήμη: in apposition to
δύο ταῦτα
7 οὐδὲ: *also...not*; equiv. to οὐ καὶ

Θεμιστοκλέης, -εους, ὁ: Themistocles, 4
πολιτικός, -ή, -όν: political; *subst.* statesman 7
πρᾶξις, -εως ἡ: action, activity, transaction, 8
σοφός, -ή, -όν: wise, skilled, 9
τύχη, ἡ: fortune, luck, 1

δή: *then, accordingly*; inferential
8 γίγνεται: *proves to be, turns out to be*
b1 δυοῖν...ὠφελίμοιν: *of...*; partitive dual
gen. with dual gen. pple εἰμί; i.e.
knowledge and true opinion
τὸ μὲν ἕτερον: i.e. knowledge
2 ἀπολέλυται: pf. pass.
ἂν εἴη: potential opt. εἰμί
5 σοφίᾳ τινὶ: *by...*; dat. of means
ταῖς πόλεσιν: dat. obj. of main verb
6 οἱ ἀμφὶ Θεμιστοκλέα: *those...*; i.e. the
supporters of Themistocles

οὓς ἄρτι Ἄνυτος ὅδε ἔλεγεν· διὸ δὴ καὶ οὐχ οἷοί τε ἄλλους
ποιεῖν τοιούτους οἷοι αὐτοί εἰσι, ἅτε οὐ δι' ἐπιστήμην ὄντες
τοιοῦτοι.

ΜΕΝ. ἔοικεν οὕτως ἔχειν, ὦ Σώκρατες, ὡς λέγεις.   10

ΣΩ. οὐκοῦν εἰ μὴ ἐπιστήμῃ, εὐδοξίᾳ δὴ τὸ λοιπὸν
γίγνεται· ᾗ οἱ πολιτικοὶ ἄνδρες χρώμενοι τὰς πόλεις ὀρ- c
θοῦσιν, οὐδὲν διαφερόντως ἔχοντες πρὸς τὸ φρονεῖν ἢ οἱ
χρησμῳδοί τε καὶ οἱ θεομάντεις· καὶ γὰρ οὗτοι ἐνθου-
σιῶντες λέγουσιν μὲν ἀληθῆ καὶ πολλά, ἴσασι δὲ οὐδὲν ὧν
λέγουσιν.   5

ΜΕΝ. κινδυνεύει οὕτως ἔχειν.

ΣΩ. οὐκοῦν, ὦ Μένων, ἄξιον τούτους θείους καλεῖν
τοὺς ἄνδρας, οἵτινες νοῦν μὴ ἔχοντες πολλὰ καὶ μεγάλα
κατορθοῦσιν ὧν πράττουσι καὶ λέγουσι;

ἄξιος, -α, -ον: worthy of, deserving of (gen) 7
ἄρτι: just, exactly; just now, 9
ἅτε: inasmuch as, since (+ pple.), 5
δια-φερόντως: differently, 1
διό: δι' ὅ, for which reason, for this reason, 1
ἐν-θουσιάζω: to be inspired, possessed, 2
εὐ-δοξία, ἡ: good opinion; good repute, 1
θεῖος, -α, -ον: divine, god-sent, 9
θεόμαντις, -εως, ὁ: prophet; inspired person, 1

κατ-ορθόω: set upright, guide successfully, 2
κινδυνεύω: run the risk, be likely (inf.), 6
λοιπός, -ή, -όν: remaining, the rest, 2
μέγας, μεγάλη, μέγα: big, great, important 7
ὀρθόω: to set upright, guide successfully, 1
πολιτικός, -ή, -όν: political; *subst.* statesman 7
φρονέω: to think; be prudent, wise, 3
χράομαι: to use, employ, experience (dat.) 4
χρησμῳδός, ὁ: oracle-diviner, soothesayer, 2

b7 οὓς: *(those) whom...*; relative clause, the
   missing antecedent is nom. pl.
  δή: *just, very, exactly*; intensive
  οἷοί τε (εἰσίν): + inf. is a common idiom for
   'are able;' supply the main verb
8 ποιεῖν: governs a double acc.
  οἷοι...εἰσι: relative clause, οἷοι is correlative
   with τοιούτους: 'the sort who
  ἅτε...: *inasmuch as...*; 'since...'ἅτε + pple
   denotes a cause from a speaker's viewpoint
   pple εἰμί
10 οὕτως ἔχειν: ἔχω ('is disposed' or 'hold')
   + adv. is often translated as εἰμί + adj.
  ὡς...: *as...*; clause of comparison, ὡς is
   correlative with οὕτως
11 ἐπιστήμῃ, εὐδοξίᾳ: *by...*; dat. cause/means
  δή: *then, accordingly*; inferential
c1 ᾗ...: *which...*; relative, dat. obj. of
  χρώμενοι; the antecedent is εὐδοξίᾳ

οἱ πολιτικοὶ ἄνδρες: *statesmen, politicians*
2 οὐδὲν: *not at all, in no way*; extent in degree
  διαφερόντως ἔχοντες: see note for b10
  πρὸς...: *regarding...*
  τὸ φρονεῖν: articular inf., translate as a
   gerund (-ing)
3 καὶ γὰρ: *for in fact*
  ἐνθουσιῶντες: contracted pres. pple
   ἐνθουσιάζω
4 ἀληθῆ καὶ πολλά: describing a single
   neut. pl. object; ἀληθέα
  ἴσασι: 3p οἶδα
  ὧν: *which...*; (τούτων) ἃ; an acc. relative
   attracted into the partitive gen. of the
   missing antecedent
7 ἄξιον (ἐστίν): *it is worthwhile*; impersonal
8 νοῦν μὴ ἔχοντες: *although...*; concessive
  πολλὰ καὶ μεγάλα: one object, cf. 99c4
9 ὧν: *which...*; (τούτων) ἃ; see note 99c4

ΜΕΝ. πάνυ γε.　　10

ΣΩ. ὀρθῶς ἄρ' ἂν καλοῖμεν θείους τε οὓς νυνδὴ ἐλέγομεν
χρησμῳδοὺς καὶ μάντεις καὶ τοὺς ποιητικοὺς ἅπαντας· καὶ　d
τοὺς πολιτικοὺς οὐχ ἥκιστα τούτων φαῖμεν ἂν θείους τε εἶναι
καὶ ἐνθουσιάζειν, ἐπίπνους ὄντας καὶ κατεχομένους ἐκ τοῦ
θεοῦ, ὅταν κατορθῶσι λέγοντες πολλὰ καὶ μεγάλα πράγματα,
μηδὲν εἰδότες ὧν λέγουσιν.　　5

ΜΕΝ. πάνυ γε.

ΣΩ. καὶ αἵ γε γυναῖκες δήπου, ὦ Μένων, τοὺς ἀγαθοὺς
ἄνδρας θείους καλοῦσι· καὶ οἱ Λάκωνες ὅταν τινὰ ἐγκωμιά-
ζωσιν ἀγαθὸν ἄνδρα, 'θεῖος ἀνήρ,' φασίν, 'οὗτος.'

ΜΕΝ. καὶ φαίνονταί γε, ὦ Σώκρατες, ὀρθῶς λέγειν.　e
καίτοι ἴσως Ἄνυτος ὅδε σοι ἄχθεται λέγοντι.

ἅπας, ἅπασα, ἅπαν: every, quite all, 7
ἄχθομαι: to be annoyed, vexed at (dat.), 1
ἐγκωμιάζω: to praise, laud, extol, 1
ἐν-θουσιάζω: to be inspired; inspire, 2
ἐπί-πνεος, -εον: inspired, breathed on, 1
ἥκιστος, -η, -ον: least; not at all, 2
θεῖος, -α, -ον: divine, god-sent, 9
θεός, ὁ: a god, divinity, 2
καί-τοι: and yet, and indeed, and further, 4

κατ-έχω: to possess; hold fast, hold back, 3
κατ-ορθόω: to set upright, do successfully, 2
Λάκων,-ωνος, ὁ: a Laconian, Spartan 1
μάντις, -εως ὁ: seer, clairvoyant, 2
μέγας, μεγάλη, μέγα: big, great, important 7
μηδ-είς, μηδ-εμία, μηδ-έν: no one, nothing, 8
νυν-δή: just now, 8
ποιητικός, -ή, -όν: poetical; *subst.* poet, 1
χρησμῳδός, ὁ: oracle-diviner, soothsayer, 2

11 ἂν καλοῖμεν: potential opt. καλέω, with a
double acc. (acc. obj. and acc. pred.)
θείους τε οὓς νυνδὴ ἐλέγομεν: *(those)
divine, whom we just now were mentioning*;
τε connects θείους not with χρησμῳδοὺς...
but this clause with the clause καὶ (θείους)
τοὺς πολιτικοὺς that follows
d2 τοὺς πολιτικοὺς...: *that statesmen...*; acc.
subj. of ind. disc. governed by φαῖμεν
οὐκ ἥκιστα: i..e often; a stylistic device
called litotes, 'understatement;' superlative
adv. (as often formed from neut. acc. pl.)
φαῖμεν ἂν: 1p potential opt. φημί
3 κατεχομένους: *possessed*; pass. pple
ἐκ τοῦ θεοῦ: *from the god*; The use of the
definite article makes this phrase difficult

to interpret. Which god does Socrates
mean? Verdenius suggests that the phrase
means, 'from the god in question,' i.e. from
whichever god it may be.
4 ὅταν κατορθῶσι: *whenever...*; ἄν + 3p
pres. subj. in a general temporal clause
5 μηδὲν εἰδότες: *although...*; pple οἶδα
concessive in sense
ὧν: *(of the things) which*; (τούτων) ἃ
7 καί...γε: *yes, and...*
8 ὅταν...ἐγκωμιάζωσιν: *whenever...*; ἄν +
subj. in a general temporal clause
ἀγαθὸν ἄνδρα: *as...*
9 οὗτος (ἐστίν): *this one...*; add linking verb
καί...γε: *yes, and...*

ΣΩ. οὐδὲν μέλει ἔμοιγε. τούτῳ μέν, ὦ Μένων, καὶ αὖθις
διαλεξόμεθα· εἰ δὲ νῦν ἡμεῖς ἐν παντὶ τῷ λόγῳ τούτῳ καλῶς
ἐζητήσαμέν τε καὶ ἐλέγομεν, ἀρετὴ ἂν εἴη οὔτε φύσει οὔτε   5
διδακτόν, ἀλλὰ θείᾳ μοίρᾳ παραγιγνομένη ἄνευ νοῦ οἷς ἂν
παραγίγνηται, εἰ μή τις εἴη τοιοῦτος τῶν πολιτικῶν ἀνδρῶν   100
οἷος καὶ ἄλλον ποιῆσαι πολιτικόν. εἰ δὲ εἴη, σχεδὸν ἄν τι
οὗτος λέγοιτο τοιοῦτος ἐν τοῖς ζῶσιν οἷον ἔφη Ὅμηρος ἐν
τοῖς τεθνεῶσιν τὸν Τειρεσίαν εἶναι, λέγων περὶ αὐτοῦ, ὅτι
οἶος πέπνυται τῶν ἐν Ἅιδου, τοὶ δὲ σκιαὶ ἀίσσουσι.   5
ταὐτὸν ἂν καὶ ἐνθάδε ὁ τοιοῦτος ὥσπερ παρὰ σκιὰς ἀληθὲς
ἂν πρᾶγμα εἴη πρὸς ἀρετήν.

ΜΕΝ. κάλλιστα δοκεῖς μοι λέγειν, ὦ Σώκρατες.   b

ΣΩ. ἐκ μὲν τοίνυν τούτου τοῦ λογισμοῦ, ὦ Μένων, θείᾳ
μοίρᾳ ἡμῖν φαίνεται παραγιγνομένη ἡ ἀρετὴ οἷς ἂν παρα-

Ἅιδης, Ἅιδου ὁ: Hades, 2
ἀίσσω: to dart, shoot, flitter, 1
ἄνευ: without, 5
αὖθις: again, back again, later, 1
δια-λέγομαι: to converse with, discuss, 3
ἐνθάδε: here hither; thither, there, 7
ζάω: to live, 1
θεῖος, -α, -ον: divine, god-sent, 9
θνήσκω: to die, perish, 1
λογισμός, ὁ: calculation, reasoning, 2

μέλει: it is a care for (dat.) for (gen.), 2
μοῖρα, ἡ: dispensation, lot; portion, share, 2
οἶος, -α, -ον: alone, 1
Ὅμηρος, ὁ: Homer, 1
παρα-γίγνομαι: come (to, near), be present, 8
πέπνυμαι: to be wise, fully conscious, 1
πολιτικός, -ή, -όν: political; *subst.* statesman 7
σκιά, ἡ: shadow, 2
σχεδόν: nearly, almost, just about, 1
Τειρεσίας, ὁ: Tiresias, 1

e3 οὐδὲν: *not at all*; 'no care,' inner acc.
τούτῳ: *with this one*; i.e. Anytus
4 καλῶς: *well*
5 ἂν εἴη...εἰ μή...εἴη: *would..., unless...
should*; fut. less vivid (εἰ opt., ἂν opt.) εἰμί
φύσει: *by...*; φύσε-ι, dat. of means, φύσις
6 θείᾳ μοίρᾳ: *by...*; dat. of means
παραγιγνομένη: assume ἀρετή as subject
οἷς: *(to these) to whomever*; (τούτοις) οἷς
100a εἰ μή: *unless*
τῶν πολιτικῶν ἀνδρῶν: *of the statesmen*
2 οἷος...ποιῆσαι: *the sort to...*; οἷος, 'fit to' +
inf. expresses result (S2497)
εἰ δὲ εἴη, ἂν λέγοιτο: *but if he should...*;
would...; fut. less vivid (εἰ opt., ἂν opt.)
σχεδόν τι: *just about*; (S1268)
3 ἐν τοῖς ζῶσιν: *among those...*; pple ζάω
οἷον...τὸν Τειρεσίαν εἶναι: *which sort...*;

ind. disc.
ἐν τοῖς τεθνεῶσιν: *among those...*; dat. pf.
pple θνήσκω
4 ὅτι: *that...*; ind. disc., see *Odyssey* X.495
5 οἶος: *he alone*; note the smooth breathing
mark: οἶος, 'alone' to οἷος, 'which sort'
ἐν Ἅιδου: *in (the house) of Hades*
τοὶ δὲ: *but these...*; in Homer, nom. pl. of ὁ,
ἡ, τὸ behaves as a demonstrative (S1100)
6 ταὐτὸν: *in the same way*; adv. acc.
ὁ τοιοῦτος: *such a man, this sort of man*
παρὰ σκιὰς: *alongside...*; place to which
ἀληθὲς πρᾶγμα: *the real thing*; pred.
7 πρὸς: *regarding...*
b1 κάλλιστα: superlative adv. καλῶς
2 θείᾳ μοίρᾳ: *by...*; dat. of means
3 φαίνεται παραγιγνομένη: *is clearly
coming*; 'is shown to come,' pass. (S2143)

γίγνηται· τὸ δὲ σαφὲς περὶ αὐτοῦ εἰσόμεθα τότε, ὅταν πρὶν
ᾧτινι τρόπῳ τοῖς ἀνθρώποις παραγίγνεται ἀρετή, πρότερον 5
ἐπιχειρήσωμεν αὐτὸ καθ᾽ αὑτὸ ζητεῖν τί ποτ᾽ ἔστιν ἀρετή.
νῦν δ᾽ ἐμοὶ μὲν ὥρα ποι ἰέναι, σὺ δὲ ταὐτὰ ταῦτα ἅπερ
αὐτὸς πέπεισαι πεῖθε καὶ τὸν ξένον τόνδε Ἄνυτον, ἵνα
πρᾳότερος ᾖ· ὡς ἐὰν πείσῃς τοῦτον, ἔστιν ὅ τι καὶ Ἀθη- c
ναίους ὀνήσεις.

Ἀθηναῖος, ὁ: an Athenian, 9
ἔρχομαι: to come or go, 6
ἵνα: in order that, so that (subj.); where, 9
ὀνίνημι: to profit, benefit; be advantageous, 2
παρα-γίγνομαι: come (to, near), be present, 8
πείθω: to persuade (acc) of (acc); *mid.* obey, 8

b3 **οἷς ἂν παραγίγνηται**: *to whomever*...;
general relative clause with ἄν + subj.
4 **τὸ σαφὲς**: *the clear truth*; 'something
certain'
αὐτοῦ: i.e, ἀρετῆς
εἰσόμεθα: 1s fut. dep. οἶδα
ὅταν...ἐπιχειρήσωμεν: *whenever*...;
general temporal clause with 1p aor. subj.
πρὶν...παραγίγνεται ἀρετή (ζητεῖν):
before (we seek)...; πρίν + inf. (S2453);
supply the missing inf. ζητεῖν, which is
repeated in the main clause
5 **ᾧτινι τρόπῳ...παραγίγνεται ἀρετή**:
in whatever way...; ind. question governed
by the missing inf. ζητεῖν in the πρίν
clause;dat. of manner and dat. of compound
verb
πρότερον: *first*; 'previously' comparative
adv.
6 **αὐτὸ καθ᾽ (ἑ)αυτὸ**: *itself in itself*; these
neuter intensive and reflexive pronouns
refer to ἀρετή and should be translated
immediately after ἀρετή. Although this
phrase is used frequently in the *Republic*,
this is the first and only instance in the
Meno.

ποι: (to) somewhere, somewhither, 1
πρᾶος, -ον: mild, gentle, soft, 2
πρίν: before (+ inf), until (+ subj.), 5
σαφής, -ές: plain, clear, distinct; reliable, 1
τότε: at that time, then, 6
ὥρα, ἡ: time, period of time, season, 2

τί ποτ᾽ ἔστιν ἀρετή: *what in the world*...;
ind. question governed by ζητεῖν; for τί
ποτε, see S346c
7 **ὥρα (ἐστίν)**: *it is*...; impersonal
ἰέναι: inf. ἔρχομαι
τ(ὰ) αὐτὰ ταῦτα: *of*...; neuter acc. pl.
either (1) acc. of respect or more likely (2)
the 2nd acc. obj. of πεῖθε; αὐτός in the
attributive position means 'same'
ἅπερ: *of which*...; just as above, this neuter
acc. pl. is either (1) acc. of respect or more
likely (2) the acc. obj. of πέπεισαι
8 **πέπεισαι**: 2s pf. pass. πείθω
πεῖθε: imper. with a double acc.
καὶ: *also*
ἵνα...ᾖ: *so that...may*...; purpose clause
with 3s subj. εἰμί
c1 **ἔστιν ὅ τι**...: *some (benefit)*...; 'there is
(something) which...' ἔστιν ὅτι can mean
(1) 'it is possible that' but is more likely
(2) ἔστιν ὅ τι (neut. relative, ἔστιν ὅστις),
which is often translated as an indefinite
pronoun: 'something' (S2513); This
construction is an inner acc. of ὀνήσεις
2 **ὀνήσεις**: 2s fut. ὀνίνημι

Greek Text

For Classroom Use

ΜΕΝΩΝ

ΜΕΝΩΝ   ΣΩΚΡΑΤΗΣ   ΠΑΙΣ ΜΕΝΩΝΟΣ   ΑΝΥΤΟΣ

ΜΕΝ. ἔχεις μοι εἰπεῖν, ὦ Σώκρατες, ἆρα διδακτὸν ἡ   70a
ἀρετή; ἢ οὐ διδακτὸν ἀλλ᾽ ἀσκητόν; ἢ οὔτε ἀσκητὸν οὔτε
μαθητόν, ἀλλὰ φύσει παραγίγνεται τοῖς ἀνθρώποις ἢ ἄλλῳ
τινὶ τρόπῳ;

ΣΩ. ὦ Μένων, πρὸ τοῦ μὲν Θετταλοὶ εὐδόκιμοι ἦσαν   5
ἐν τοῖς Ἕλλησιν καὶ ἐθαυμάζοντο ἐφ᾽ ἱππικῇ τε καὶ πλούτῳ,
νῦν δέ, ὡς ἐμοὶ δοκεῖ, καὶ ἐπὶ σοφίᾳ, καὶ οὐχ ἥκιστα οἱ τοῦ   b
σοῦ ἑταίρου Ἀριστίππου πολῖται Λαρισαῖοι. τούτου δὲ ὑμῖν
αἴτιός ἐστι Γοργίας· ἀφικόμενος γὰρ εἰς τὴν πόλιν ἐραστὰς
ἐπὶ σοφίᾳ εἴληφεν Ἀλευαδῶν τε τοὺς πρώτους, ὧν ὁ σὸς
ἐραστής ἐστιν Ἀρίστιππος, καὶ τῶν ἄλλων Θετταλῶν. καὶ   5
δὴ καὶ τοῦτο τὸ ἔθος ὑμᾶς εἴθικεν, ἀφόβως τε καὶ μεγαλο-
πρεπῶς ἀποκρίνεσθαι ἐάν τίς τι ἔρηται, ὥσπερ εἰκὸς τοὺς
εἰδότας, ἅτε καὶ αὐτὸς παρέχων αὑτὸν ἐρωτᾶν τῶν Ἑλλήνων   c
τῷ βουλομένῳ ὅ τι ἄν τις βούληται, καὶ οὐδενὶ ὅτῳ οὐκ
ἀποκρινόμενος. ἐνθάδε δέ, ὦ φίλε Μένων, τὸ ἐναντίον
περιέστηκεν· ὥσπερ αὐχμός τις τῆς σοφίας γέγονεν, καὶ κιν-
δυνεύει ἐκ τῶνδε τῶν τόπων παρ᾽ ὑμᾶς οἴχεσθαι ἡ σοφία. εἰ   71
γοῦν τινα ἐθέλεις οὕτως ἐρέσθαι τῶν ἐνθάδε, οὐδεὶς ὅστις οὐ
γελάσεται καὶ ἐρεῖ· ‘ὦ ξένε, κινδυνεύω σοι δοκεῖν μακάριός
τις εἶναι—ἀρετὴν γοῦν εἴτε διδακτὸν εἴθ᾽ ὅτῳ τρόπῳ παρα-

97

γίγνεται εἰδέναι—ἐγὼ δὲ τοσοῦτον δέω εἴτε διδακτὸν εἴτε 5
μὴ διδακτὸν εἰδέναι, ὥστ᾽ οὐδὲ αὐτὸ ὅ τι ποτ᾽ ἐστὶ τὸ παράπαν
ἀρετὴ τυγχάνω εἰδώς.᾽

ἐγὼ οὖν καὶ αὐτός, ὦ Μένων, οὕτως ἔχω· συμπένομαι b
τοῖς πολίταις τούτου τοῦ πράγματος, καὶ ἐμαυτὸν κατα-
μέμφομαι ὡς οὐκ εἰδὼς περὶ ἀρετῆς τὸ παράπαν· ὃ δὲ μὴ
οἶδα τί ἐστιν, πῶς ἂν ὁποῖόν γέ τι εἰδείην; ἢ δοκεῖ σοι
οἷόν τε εἶναι, ὅστις Μένωνα μὴ γιγνώσκει τὸ παράπαν ὅστις 5
ἐστίν, τοῦτον εἰδέναι εἴτε καλὸς εἴτε πλούσιος εἴτε καὶ
γενναῖός ἐστιν, εἴτε καὶ τἀναντία τούτων; δοκεῖ σοι οἷόν τ᾽
εἶναι;

ΜΕΝ. οὐκ ἔμοιγε. ἀλλὰ σύ, ὦ Σώκρατες, ἀληθῶς
οὐδ᾽ ὅ τι ἀρετή ἐστιν οἶσθα, ἀλλὰ ταῦτα περὶ σοῦ καὶ οἴκαδε c
ἀπαγγέλλωμεν;

ΣΩ. μὴ μόνον γε, ὦ ἑταῖρε, ἀλλὰ καὶ ὅτι οὐδ᾽ ἄλλῳ πω
ἐνέτυχον εἰδότι, ὡς ἐμοὶ δοκῶ.

ΜΕΝ. τί δέ; Γοργίᾳ οὐκ ἐνέτυχες ὅτε ἐνθάδε ἦν; 5

ΣΩ. ἔγωγε.

ΜΕΝ. εἶτα οὐκ ἐδόκει σοι εἰδέναι;

ΣΩ. οὐ πάνυ εἰμὶ μνήμων, ὦ Μένων, ὥστε οὐκ ἔχω
εἰπεῖν ἐν τῷ παρόντι πῶς μοι τότε ἔδοξεν. ἀλλ᾽ ἴσως
ἐκεῖνός τε οἶδε, καὶ σὺ ἃ ἐκεῖνος ἔλεγε· ἀνάμνησον οὖν 10
με πῶς ἔλεγεν. εἰ δὲ βούλει, αὐτὸς εἰπέ· δοκεῖ γὰρ δήπου d
σοὶ ἅπερ ἐκείνῳ.

ΜΕΝ. ἔμοιγε.

ΣΩ. ἐκεῖνον μὲν τοίνυν ἐῶμεν, ἐπειδὴ καὶ ἄπεστιν· σὺ
δὲ αὐτός, ὦ πρὸς θεῶν, Μένων, τί φῂς ἀρετὴν εἶναι; εἶπον 5
καὶ μὴ φθονήσῃς, ἵνα εὐτυχέστατον ψεῦσμα ἐψευσμένος ὦ,

ἂν φανῆς σὺ μὲν εἰδὼς καὶ Γοργίας, ἐγὼ δὲ εἰρηκὼς μηδενὶ
πώποτε εἰδότι ἐντετυχηκέναι.

ΜΕΝ. ἀλλ' οὐ χαλεπόν, ὦ Σώκρατες, εἰπεῖν. πρῶτον e
μέν, εἰ βούλει ἀνδρὸς ἀρετήν, ῥᾴδιον, ὅτι αὕτη ἐστὶν ἀνδρὸς
ἀρετή, ἱκανὸν εἶναι τὰ τῆς πόλεως πράττειν, καὶ πράττοντα
τοὺς μὲν φίλους εὖ ποιεῖν, τοὺς δ' ἐχθροὺς κακῶς, καὶ αὐτὸν
εὐλαβεῖσθαι μηδὲν τοιοῦτον παθεῖν. εἰ δὲ βούλει γυναικὸς 5
ἀρετήν, οὐ χαλεπὸν διελθεῖν, ὅτι δεῖ αὐτὴν τὴν οἰκίαν εὖ
οἰκεῖν, σῴζουσάν τε τὰ ἔνδον καὶ κατήκοον οὖσαν τοῦ ἀνδρός.
καὶ ἄλλη ἐστὶν παιδὸς ἀρετή, καὶ θηλείας καὶ ἄρρενος, καὶ
πρεσβυτέρου ἀνδρός, εἰ μὲν βούλει, ἐλευθέρου, εἰ δὲ βούλει,
δούλου. καὶ ἄλλαι πάμπολλαι ἀρεταί εἰσιν, ὥστε οὐκ 72
ἀπορία εἰπεῖν ἀρετῆς πέρι ὅ τι ἐστίν· καθ' ἑκάστην γὰρ
τῶν πράξεων καὶ τῶν ἡλικιῶν πρὸς ἕκαστον ἔργον ἑκάστῳ
ἡμῶν ἡ ἀρετή ἐστιν, ὡσαύτως δὲ οἶμαι, ὦ Σώκρατες, καὶ ἡ
κακία. 5

ΣΩ. πολλῇ γέ τινι εὐτυχίᾳ ἔοικα κεχρῆσθαι, ὦ Μένων,
εἰ μίαν ζητῶν ἀρετὴν σμῆνός τι ἀνηύρηκα ἀρετῶν παρὰ σοὶ
κείμενον. ἀτάρ, ὦ Μένων, κατὰ ταύτην τὴν εἰκόνα τὴν
περὶ τὰ σμήνη, εἴ μου ἐρομένου μελίττης περὶ οὐσίας ὅ τι b
ποτ' ἐστίν, πολλὰς καὶ παντοδαπὰς ἔλεγες αὐτὰς εἶναι, τί
ἂν ἀπεκρίνω μοι, εἴ σε ἠρόμην· 'ἆρα τούτῳ φῂς πολλὰς
καὶ παντοδαπὰς εἶναι καὶ διαφερούσας ἀλλήλων, τῷ μελίττας
εἶναι; ἢ τούτῳ μὲν οὐδὲν διαφέρουσιν, ἄλλῳ δέ τῳ, οἷον 5
ἢ κάλλει ἢ μεγέθει ἢ ἄλλῳ τῳ τῶν τοιούτων;' εἰπέ, τί ἂν
ἀπεκρίνω οὕτως ἐρωτηθείς;

ΜΕΝ. τοῦτ' ἔγωγε, ὅτι οὐδὲν διαφέρουσιν, ᾗ μέλιτται
εἰσίν, ἡ ἑτέρα τῆς ἑτέρας.

ΣΩ. εἰ οὖν εἶπον μετὰ ταῦτα· 'τοῦτο τοίνυν μοι c
αὐτὸ εἰπέ, ὦ Μένων· ᾧ οὐδὲν διαφέρουσιν ἀλλὰ ταὐτόν

εἰσιν ἅπασαι, τί τοῦτο φῇς εἶναι;' εἶχες δήπου ἄν τί μοι
εἰπεῖν;

ΜΕΝ. ἔγωγε. 5

ΣΩ. οὕτω δὴ καὶ περὶ τῶν ἀρετῶν· κἂν εἰ πολλαὶ καὶ
παντοδαπαί εἰσιν, ἕν γέ τι εἶδος ταὐτὸν ἅπασαι ἔχουσιν
δι' ὃ εἰσὶν ἀρεταί, εἰς ὃ καλῶς που ἔχει ἀποβλέψαντα τὸν
ἀποκρινόμενον τῷ ἐρωτήσαντι ἐκεῖνο δηλῶσαι, ὃ τυγχάνει
οὖσα ἀρετή· ἢ οὐ μανθάνεις ὅ τι λέγω; d

ΜΕΝ. δοκῶ γέ μοι μανθάνειν· οὐ μέντοι ὡς βούλομαί
γέ πω κατέχω τὸ ἐρωτώμενον.

ΣΩ. πότερον δὲ περὶ ἀρετῆς μόνον σοι οὕτω δοκεῖ, ὦ
Μένων, ἄλλη μὲν ἀνδρὸς εἶναι, ἄλλη δὲ γυναικὸς καὶ τῶν 5
ἄλλων, ἢ καὶ περὶ ὑγιείας καὶ περὶ μεγέθους καὶ περὶ ἰσχύος
ὡσαύτως; ἄλλη μὲν ἀνδρὸς δοκεῖ σοι εἶναι ὑγίεια, ἄλλη
δὲ γυναικός; ἢ ταὐτὸν πανταχοῦ εἶδός ἐστιν, ἐάνπερ ὑγίεια
ᾖ, ἐάντε ἐν ἀνδρὶ ἐάντε ἐν ἄλλῳ ὁτῳοῦν ᾖ; e

ΜΕΝ. ἡ αὐτή μοι δοκεῖ ὑγίειά γε εἶναι καὶ ἀνδρὸς καὶ
γυναικός.

ΣΩ. οὐκοῦν καὶ μέγεθος καὶ ἰσχύς; ἐάνπερ ἰσχυρὰ
γυνὴ ᾖ, τῷ αὐτῷ εἴδει καὶ τῇ αὐτῇ ἰσχύϊ ἰσχυρὰ ἔσται; τὸ 5
γὰρ τῇ αὐτῇ τοῦτο λέγω· οὐδὲν διαφέρει πρὸς τὸ ἰσχὺς εἶναι ἡ
ἰσχύς, ἐάντε ἐν ἀνδρὶ ᾖ ἐάντε ἐν γυναικί. ἢ δοκεῖ τί
σοι διαφέρειν;

ΜΕΝ. οὐκ ἔμοιγε.

ΣΩ. ἡ δὲ ἀρετὴ πρὸς τὸ ἀρετὴ εἶναι διοίσει τι, ἐάντε 73
ἐν παιδὶ ᾖ ἐάντε ἐν πρεσβύτῃ, ἐάντε ἐν γυναικὶ ἐάντε ἐν
ἀνδρί;

ΜΕΝ. ἔμοιγέ πως δοκεῖ, ὦ Σώκρατες, τοῦτο οὐκέτι
ὅμοιον εἶναι τοῖς ἄλλοις τούτοις. 5

ΣΩ. τί δέ; οὐκ ἀνδρὸς μὲν ἀρετὴν ἔλεγες πόλιν εὖ

διοικεῖν, γυναικὸς δὲ οἰκίαν; ΜΕΝ. ἔγωγε. ΣΩ. ἆρ'
οὖν οἷόν τε εὖ διοικεῖν ἢ πόλιν ἢ οἰκίαν ἢ ἄλλο ὁτιοῦν,
μὴ σωφρόνως καὶ δικαίως διοικοῦντα; ΜΕΝ. οὐ δῆτα.
ΣΩ. οὐκοῦν ἄνπερ δικαίως καὶ σωφρόνως διοικῶσιν, δι- b
καιοσύνῃ καὶ σωφροσύνῃ διοικήσουσιν; ΜΕΝ. ἀνάγκη.
ΣΩ. τῶν αὐτῶν ἄρα ἀμφότεροι δέονται, εἴπερ μέλλουσιν
ἀγαθοὶ εἶναι, καὶ ἡ γυνὴ καὶ ὁ ἀνήρ, δικαιοσύνης καὶ σω-
φροσύνης. ΜΕΝ. φαίνονται. ΣΩ. τί δὲ παῖς καὶ πρε- 5
σβύτης; μῶν ἀκόλαστοι ὄντες καὶ ἄδικοι ἀγαθοὶ ἄν ποτε
γένοιντο; ΜΕΝ. οὐ δῆτα. ΣΩ. ἀλλὰ σώφρονες καὶ
δίκαιοι; ΜΕΝ. ναί. ΣΩ. πάντες ἄρ' ἄνθρωποι τῷ αὐτῷ c
τρόπῳ ἀγαθοί εἰσιν· τῶν αὐτῶν γὰρ τυχόντες ἀγαθοὶ γί-
γνονται. ΜΕΝ. ἔοικε. ΣΩ. οὐκ ἂν δήπου, εἴ γε μὴ ἡ
αὐτὴ ἀρετὴ ἦν αὐτῶν, τῷ αὐτῷ ἂν τρόπῳ ἀγαθοὶ ἦσαν.
ΜΕΝ. οὐ δῆτα. 5

ΣΩ. ἐπειδὴ τοίνυν ἡ αὐτὴ ἀρετὴ πάντων ἐστίν, πειρῶ
εἰπεῖν καὶ ἀναμνησθῆναι τί αὐτό φησι Γοργίας εἶναι καὶ
σὺ μετ' ἐκείνου.

ΜΕΝ. τί ἄλλο γ' ἢ ἄρχειν οἷόν τ' εἶναι τῶν ἀνθρώπων;
εἴπερ ἕν γέ τι ζητεῖς κατὰ πάντων. d

ΣΩ. ἀλλὰ μὴν ζητῶ γε. ἀλλ' ἆρα καὶ παιδὸς ἡ αὐτὴ
ἀρετή, ὦ Μένων, καὶ δούλου, ἄρχειν οἵω τε εἶναι τοῦ δε-
σπότου, καὶ δοκεῖ σοι ἔτι ἂν δοῦλος εἶναι ὁ ἄρχων;

ΜΕΝ. οὐ πάνυ μοι δοκεῖ, ὦ Σώκρατες. 5

ΣΩ. οὐ γὰρ εἰκός, ὦ ἄριστε· ἔτι γὰρ καὶ τόδε σκόπει.
ἄρχειν φὴς οἷόν τ' εἶναι. οὐ προσθήσομεν αὐτόσε τὸ
δικαίως, ἀδίκως δὲ μή;

ΜΕΝ. οἶμαι ἔγωγε· ἡ γὰρ δικαιοσύνη, ὦ Σώκρατες,
ἀρετή ἐστιν. 10

ΣΩ. πότερον ἀρετή, ὦ Μένων, ἢ ἀρετή τις; e
ΜΕΝ. πῶς τοῦτο λέγεις;

ΣΩ. ὡς περὶ ἄλλου ὁτουοῦν. οἷον, εἰ βούλει, στρογ-
γυλότητος πέρι εἴποιμ' ἂν ἔγωγε ὅτι σχῆμά τί ἐστιν, οὐχ
οὕτως ἁπλῶς ὅτι σχῆμα. διὰ ταῦτα δὲ οὕτως ἂν εἴποιμι, 5
ὅτι καὶ ἄλλα ἔστι σχήματα.

ΜΕΝ. ὀρθῶς γε λέγων σύ, ἐπεὶ καὶ ἐγὼ λέγω οὐ μόνον
δικαιοσύνην ἀλλὰ καὶ ἄλλας εἶναι ἀρετάς.

ΣΩ. τίνας ταύτας; εἰπέ. οἷον καὶ ἐγώ σοι εἴποιμι ἂν 74
καὶ ἄλλα σχήματα, εἴ με κελεύοις· καὶ σὺ οὖν ἐμοὶ εἰπὲ
ἄλλας ἀρετάς.

ΜΕΝ. ἡ ἀνδρεία τοίνυν ἔμοιγε δοκεῖ ἀρετὴ εἶναι καὶ
σωφροσύνη καὶ σοφία καὶ μεγαλοπρέπεια καὶ ἄλλαι πάμ- 5
πολλαι.

ΣΩ. πάλιν, ὦ Μένων, ταὐτὸν πεπόνθαμεν· πολλὰς αὖ
ηὑρήκαμεν ἀρετὰς μίαν ζητοῦντες, ἄλλον τρόπον ἢ νυνδή·
τὴν δὲ μίαν, ἣ διὰ πάντων τούτων ἐστίν, οὐ δυνάμεθα
ἀνευρεῖν. 10

ΜΕΝ. οὐ γὰρ δύναμαί πω, ὦ Σώκρατες, ὡς σὺ ζητεῖς,
μίαν ἀρετὴν λαβεῖν κατὰ πάντων, ὥσπερ ἐν τοῖς ἄλλοις. b

ΣΩ. εἰκότως γε· ἀλλ' ἐγὼ προθυμήσομαι, ἐὰν οἷός τ'
ὦ, ἡμᾶς προβιβάσαι. μανθάνεις γάρ που ὅτι οὑτωσὶ ἔχει
περὶ παντός· εἴ τίς σε ἀνέροιτο τοῦτο ὃ νυνδὴ ἐγὼ ἔλεγον,
'τί ἐστιν σχῆμα, ὦ Μένων;' εἰ αὐτῷ εἶπες ὅτι στρογ- 5
γυλότης, εἴ σοι εἶπεν ἅπερ ἐγώ, 'πότερον σχῆμα ἡ στρογ-
γυλότης ἐστὶν ἢ σχῆμά τι;' εἶπες δήπου ἂν ὅτι σχῆμά τι.

ΜΕΝ. πάνυ γε.

ΣΩ. οὐκοῦν διὰ ταῦτα, ὅτι καὶ ἄλλα ἔστιν σχήματα; c

ΜΕΝ. ναί.

ΣΩ. καὶ εἴ γε προσανηρώτα σε ὁποῖα, ἔλεγες ἄν;

ΜΕΝ. ἔγωγε.

ΣΩ. καὶ αὖ εἰ περὶ χρώματος ὡσαύτως ἀνήρετο ὅ τι 5
ἐστίν, καὶ εἰπόντος σου ὅτι τὸ λευκόν, μετὰ ταῦτα ὑπέλαβεν
ὁ ἐρωτῶν· 'πότερον τὸ λευκὸν χρῶμά ἐστιν ἢ χρῶμά τι;'
εἶπες ἂν ὅτι χρῶμά τι, διότι καὶ ἄλλα τυγχάνει ὄντα;
ΜΕΝ. ἔγωγε.

ΣΩ. καὶ εἴ γέ σε ἐκέλευε λέγειν ἄλλα χρώματα, ἔλεγες 10
ἂν ἄλλα, ἃ οὐδὲν ἧττον τυγχάνει ὄντα χρώματα τοῦ λευκοῦ;   d
ΜΕΝ. ναί.

ΣΩ. εἰ οὖν ὥσπερ ἐγὼ μετῄει τὸν λόγον, καὶ ἔλεγεν
ὅτι 'ἀεὶ εἰς πολλὰ ἀφικνούμεθα, ἀλλὰ μή μοι οὕτως,
ἀλλ' ἐπειδὴ τὰ πολλὰ ταῦτα ἑνί τινι προσαγορεύεις ὀνό- 5
ματι, καὶ φῂς οὐδὲν αὐτῶν ὅ τι οὐ σχῆμα εἶναι, καὶ ταῦτα
καὶ ἐναντία ὄντα ἀλλήλοις, ὅ τι ἐστὶν τοῦτο ὃ οὐδὲν ἧττον
κατέχει τὸ στρογγύλον ἢ τὸ εὐθύ, ὃ δὴ ὀνομάζεις σχῆμα
καὶ οὐδὲν μᾶλλον φῂς τὸ στρογγύλον σχῆμα εἶναι ἢ τὸ   e
εὐθύ;' ἢ οὐχ οὕτω λέγεις;
ΜΕΝ. ἔγωγε.

ΣΩ. ἆρ' οὖν, ὅταν οὕτω λέγῃς, τότε οὐδὲν μᾶλλον φῂς
τὸ στρογγύλον εἶναι στρογγύλον ἢ εὐθύ, οὐδὲ τὸ εὐθὺ εὐθὺ 5
ἢ στρογγύλον;
ΜΕΝ. οὐ δήπου, ὦ Σώκρατες.

ΣΩ. ἀλλὰ μὴν σχῆμά γε οὐδὲν μᾶλλον φῂς εἶναι τὸ
στρογγύλον τοῦ εὐθέος, οὐδὲ τὸ ἕτερον τοῦ ἑτέρου.
ΜΕΝ. ἀληθῆ λέγεις. 10

ΣΩ. τί ποτε οὖν τοῦτο οὗ τοῦτο ὄνομά ἐστιν, τὸ σχῆμα;
πειρῶ λέγειν. εἰ οὖν τῷ ἐρωτῶντι οὕτως ἢ περὶ σχήματος 75
ἢ χρώματος εἶπες ὅτι 'ἀλλ' οὐδὲ μανθάνω ἔγωγε ὅ τι
βούλει, ὦ ἄνθρωπε, οὐδὲ οἶδα ὅ τι λέγεις,' ἴσως ἂν ἐθαύ-
μασε καὶ εἶπεν· 'οὐ μανθάνεις ὅ τι ζητῶ τὸ ἐπὶ πᾶσιν

τούτοις ταὐτόν·' ἢ οὐδὲ ἐπὶ τούτοις, ὦ Μένων, ἔχοις ἂν 5
εἰπεῖν, εἴ τίς σε ἐρωτῴη· 'τί ἐστιν ἐπὶ τῷ στρογγύλῳ
καὶ εὐθεῖ καὶ ἐπὶ τοῖς ἄλλοις, ἃ δὴ σχήματα καλεῖς, ταὐτὸν
ἐπὶ πᾶσιν·' πειρῶ εἰπεῖν, ἵνα καὶ γένηταί σοι μελέτη πρὸς
τὴν περὶ τῆς ἀρετῆς ἀπόκρισιν.

ΜΕΝ. μή, ἀλλὰ σύ, ὦ Σώκρατες, εἰπέ.   b

ΣΩ. βούλει σοι χαρίσωμαι;

ΜΕΝ. πάνυ γε.

ΣΩ. ἐθελήσεις οὖν καὶ σὺ ἐμοὶ εἰπεῖν περὶ τῆς ἀρετῆς;

ΜΕΝ. ἔγωγε.   5

ΣΩ. προθυμητέον τοίνυν· ἄξιον γάρ.

ΜΕΝ. πάνυ μὲν οὖν.

ΣΩ. φέρε δή, πειρώμεθά σοι εἰπεῖν τί ἐστιν σχῆμα.
σκόπει οὖν εἰ τόδε ἀποδέχῃ αὐτὸ εἶναι· ἔστω γὰρ δὴ ἡμῖν
τοῦτο σχῆμα, ὃ μόνον τῶν ὄντων τυγχάνει χρώματι ἀεὶ 10
ἑπόμενον. ἱκανῶς σοι, ἢ ἄλλως πως ζητεῖς; ἐγὼ γὰρ κἂν
οὕτως ἀγαπῴην εἴ μοι ἀρετὴν εἴποις.   c

ΜΕΝ. ἀλλὰ τοῦτό γε εὔηθες, ὦ Σώκρατες.

ΣΩ. πῶς λέγεις;

ΜΕΝ. ὅτι σχῆμά πού ἐστιν κατὰ τὸν σὸν λόγον ὃ ἀεὶ
χρόᾳ ἕπεται. εἶεν· εἰ δὲ δὴ τὴν χρόαν τις μὴ φαίη εἰδέναι, 5
ἀλλὰ ὡσαύτως ἀποροῖ ὥσπερ περὶ τοῦ σχήματος, τί ἂν οἴει
σοι ἀποκεκρίσθαι;

ΣΩ. τἀληθῆ ἔγωγε· καὶ εἰ μέν γε τῶν σοφῶν τις εἴη
καὶ ἐριστικῶν τε καὶ ἀγωνιστικῶν ὁ ἐρόμενος, εἴποιμ' ἂν
αὐτῷ ὅτι 'ἐμοὶ μὲν εἴρηται· εἰ δὲ μὴ ὀρθῶς λέγω, σὸν   d
ἔργον λαμβάνειν λόγον καὶ ἐλέγχειν.' εἰ δὲ ὥσπερ ἐγώ
τε καὶ σὺ νυνὶ φίλοι ὄντες βούλοιντο ἀλλήλοις διαλέγεσθαι,

δεῖ δὴ πρᾳότερόν πως καὶ διαλεκτικώτερον ἀποκρίνεσθαι. ἔστι δὲ ἴσως τὸ διαλεκτικώτερον μὴ μόνον τἀληθῆ ἀποκρί- 5 νεσθαι, ἀλλὰ καὶ δι' ἐκείνων ὧν ἂν προσομολογῇ εἰδέναι ὁ ἐρωτώμενος. πειράσομαι δὴ καὶ ἐγώ σοι οὕτως εἰπεῖν. λέγε γάρ μοι· τελευτὴν καλεῖς τι; τοιόνδε λέγω οἷον πέρας e καὶ ἔσχατον—πάντα ταῦτα ταὐτόν τι λέγω· ἴσως δ' ἂν ἡμῖν Πρόδικος διαφέροιτο, ἀλλὰ σύ γέ που καλεῖς πεπεράνθαι τι καὶ τετελευτηκέναι—τὸ τοιοῦτον βούλομαι λέγειν, οὐδὲν ποικίλον.   5

ΜΕΝ. ἀλλὰ καλῶ, καὶ οἶμαι μανθάνειν ὃ λέγεις.

ΣΩ. τί δ'; ἐπίπεδον καλεῖς τι, καὶ ἕτερον αὖ στερεόν, **76** οἷον ταῦτα τὰ ἐν ταῖς γεωμετρίαις;

ΜΕΝ. ἔγωγε καλῶ.

ΣΩ. ἤδη τοίνυν ἂν μάθοις μου ἐκ τούτων σχῆμα ὃ λέγω. κατὰ γὰρ παντὸς σχήματος τοῦτο λέγω, εἰς ὃ τὸ 5 στερεὸν περαίνει, τοῦτ' εἶναι σχῆμα· ὅπερ ἂν συλλαβὼν εἴποιμι στερεοῦ πέρας σχῆμα εἶναι.

ΜΕΝ. τὸ δὲ χρῶμα τί λέγεις, ὦ Σώκρατες;

ΣΩ. ὑβριστής γ' εἶ, ὦ Μένων· ἀνδρὶ πρεσβύτῃ πρά- γματα προστάττεις ἀποκρίνεσθαι, αὐτὸς δὲ οὐκ ἐθέλεις 10 ἀναμνησθεὶς εἰπεῖν ὅ τι ποτε λέγει Γοργίας ἀρετὴν εἶναι. b

ΜΕΝ. ἀλλ' ἐπειδάν μοι σὺ τοῦτ' εἴπῃς, ὦ Σώκρατες, ἐρῶ σοι.

ΣΩ. κἂν κατακεκαλυμμένος τις γνοίη, ὦ Μένων, διαλε- γομένου σου, ὅτι καλὸς εἶ καὶ ἐρασταί σοι ἔτι εἰσίν.   5

ΜΕΝ. τί δή;

ΣΩ. ὅτι οὐδὲν ἀλλ᾽ ἢ ἐπιτάττεις ἐν τοῖς λόγοις, ὅπερ ποιοῦσιν οἱ τρυφῶντες, ἅτε τυραννεύοντες ἕως ἂν ἐν ὥρᾳ ὦσιν, c καὶ ἅμα ἐμοῦ ἴσως κατέγνωκας ὅτι εἰμὶ ἥττων τῶν καλῶν· χαριοῦμαι οὖν σοι καὶ ἀποκρινοῦμαι.

ΜΕΝ. πάνυ μὲν οὖν χάρισαι.

ΣΩ. βούλει οὖν σοι κατὰ Γοργίαν ἀποκρίνωμαι, ᾗ ἂν σὺ μάλιστα ἀκολουθήσαις; 5

ΜΕΝ. βούλομαι· πῶς γὰρ οὔ;

ΣΩ. οὐκοῦν λέγετε ἀπορροάς τινας τῶν ὄντων κατὰ Ἐμπεδοκλέα; ΜΕΝ. σφόδρα γε. ΣΩ. καὶ πόρους εἰς οὓς καὶ δι᾽ ὧν αἱ ἀπορροαὶ πορεύονται; ΜΕΝ. πάνυ γε. ΣΩ. καὶ τῶν ἀπορροῶν τὰς μὲν ἁρμόττειν ἐνίοις τῶν 10 πόρων, τὰς δὲ ἐλάττους ἢ μείζους εἶναι; ΜΕΝ. ἔστι d ταῦτα. ΣΩ. οὐκοῦν καὶ ὄψιν καλεῖς τι; ΜΕΝ. ἔγωγε.

ΣΩ. ἐκ τούτων δὴ 'σύνες ὅ τοι λέγω,' ἔφη Πίνδαρος. ἔστιν γὰρ χρόα ἀπορροὴ σχημάτων ὄψει σύμμετρος καὶ αἰσθητός. 5

ΜΕΝ. ἄριστά μοι δοκεῖς, ὦ Σώκρατες, ταύτην τὴν ἀπόκρισιν εἰρηκέναι.

ΣΩ. ἴσως γάρ σοι κατὰ συνήθειαν εἴρηται· καὶ ἅμα οἶμαι ἐννοεῖς ὅτι ἔχοις ἂν ἐξ αὐτῆς εἰπεῖν καὶ φωνὴν ὃ ἔστι, καὶ ὀσμὴν καὶ ἄλλα πολλὰ τῶν τοιούτων. e

ΜΕΝ. πάνυ μὲν οὖν.

ΣΩ. τραγικὴ γάρ ἐστιν, ὦ Μένων, ἡ ἀπόκρισις, ὥστε ἀρέσκει σοι μᾶλλον ἢ ἡ περὶ τοῦ σχήματος.

ΜΕΝ. ἔμοιγε. 5

ΣΩ. ἀλλ᾽ οὐκ ἔστιν, ὦ παῖ Ἀλεξιδήμου, ὡς ἐγὼ ἐμαυτὸν πείθω, ἀλλ᾽ ἐκείνη βελτίων· οἶμαι δὲ οὐδ᾽ ἂν σοὶ δόξαι, εἰ μή, ὥσπερ χθὲς ἔλεγες, ἀναγκαῖόν σοι ἀπιέναι πρὸ τῶν μυστηρίων, ἀλλ᾽ εἰ περιμείναις τε καὶ μυηθείης.

ΜΕΝ. ἀλλὰ περιμένοιμ᾽ ἄν, ὦ Σώκρατες, εἴ μοι πολλὰ 77 τοιαῦτα λέγοις.

ΣΩ. ἀλλὰ μὴν προθυμίας γε οὐδὲν ἀπολείψω, καὶ σοῦ ἕνεκα καὶ ἐμαυτοῦ, λέγων τοιαῦτα· ἀλλ᾽ ὅπως μὴ οὐχ οἷός τ᾽ ἔσομαι πολλὰ τοιαῦτα λέγειν. ἀλλ᾽ ἴθι δὴ πειρῶ καὶ 5 σὺ ἐμοὶ τὴν ὑπόσχεσιν ἀποδοῦναι, κατὰ ὅλου εἰπὼν ἀρετῆς πέρι ὅ τι ἐστίν, καὶ παῦσαι πολλὰ ποιῶν ἐκ τοῦ ἑνός, ὅπερ φασὶ τοὺς συντρίβοντάς τι ἑκάστοτε οἱ σκώπτοντες, ἀλλὰ ἐάσας ὅλην καὶ ὑγιῆ εἰπὲ τί ἐστιν ἀρετή. τὰ δέ γε παρα-
δείγματα παρ᾽ ἐμοῦ εἴληφας. b

ΜΕΝ. δοκεῖ τοίνυν μοι, ὦ Σώκρατες, ἀρετὴ εἶναι, καθά-
περ ὁ ποιητὴς λέγει, ‘χαίρειν τε καλοῖσι καὶ δύνασθαι·’ καὶ ἐγὼ τοῦτο λέγω ἀρετήν, ἐπιθυμοῦντα τῶν καλῶν δυνατὸν εἶναι πορίζεσθαι. 5

ΣΩ. ἆρα λέγεις τὸν τῶν καλῶν ἐπιθυμοῦντα ἀγαθῶν ἐπιθυμητὴν εἶναι; ΜΕΝ. μάλιστά γε. ΣΩ. ἆρα ὡς ὄντων τινῶν οἳ τῶν κακῶν ἐπιθυμοῦσιν, ἑτέρων δὲ οἳ τῶν ἀγαθῶν; οὐ πάντες, ὥριστε, δοκοῦσί σοι τῶν ἀγαθῶν ἐπι- c θυμεῖν; ΜΕΝ. οὐκ ἔμοιγε. ΣΩ. ἀλλά τινες τῶν κακῶν; ΜΕΝ. ναί. ΣΩ. οἰόμενοι τὰ κακὰ ἀγαθὰ εἶναι, λέγεις, ἢ καὶ γιγνώσκοντες ὅτι κακά ἐστιν ὅμως ἐπιθυμοῦσιν αὐ-
τῶν; ΜΕΝ. ἀμφότερα ἔμοιγε δοκοῦσιν. ΣΩ ἦ γὰρ 5 δοκεῖ τίς σοι, ὦ Μένων, γιγνώσκων τὰ κακὰ ὅτι κακά ἐστιν ὅμως ἐπιθυμεῖν αὐτῶν; ΜΕΝ. μάλιστα. ΣΩ. τί ἐπιθυ-
μεῖν λέγεις; ἢ γενέσθαι αὐτῷ; ΜΕΝ. γενέσθαι· τί γὰρ ἄλλο; ΣΩ. πότερον ἡγούμενος τὰ κακὰ ὠφελεῖν ἐκεῖνον d

ᾧ ἂν γένηται, ἢ γιγνώσκων τὰ κακὰ ὅτι βλάπτει ᾧ ἂν
παρῇ; ΜΕΝ. εἰσὶ μὲν οἳ ἡγούμενοι τὰ κακὰ ὠφελεῖν,
εἰσὶν δὲ καὶ οἳ γιγνώσκοντες ὅτι βλάπτει. ΣΩ. ἦ καὶ
δοκοῦσί σοι γιγνώσκειν τὰ κακὰ ὅτι κακά ἐστιν οἱ ἡγού- 5
μενοι τὰ κακὰ ὠφελεῖν; ΜΕΝ. οὐ πάνυ μοι δοκεῖ τοῦτό
γε. ΣΩ. οὐκοῦν δῆλον ὅτι οὗτοι μὲν οὐ τῶν κακῶν ἐπι-
θυμοῦσιν, οἱ ἀγνοοῦντες αὐτά, ἀλλὰ ἐκείνων ἃ ᾤοντο ἀγαθὰ e
εἶναι, ἔστιν δὲ ταῦτά γε κακά· ὥστε οἱ ἀγνοοῦντες αὐτὰ
καὶ οἰόμενοι ἀγαθὰ εἶναι δῆλον ὅτι τῶν ἀγαθῶν ἐπιθυμοῦσιν.
ἢ οὔ; ΜΕΝ. κινδυνεύουσιν οὗτοί γε.

ΣΩ. τί δέ; οἱ τῶν κακῶν μὲν ἐπιθυμοῦντες, ὡς φῂς σύ, 5
ἡγούμενοι δὲ τὰ κακὰ βλάπτειν ἐκεῖνον ᾧ ἂν γίγνηται,
γιγνώσκουσιν δήπου ὅτι βλαβήσονται ὑπ᾽ αὐτῶν; ΜΕΝ.
ἀνάγκη. ΣΩ. ἀλλὰ τοὺς βλαπτομένους οὗτοι οὐκ οἴονται 78
ἀθλίους εἶναι καθ᾽ ὅσον βλάπτονται; ΜΕΝ. καὶ τοῦτο
ἀνάγκη. ΣΩ. τοὺς δὲ ἀθλίους οὐ κακοδαίμονας; ΜΕΝ.
οἶμαι ἔγωγε. ΣΩ. ἔστιν οὖν ὅστις βούλεται ἄθλιος καὶ
κακοδαίμων εἶναι; ΜΕΝ. οὔ μοι δοκεῖ, ὦ Σώκρατες. 5
ΣΩ. οὐκ ἄρα βούλεται, ὦ Μένων, τὰ κακὰ οὐδείς, εἴπερ μὴ
βούλεται τοιοῦτος εἶναι. τί γὰρ ἄλλο ἐστὶν ἄθλιον εἶναι
ἢ ἐπιθυμεῖν τε τῶν κακῶν καὶ κτᾶσθαι; ΜΕΝ. κινδυνεύεις
ἀληθῆ λέγειν, ὦ Σώκρατες· καὶ οὐδεὶς βούλεσθαι τὰ b
κακά.

ΣΩ. οὐκοῦν νυνδὴ ἔλεγες ὅτι ἔστιν ἡ ἀρετὴ βούλεσθαί τε
τἀγαθὰ καὶ δύνασθαι; ΜΕΝ. εἶπον γάρ. ΣΩ. οὐκοῦν
τοῦ λεχθέντος τὸ μὲν βούλεσθαι πᾶσιν ὑπάρχει, καὶ ταύτῃ 5
γε οὐδὲν ὁ ἕτερος τοῦ ἑτέρου βελτίων; ΜΕΝ. φαίνεται.
ΣΩ. ἀλλὰ δῆλον ὅτι εἴπερ ἐστὶ βελτίων ἄλλος ἄλλου,
κατὰ τὸ δύνασθαι ἂν εἴη ἀμείνων. ΜΕΝ. πάνυ γε.
ΣΩ. τοῦτ᾽ ἔστιν ἄρα, ὡς ἔοικε, κατὰ τὸν σὸν λόγον ἀρετή,

δύναμις τοῦ πορίζεσθαι τἀγαθά. ΜΕΝ. παντάπασί μοι c
δοκεῖ, ὦ Σώκρατες, οὕτως ἔχειν ὡς σὺ νῦν ὑπολαμβάνεις.
ΣΩ. ἴδωμεν δὴ καὶ τοῦτο εἰ ἀληθὲς λέγεις· ἴσως γὰρ
ἂν εὖ λέγοις. τἀγαθὰ φῇς οἷόν τ' εἶναι πορίζεσθαι ἀρετὴν
εἶναι; ΜΕΝ. ἔγωγε. ΣΩ. ἀγαθὰ δὲ καλεῖς οὐχὶ οἷον 5
ὑγίειάν τε καὶ πλοῦτον; ΜΕΝ. καὶ χρυσίον λέγω καὶ
ἀργύριον κτᾶσθαι καὶ τιμὰς ἐν πόλει καὶ ἀρχάς. ΣΩ. μὴ
ἄλλ' ἄττα λέγεις τἀγαθὰ ἢ τὰ τοιαῦτα; ΜΕΝ. οὔκ, ἀλλὰ
πάντα λέγω τὰ τοιαῦτα. ΣΩ. εἶεν· χρυσίον δὲ δὴ καὶ d
ἀργύριον πορίζεσθαι ἀρετή ἐστιν, ὥς φησι Μένων ὁ τοῦ
μεγάλου βασιλέως πατρικὸς ξένος. πότερον προστιθεῖς
τούτῳ τῷ πόρῳ, ὦ Μένων, τὸ δικαίως καὶ ὁσίως, ἢ οὐδέν
σοι διαφέρει, ἀλλὰ κἂν ἀδίκως τις αὐτὰ πορίζηται, ὁμοίως 5
σὺ αὐτὰ ἀρετὴν καλεῖς; ΜΕΝ. οὐ δήπου, ὦ Σώκρατες.
ΣΩ. ἀλλὰ κακίαν. ΜΕΝ. πάντως δήπου. ΣΩ. δεῖ ἄρα,
ὡς ἔοικε, τούτῳ τῷ πόρῳ δικαιοσύνην ἢ σωφροσύνην ἢ
ὁσιότητα προσεῖναι, ἢ ἄλλο τι μόριον ἀρετῆς· εἰ δὲ μή, e
οὐκ ἔσται ἀρετή, καίπερ ἐκπορίζουσα τἀγαθά. ΜΕΝ. πῶς
γὰρ ἄνευ τούτων ἀρετὴ γένοιτ' ἄν; ΣΩ. τὸ δὲ μὴ ἐκ-
πορίζειν χρυσίον καὶ ἀργύριον, ὅταν μὴ δίκαιον ᾖ, μήτε
αὑτῷ μήτε ἄλλῳ, οὐκ ἀρετὴ καὶ αὕτη ἐστὶν ἡ ἀπορία; 5
ΜΕΝ. φαίνεται. ΣΩ. οὐδὲν ἄρα μᾶλλον ὁ πόρος τῶν
τοιούτων ἀγαθῶν ἢ ἡ ἀπορία ἀρετὴ ἂν εἴη, ἀλλά, ὡς ἔοικεν,
ὃ μὲν ἂν μετὰ δικαιοσύνης γίγνηται, ἀρετὴ ἔσται, ὃ δ'
ἂν ἄνευ πάντων τῶν τοιούτων, κακία. ΜΕΝ. δοκεῖ μοι 79
ἀναγκαῖον εἶναι ὡς λέγεις.

ΣΩ. οὐκοῦν τούτων ἕκαστον ὀλίγον πρότερον μόριον ἀρετῆς ἔφαμεν εἶναι, τὴν δικαιοσύνην καὶ σωφροσύνην καὶ πάντα τὰ τοιαῦτα; 5

ΜΕΝ. ναί.

ΣΩ. εἶτα, ὦ Μένων, παίζεις πρός με;

ΜΕΝ. τί δή, ὦ Σώκρατες;

ΣΩ. ὅτι ἄρτι ἐμοῦ δεηθέντος σου μὴ καταγνύναι μηδὲ κερματίζειν τὴν ἀρετήν, καὶ δόντος παραδείγματα καθ᾽ ἃ δέοι 10 ἀποκρίνεσθαι, τούτου μὲν ἠμέλησας, λέγεις δέ μοι ὅτι ἀρετή ἐστιν οἷόν τ᾽ εἶναι τἀγαθὰ πορίζεσθαι μετὰ δικαιοσύνης· b τοῦτο δὲ φῂς μόριον ἀρετῆς εἶναι;

ΜΕΝ. ἔγωγε.

ΣΩ. οὐκοῦν συμβαίνει ἐξ ὧν σὺ ὁμολογεῖς, τὸ μετὰ μορίου ἀρετῆς πράττειν ὅ τι ἂν πράττῃ, τοῦτο ἀρετὴν εἶναι· 5 τὴν γὰρ δικαιοσύνην μόριον φῂς ἀρετῆς εἶναι, καὶ ἕκαστα τούτων. τί οὖν δὴ τοῦτο λέγω; ὅτι ἐμοῦ δεηθέντος ὅλον εἰπεῖν τὴν ἀρετήν, αὐτὴν μὲν πολλοῦ δεῖς εἰπεῖν ὅ τι ἐστίν, πᾶσαν δὲ φῂς πρᾶξιν ἀρετὴν εἶναι, ἐάνπερ μετὰ μορίου ἀρετῆς πράττηται, ὥσπερ εἰρηκὼς ὅ τι ἀρετή ἐστιν τὸ ὅλον c καὶ ἤδη γνωσομένου ἐμοῦ, καὶ ἐὰν σὺ κατακερματίζῃς αὐτὴν κατὰ μόρια. δεῖται οὖν σοι πάλιν ἐξ ἀρχῆς, ὡς ἐμοὶ δοκεῖ, τῆς αὐτῆς ἐρωτήσεως, ὦ φίλε Μένων, τί ἐστιν ἀρετή, εἰ μετὰ μορίου ἀρετῆς πᾶσα πρᾶξις ἀρετὴ ἂν εἴη; τοῦτο γάρ 5 ἐστιν λέγειν, ὅταν λέγῃ τις, ὅτι πᾶσα ἡ μετὰ δικαιοσύνης πρᾶξις ἀρετή ἐστιν. ἢ οὐ δοκεῖ σοι πάλιν δεῖσθαι τῆς αὐτῆς ἐρωτήσεως, ἀλλ᾽ οἴει τινὰ εἰδέναι μόριον ἀρετῆς ὅ τι ἐστίν, αὐτὴν μὴ εἰδότα;

ΜΕΝ. οὐκ ἔμοιγε δοκεῖ.

ΣΩ. εἰ γὰρ καὶ μέμνησαι, ὅτ᾽ ἐγώ σοι ἄρτι ἀπεκρινάμην d
περὶ τοῦ σχήματος, ἀπεβάλλομέν που τὴν τοιαύτην ἀπό-
κρισιν τὴν διὰ τῶν ἔτι ζητουμένων καὶ μήπω ὡμολογημένων
ἐπιχειροῦσαν ἀποκρίνεσθαι.

ΜΕΝ. καὶ ὀρθῶς γε ἀπεβάλλομεν, ὦ Σώκρατες. 5

ΣΩ. μὴ τοίνυν, ὦ ἄριστε, μηδὲ σὺ ἔτι ζητουμένης ἀρετῆς
ὅλης ὅ τι ἐστὶν οἴου διὰ τῶν ταύτης μορίων ἀποκρινόμενος
δηλώσειν αὐτὴν ὁτῳοῦν, ἢ ἄλλο ὁτιοῦν τούτῳ τῷ αὐτῷ
τρόπῳ λέγων, ἀλλὰ πάλιν τῆς αὐτῆς δεήσεσθαι ἐρωτήσεως, e
τίνος ὄντος ἀρετῆς λέγεις ἃ λέγεις· ἢ οὐδέν σοι δοκῶ
λέγειν;

ΜΕΝ. ἔμοιγε δοκεῖς ὀρθῶς λέγειν.

ΣΩ. ἀπόκριναι τοίνυν πάλιν ἐξ ἀρχῆς· τί φὴς ἀρετὴν 5
εἶναι καὶ σὺ καὶ ὁ ἑταῖρός σου;

ΜΕΝ. ὦ Σώκρατες, ἤκουον μὲν ἔγωγε πρὶν καὶ συγγε-
νέσθαι σοι ὅτι σὺ οὐδὲν ἄλλο ἢ αὐτός τε ἀπορεῖς καὶ τοὺς 80
ἄλλους ποιεῖς ἀπορεῖν· καὶ νῦν, ὥς γέ μοι δοκεῖς, γοητεύεις
με καὶ φαρμάττεις καὶ ἀτεχνῶς κατεπᾴδεις, ὥστε μεστὸν
ἀπορίας γεγονέναι. καὶ δοκεῖς μοι παντελῶς, εἰ δεῖ τι καὶ
σκῶψαι, ὁμοιότατος εἶναι τό τε εἶδος καὶ τἆλλα ταύτῃ τῇ 5
πλατείᾳ νάρκῃ τῇ θαλαττίᾳ· καὶ γὰρ αὕτη τὸν ἀεὶ πλησιά-
ζοντα καὶ ἁπτόμενον ναρκᾶν ποιεῖ, καὶ σὺ δοκεῖς μοι νῦν ἐμὲ
τοιοῦτόν τι πεποιηκέναι, ναρκᾶν· ἀληθῶς γὰρ ἔγωγε καὶ
τὴν ψυχὴν καὶ τὸ στόμα ναρκῶ, καὶ οὐκ ἔχω ὅ τι ἀποκρίνωμαί b
σοι. καίτοι μυριάκις γε περὶ ἀρετῆς παμπόλλους λόγους
εἴρηκα καὶ πρὸς πολλούς, καὶ πάνυ εὖ, ὥς γε ἐμαυτῷ ἐδόκουν·
νῦν δὲ οὐδ᾽ ὅ τι ἐστὶν τὸ παράπαν ἔχω εἰπεῖν. καί μοι δοκεῖς
εὖ βουλεύεσθαι οὐκ ἐκπλέων ἐνθένδε οὐδ᾽ ἀποδημῶν· εἰ 5

γὰρ ξένος ἐν ἄλλῃ πόλει τοιαῦτα ποιοῖς, τάχ᾽ ἂν ὡς γόης
ἀπαχθείης.

ΣΩ. πανοῦργος εἶ, ὦ Μένων, καὶ ὀλίγου ἐξηπάτησάς με.

ΜΕΝ. τί μάλιστα, ὦ Σώκρατες;

ΣΩ. γιγνώσκω οὗ ἕνεκά με ᾔκασας.   c

ΜΕΝ. τίνος δὴ οἴει;

ΣΩ. ἵνα σε ἀντεικάσω. ἐγὼ δὲ τοῦτο οἶδα περὶ πάντων
τῶν καλῶν, ὅτι χαίρουσιν εἰκαζόμενοι—λυσιτελεῖ γὰρ αὐτοῖς·
καλαὶ γὰρ οἶμαι τῶν καλῶν καὶ αἱ εἰκόνες—ἀλλ᾽ οὐκ   5
ἀντεικάσομαί σε. ἐγὼ δέ, εἰ μὲν ἡ νάρκη αὐτὴ ναρκῶσα
οὕτω καὶ τοὺς ἄλλους ποιεῖ ναρκᾶν, ἔοικα αὐτῇ· εἰ δὲ μή,
οὔ. οὐ γὰρ εὐπορῶν αὐτὸς τοὺς ἄλλους ποιῶ ἀπορεῖν, ἀλλὰ
παντὸς μᾶλλον αὐτὸς ἀπορῶν οὕτως καὶ τοὺς ἄλλους ποιῶ
ἀπορεῖν. καὶ νῦν περὶ ἀρετῆς ὃ ἔστιν ἐγὼ μὲν οὐκ οἶδα, σὺ   d
μέντοι ἴσως πρότερον μὲν ᾔδησθα πρὶν ἐμοῦ ἅψασθαι, νῦν
μέντοι ὅμοιος εἶ οὐκ εἰδότι. ὅμως δὲ ἐθέλω μετὰ σοῦ
σκέψασθαι καὶ συζητῆσαι ὅ τι ποτέ ἐστιν.

ΜΕΝ. καὶ τίνα τρόπον ζητήσεις, ὦ Σώκρατες, τοῦτο ὃ   5
μὴ οἶσθα τὸ παράπαν ὅ τι ἐστίν; ποῖον γὰρ ὧν οὐκ οἶσθα
προθέμενος ζητήσεις; ἢ εἰ καὶ ὅτι μάλιστα ἐντύχοις αὐτῷ,
πῶς εἴσῃ ὅ τι τοῦτό ἐστιν ὃ σὺ οὐκ ᾔδησθα;

ΣΩ. μανθάνω οἷον βούλει λέγειν, ὦ Μένων. ὁρᾷς   e
τοῦτον ὡς ἐριστικὸν λόγον κατάγεις, ὡς οὐκ ἄρα ἔστιν
ζητεῖν ἀνθρώπῳ οὔτε ὃ οἶδε οὔτε ὃ μὴ οἶδε; οὔτε γὰρ ἂν
ὅ γε οἶδεν ζητοῖ—οἶδεν γάρ, καὶ οὐδὲν δεῖ τῷ γε τοιούτῳ
ζητήσεως—οὔτε ὃ μὴ οἶδεν—οὐδὲ γὰρ οἶδεν ὅ τι ζητήσει.   5

ΜΕΝ. οὐκοῦν καλῶς σοι δοκεῖ λέγεσθαι ὁ λόγος οὗτος,   81
ὦ Σώκρατες;

ΣΩ. οὐκ ἔμοιγε.

ΜΕΝ. ἔχεις λέγειν ὅπῃ;

ΣΩ. ἔγωγε· ἀκήκοα γὰρ ἀνδρῶν τε καὶ γυναικῶν σοφῶν 5
περὶ τὰ θεῖα πράγματα—

ΜΕΝ. τίνα λόγον λεγόντων;

ΣΩ. ἀληθῆ, ἔμοιγε δοκεῖν, καὶ καλόν.

ΜΕΝ. τίνα τοῦτον, καὶ τίνες οἱ λέγοντες;

ΣΩ. οἱ μὲν λέγοντές εἰσι τῶν ἱερέων τε καὶ τῶν ἱερειῶν 10
ὅσοις μεμέληκε περὶ ὧν μεταχειρίζονται λόγον οἵοις τ᾽ εἶναι
διδόναι· λέγει δὲ καὶ Πίνδαρος καὶ ἄλλοι πολλοὶ τῶν ποιητῶν b
ὅσοι θεῖοί εἰσιν. ἃ δὲ λέγουσιν, ταυτί ἐστιν· ἀλλὰ σκόπει
εἴ σοι δοκοῦσιν ἀληθῆ λέγειν. φασὶ γὰρ τὴν ψυχὴν τοῦ
ἀνθρώπου εἶναι ἀθάνατον, καὶ τοτὲ μὲν τελευτᾶν—ὃ δὴ
ἀποθνῄσκειν καλοῦσι—τοτὲ δὲ πάλιν γίγνεσθαι, ἀπόλλυσθαι 5
δ᾽ οὐδέποτε· δεῖν δὴ διὰ ταῦτα ὡς ὁσιώτατα διαβιῶναι τὸν
βίον· οἷσιν γὰρ ἂν—

> Φερσεφόνα ποινὰν παλαιοῦ πένθεος
> δέξεται, εἰς τὸν ὕπερθεν ἅλιον κείνων ἐνάτῳ ἔτεϊ
> ἀνδιδοῖ ψυχὰς πάλιν,   10
> ἐκ τᾶν βασιλῆες ἀγαυοὶ   c
> καὶ σθένει κραιπνοὶ σοφίᾳ τε μέγιστοι
> ἄνδρες αὔξοντ᾽· ἐς δὲ τὸν λοιπὸν χρόνον ἥρωες ἁγνοὶ
>   πρὸς ἀνθρώπων καλεῦνται.

Pindar Fr. 133

ἅτε οὖν ἡ ψυχὴ ἀθάνατός τε οὖσα καὶ πολλάκις γεγονυῖα, καὶ 5
ἑωρακυῖα καὶ τὰ ἐνθάδε καὶ τὰ ἐν Ἅιδου καὶ πάντα
χρήματα, οὐκ ἔστιν ὅτι οὐ μεμάθηκεν· ὥστε οὐδὲν θαυμαστὸν
καὶ περὶ ἀρετῆς καὶ περὶ ἄλλων οἷόν τ᾽ εἶναι αὐτὴν ἀναμνη-

σθῆναι, ἅ γε καὶ πρότερον ἠπίστατο. ἅτε γὰρ τῆς φύσεως
ἁπάσης συγγενοῦς οὔσης, καὶ μεμαθηκυίας τῆς ψυχῆς ἅπαντα,   d
οὐδὲν κωλύει ἓν μόνον ἀναμνησθέντα—ὃ δὴ μάθησιν καλοῦσιν
ἄνθρωποι—τἆλλα πάντα αὐτὸν ἀνευρεῖν, ἐάν τις ἀνδρεῖος ᾖ
καὶ μὴ ἀποκάμῃ ζητῶν· τὸ γὰρ ζητεῖν ἄρα καὶ τὸ μανθάνειν
ἀνάμνησις ὅλον ἐστίν. οὔκουν δεῖ πείθεσθαι τούτῳ τῷ   5
ἐριστικῷ λόγῳ· οὗτος μὲν γὰρ ἂν ἡμᾶς ἀργοὺς ποιήσειεν
καὶ ἔστιν τοῖς μαλακοῖς τῶν ἀνθρώπων ἡδὺς ἀκοῦσαι, ὅδε
δὲ ἐργατικούς τε καὶ ζητητικοὺς ποιεῖ· ᾧ ἐγὼ πιστεύων   e
ἀληθεῖ εἶναι ἐθέλω μετὰ σοῦ ζητεῖν ἀρετὴ ὅ τι ἐστίν.

ΜΕΝ. ναί, ὦ Σώκρατες· ἀλλὰ πῶς λέγεις τοῦτο, ὅτι οὐ
μανθάνομεν, ἀλλὰ ἣν καλοῦμεν μάθησιν ἀνάμνησίς ἐστιν;
ἔχεις με τοῦτο διδάξαι ὡς οὕτως ἔχει;   5

ΣΩ. καὶ ἄρτι εἶπον, ὦ Μένων, ὅτι πανοῦργος εἶ, καὶ
νῦν ἐρωτᾷς εἰ ἔχω σε διδάξαι, ὃς οὔ φημι διδαχὴν εἶναι   82
ἀλλ᾽ ἀνάμνησιν, ἵνα δὴ εὐθὺς φαίνωμαι αὐτὸς ἐμαυτῷ
τἀναντία λέγων.

ΜΕΝ. οὐ μὰ τὸν Δία, ὦ Σώκρατες, οὐ πρὸς τοῦτο
βλέψας εἶπον, ἀλλ᾽ ὑπὸ τοῦ ἔθους· ἀλλ᾽ εἴ πώς μοι ἔχεις   5
ἐνδείξασθαι ὅτι ἔχει ὥσπερ λέγεις, ἔνδειξαι.

ΣΩ. ἀλλ᾽ ἔστι μὲν οὐ ῥᾴδιον, ὅμως δὲ ἐθέλω προθυμη-
θῆναι σοῦ ἕνεκα. ἀλλά μοι προσκάλεσον τῶν πολλῶν
ἀκολούθων τουτωνὶ τῶν σαυτοῦ ἕνα, ὅντινα βούλει, ἵνα ἐν   b
τούτῳ σοι ἐπιδείξωμαι.

ΜΕΝ. πάνυ γε. δεῦρο πρόσελθε.

ΣΩ. Ἕλλην μέν ἐστι καὶ ἑλληνίζει;

ΜΕΝ. πάνυ γε σφόδρα, οἰκογενής γε.   5

ΣΩ. πρόσεχε δὴ τὸν νοῦν ὁπότερ' ἄν σοι φαίνηται, ἢ ἀναμιμνησκόμενος ἢ μανθάνων παρ' ἐμοῦ.

ΜΕΝ. ἀλλὰ προσέξω.

ΣΩ. εἰπὲ δή μοι, ὦ παῖ, γιγνώσκεις τετράγωνον χωρίον ὅτι τοιοῦτόν ἐστιν; ΠΑΙ. ἔγωγε. ΣΩ. ἔστιν οὖν 10 τετράγωνον χωρίον ἴσας ἔχον τὰς γραμμὰς ταύτας πάσας, c τέτταρας οὔσας; ΠΑΙ. πάνυ γε. ΣΩ. οὐ καὶ ταυτασὶ τὰς διὰ μέσου ἐστὶν ἴσας ἔχον; ΠΑΙ. ναί. ΣΩ. οὐ-κοῦν εἴη ἂν τοιοῦτον χωρίον καὶ μεῖζον καὶ ἔλαττον; ΠΑΙ. πάνυ γε. ΣΩ. εἰ οὖν εἴη αὕτη ἡ πλευρὰ δυοῖν 5 ποδοῖν καὶ αὕτη δυοῖν, πόσων ἂν εἴη ποδῶν τὸ ὅλον; ὧδε δὲ σκόπει· εἰ ἦν ταύτῃ δυοῖν ποδοῖν, ταύτῃ δὲ ἑνὸς ποδὸς μόνον, ἄλλο τι ἅπαξ ἂν ἦν δυοῖν ποδοῖν τὸ χωρίον; ΠΑΙ. ναί. ΣΩ. ἐπειδὴ δὲ δυοῖν ποδοῖν καὶ ταύτῃ, ἄλλο τι ἢ d δὶς δυοῖν γίγνεται; ΠΑΙ. γίγνεται. ΣΩ. δυοῖν ἄρα δὶς γίγνεται ποδῶν; ΠΑΙ. ναί. ΣΩ. πόσοι οὖν εἰσιν οἱ δύο δὶς πόδες; λογισάμενος εἰπέ. ΠΑΙ. τέτταρες, ὦ Σώκρατες. ΣΩ. οὐκοῦν γένοιτ' ἂν τούτου τοῦ χωρίου ἕτερον διπλά- 5 σιον, τοιοῦτον δέ, ἴσας ἔχον πάσας τὰς γραμμὰς ὥσπερ τοῦτο; ΠΑΙ. ναί. ΣΩ. πόσων οὖν ἔσται ποδῶν; ΠΑΙ. ὀκτώ. ΣΩ. φέρε δή, πειρῶ μοι εἰπεῖν πηλίκη τις ἔσται ἐκείνου ἡ γραμμὴ ἑκάστη. ἡ μὲν γὰρ τοῦδε δυοῖν ποδοῖν· τί e δὲ ἡ ἐκείνου τοῦ διπλασίου; ΠΑΙ. δῆλον δή, ὦ Σώκρατες, ὅτι διπλασία.

ΣΩ. ὁρᾷς, ὦ Μένων, ὡς ἐγὼ τοῦτον οὐδὲν διδάσκω, ἀλλ' ἐρωτῶ πάντα; καὶ νῦν οὗτος οἴεται εἰδέναι ὁποία ἐστὶν 5 ἀφ' ἧς τὸ ὀκτώπουν χωρίον γενήσεται· ἢ οὐ δοκεῖ σοι;

ΜΕΝ. ἔμοιγε.

ΣΩ. οἶδεν οὖν;

ΜΕΝ. οὐ δῆτα.

ΣΩ. οἴεται δέ γε ἀπὸ τῆς διπλασίας; 10

ΜΕΝ. ναί.

ΣΩ. θεῶ δὴ αὐτὸν ἀναμιμνησκόμενον ἐφεξῆς, ὡς δεῖ ἀναμιμνήσκεσθαι.

σὺ δέ μοι λέγε· ἀπὸ τῆς διπλασίας γραμμῆς φὴς τὸ διπλάσιον χωρίον γίγνεσθαι; τοιόνδε λέγω, μὴ ταύτῃ μὲν **83** μακρόν, τῇ δὲ βραχύ, ἀλλὰ ἴσον πανταχῇ ἔστω ὥσπερ τουτί, διπλάσιον δὲ τούτου, ὀκτώπουν· ἀλλ᾽ ὅρα εἰ ἔτι σοι ἀπὸ τῆς διπλασίας δοκεῖ ἔσεσθαι. ΠΑΙ. ἔμοιγε. ΣΩ. οὐκοῦν διπλασία αὕτη ταύτης γίγνεται, ἂν ἑτέραν τοσαύτην προσ- 5 θῶμεν ἐνθένδε; ΠΑΙ. πάνυ γε. ΣΩ. ἀπὸ ταύτης δή, φής, ἔσται τὸ ὀκτώπουν χωρίον, ἂν τέτταρες τοσαῦται γένωνται; ΠΑΙ. ναί. ΣΩ. ἀναγραψώμεθα δὴ ἀπ᾽ αὐ- **b** τῆς ἴσας τέτταρας. ἄλλο τι ἢ τουτὶ ἂν εἴη ὃ φὴς τὸ ὀκτώπουν εἶναι; ΠΑΙ. πάνυ γε. ΣΩ. οὐκοῦν ἐν αὐτῷ ἐστιν ταυτὶ τέτταρα, ὧν ἕκαστον ἴσον τούτῳ ἐστὶν τῷ τετράποδι; ΠΑΙ. ναί. ΣΩ. πόσον οὖν γίγνεται; οὐ τετράκις τοσοῦ- 5 τον; ΠΑΙ. πῶς δ᾽ οὔ; ΣΩ. διπλάσιον οὖν ἐστιν τὸ τετράκις τοσοῦτον; ΠΑΙ. οὐ μὰ Δία. ΣΩ. ἀλλὰ ποσα- πλάσιον; ΠΑΙ. τετραπλάσιον. ΣΩ. ἀπὸ τῆς διπλασίας ἄρα, ὦ παῖ, οὐ διπλάσιον ἀλλὰ τετραπλάσιον γίγνεται χωρίον. **c** ΠΑΙ. ἀληθῆ λέγεις. ΣΩ. τεττάρων γὰρ τετράκις ἐστὶν ἑκκαίδεκα. οὐχί; ΠΑΙ. ναί. ΣΩ. ὀκτώπουν δ᾽ ἀπὸ ποίας γραμμῆς; οὐχὶ ἀπὸ μὲν ταύτης τετραπλάσιον; ΠΑΙ. φημί. ΣΩ. τετράπουν δὲ ἀπὸ τῆς ἡμισέας ταυτησὶ τουτί; ΠΑΙ. 5 ναί. ΣΩ. εἶεν· τὸ δὲ ὀκτώπουν οὐ τοῦδε μὲν διπλάσιόν ἐστιν, τούτου δὲ ἥμισυ; ΠΑΙ. ναί. ΣΩ. οὐκ ἀπὸ μὲν μείζονος ἔσται ἢ τοσαύτης γραμμῆς, ἀπὸ ἐλάττονος δὲ ἢ

τοσησδί; ἢ οὔ; ΠΑΙ. ἔμοιγε δοκεῖ οὕτω. ΣΩ. καλῶς· d
τὸ γάρ σοι δοκοῦν τοῦτο ἀποκρίνου. καί μοι λέγε· οὐχ ἥδε
μὲν δυοῖν ποδοῖν ἦν, ἡ δὲ τεττάρων; ΠΑΙ. ναί. ΣΩ.
δεῖ ἄρα τὴν τοῦ ὀκτώποδος χωρίου γραμμὴν μείζω μὲν εἶναι
τῆσδε τῆς δίποδος, ἐλάττω δὲ τῆς τετράποδος. ΠΑΙ. δεῖ. 5
ΣΩ. πειρῶ δὴ λέγειν πηλίκην τινὰ φῂς αὐτὴν εἶναι. e
ΠΑΙ. τρίποδα. ΣΩ. οὐκοῦν ἄνπερ τρίπους ᾖ, τὸ ἥμισυ
ταύτης προσληψόμεθα καὶ ἔσται τρίπους; δύο μὲν γὰρ οἵδε,
ὁ δὲ εἷς· καὶ ἐνθένδε ὡσαύτως δύο μὲν οἵδε, ὁ δὲ εἷς· καὶ
γίγνεται τοῦτο τὸ χωρίον ὃ φῄς. ΠΑΙ. ναί. ΣΩ. οὐκοῦν 5
ἂν ᾖ τῇδε τριῶν καὶ τῇδε τριῶν, τὸ ὅλον χωρίον τριῶν τρὶς
ποδῶν γίγνεται; ΠΑΙ. φαίνεται. ΣΩ. τρεῖς δὲ τρὶς πόσοι
εἰσὶ πόδες; ΠΑΙ. ἐννέα. ΣΩ. ἔδει δὲ τὸ διπλάσιον
πόσων εἶναι ποδῶν; ΠΑΙ. ὀκτώ. ΣΩ. οὐδ' ἄρ' ἀπὸ τῆς
τρίποδός πω τὸ ὀκτώπουν χωρίον γίγνεται. ΠΑΙ. οὐ δῆτα. 10

ΣΩ. ἀλλ' ἀπὸ ποίας; πειρῶ ἡμῖν εἰπεῖν ἀκριβῶς· καὶ
εἰ μὴ βούλει ἀριθμεῖν, ἀλλὰ δεῖξον ἀπὸ ποίας. ΠΑΙ. ἀλλὰ 84
μὰ τὸν Δία, ὦ Σώκρατες, ἔγωγε οὐκ οἶδα.

ΣΩ. ἐννοεῖς αὖ, ὦ Μένων, οὗ ἐστιν ἤδη βαδίζων ὅδε
τοῦ ἀναμιμνήσκεσθαι; ὅτι τὸ μὲν πρῶτον ᾔδει μὲν οὔ, ἥτις
ἐστὶν ἡ τοῦ ὀκτώποδος χωρίου γραμμή, ὥσπερ οὐδὲ νῦν πω 5
οἶδεν, ἀλλ' οὖν ᾤετό γ' αὐτὴν τότε εἰδέναι, καὶ θαρραλέως
ἀπεκρίνετο ὡς εἰδώς, καὶ οὐχ ἡγεῖτο ἀπορεῖν· νῦν δὲ ἡγεῖται
ἀπορεῖν ἤδη, καὶ ὥσπερ οὐκ οἶδεν, οὐδ' οἴεται εἰδέναι. b
ΜΕΝ. ἀληθῆ λέγεις.
ΣΩ. οὐκοῦν νῦν βέλτιον ἔχει περὶ τὸ πρᾶγμα ὃ οὐκ
ᾔδει;
ΜΕΝ. καὶ τοῦτό μοι δοκεῖ. 5
ΣΩ. ἀπορεῖν οὖν αὐτὸν ποιήσαντες καὶ ναρκᾶν ὥσπερ ἡ
νάρκη, μῶν τι ἐβλάψαμεν;

ΜΕΝ. οὐκ ἔμοιγε δοκεῖ.

ΣΩ. προὔργου γοῦν τι πεποιήκαμεν, ὡς ἔοικε, πρὸς τὸ
ἐξευρεῖν ὅπῃ ἔχει· νῦν μὲν γὰρ καὶ ζητήσειεν ἂν ἡδέως οὐκ   10
εἰδώς, τότε δὲ ῥᾳδίως ἂν καὶ πρὸς πολλοὺς καὶ πολλάκις
ᾤετ᾽ ἂν εὖ λέγειν περὶ τοῦ διπλασίου χωρίου, ὡς δεῖ διπλασίαν   c
τὴν γραμμὴν ἔχειν μήκει.

ΜΕΝ. ἔοικεν.

ΣΩ. οἴει οὖν ἂν αὐτὸν πρότερον ἐπιχειρῆσαι ζητεῖν ἢ
μανθάνειν τοῦτο ὃ ᾤετο εἰδέναι οὐκ εἰδώς, πρὶν εἰς ἀπορίαν   5
κατέπεσεν ἡγησάμενος μὴ εἰδέναι, καὶ ἐπόθησεν τὸ εἰδέναι;

ΜΕΝ. οὔ μοι δοκεῖ, ὦ Σώκρατες.

ΣΩ. ὤνητο ἄρα ναρκήσας;

ΜΕΝ. δοκεῖ μοι.

ΣΩ. σκέψαι δὴ ἐκ ταύτης τῆς ἀπορίας ὅ τι καὶ ἀνευρήσει   10
ζητῶν μετ᾽ ἐμοῦ, οὐδὲν ἀλλ᾽ ἢ ἐρωτῶντος ἐμοῦ καὶ οὐ διδά-
σκοντος· φύλαττε δὲ ἄν που εὕρῃς με διδάσκοντα καὶ   d
διεξιόντα αὐτῷ, ἀλλὰ μὴ τὰς τούτου δόξας ἀνερωτῶντα.

λέγε γάρ μοι σύ· οὐ τὸ μὲν τετράπουν τοῦτο ἡμῖν ἐστι
χωρίον; μανθάνεις; ΠΑΙ. ἔγωγε. ΣΩ. ἕτερον δὲ αὐτῷ
προσθεῖμεν ἂν τουτὶ ἴσον; ΠΑΙ. ναί. ΣΩ. καὶ τρίτον   5
τόδε ἴσον ἑκατέρῳ τούτων; ΠΑΙ. ναί. ΣΩ. οὐκοῦν
προσαναπληρωσαίμεθ᾽ ἂν τὸ ἐν τῇ γωνίᾳ τόδε; ΠΑΙ.
πάνυ γε. ΣΩ. ἄλλο τι οὖν γένοιτ᾽ ἂν τέτταρα ἴσα χωρία
τάδε; ΠΑΙ. ναί. ΣΩ. τί οὖν; τὸ ὅλον τόδε ποσαπλάσιον   e
τοῦδε γίγνεται; ΠΑΙ. τετραπλάσιον. ΣΩ. ἔδει δέ γε
διπλάσιον ἡμῖν γενέσθαι· ἢ οὐ μέμνησαι; ΠΑΙ. πάνυ γε.

ΣΩ. οὐκοῦν ἐστιν αὕτη γραμμὴ ἐκ γωνίας εἰς γωνίαν
τινὰ τέμνουσα δίχα ἕκαστον τούτων τῶν χωρίων; ΠΑΙ.   85
ναί. ΣΩ. οὐκοῦν τέτταρες αὗται γίγνονται γραμμαὶ ἴσαι,

περιέχουσαι τουτὶ τὸ χωρίον; ΠΑΙ. γίγνονται γάρ. ΣΩ.
σκόπει δή· πηλίκον τί ἐστιν τοῦτο τὸ χωρίον; ΠΑΙ. οὐ
μανθάνω. ΣΩ. οὐχὶ τεττάρων ὄντων τούτων ἥμισυ ἑκάστου 5
ἑκάστη ἡ γραμμὴ ἀποτέτμηκεν ἐντός; ἢ οὔ; ΠΑΙ. ναί.
ΣΩ. πόσα οὖν τηλικαῦτα ἐν τούτῳ ἔνεστιν; ΠΑΙ. τέτταρα.
ΣΩ. πόσα δὲ ἐν τῷδε; ΠΑΙ. δύο. ΣΩ. τὰ δὲ τέτταρα
τοῖν δυοῖν τί ἐστιν; ΠΑΙ. διπλάσια. ΣΩ. τόδε οὖν
ποσάπουν γίγνεται; ΠΑΙ. ὀκτώπουν. ΣΩ. ἀπὸ ποίας b
γραμμῆς; ΠΑΙ. ἀπὸ ταύτης. ΣΩ. ἀπὸ τῆς ἐκ γωνίας
εἰς γωνίαν τεινούσης τοῦ τετράποδος; ΠΑΙ. ναί. ΣΩ.
καλοῦσιν δέ γε ταύτην διάμετρον οἱ σοφισταί· ὥστ᾽ εἰ ταύτῃ
διάμετρος ὄνομα, ἀπὸ τῆς διαμέτρου ἄν, ὡς σὺ φῄς, ὦ παῖ 5
Μένωνος, γίγνοιτ᾽ ἂν τὸ διπλάσιον χωρίον. ΠΑΙ. πάνυ
μὲν οὖν, ὦ Σώκρατες.

ΣΩ. τί σοι δοκεῖ, ὦ Μένων; ἔστιν ἥντινα δόξαν οὐχ
αὑτοῦ οὗτος ἀπεκρίνατο;

ΜΕΝ. οὔκ, ἀλλ᾽ ἑαυτοῦ. c

ΣΩ. καὶ μὴν οὐκ ᾔδει γε, ὡς ἔφαμεν ὀλίγον πρότερον.

ΜΕΝ. ἀληθῆ λέγεις.

ΣΩ. ἐνῆσαν δέ γε αὐτῷ αὗται αἱ δόξαι· ἢ οὔ;

ΜΕΝ. ναί. 5

ΣΩ. τῷ οὐκ εἰδότι ἄρα περὶ ὧν ἂν μὴ εἰδῇ ἔνεισιν
ἀληθεῖς δόξαι περὶ τούτων ὧν οὐκ οἶδε;

ΜΕΝ. φαίνεται.

ΣΩ. καὶ νῦν μέν γε αὐτῷ ὥσπερ ὄναρ ἄρτι ἀνακεκίνηνται
αἱ δόξαι αὗται· εἰ δὲ αὐτόν τις ἀνερήσεται πολλάκις τὰ αὐτὰ 10
ταῦτα καὶ πολλαχῇ, οἶσθ᾽ ὅτι τελευτῶν οὐδενὸς ἧττον ἀκριβῶς
ἐπιστήσεται περὶ τούτων. d

ΜΕΝ. ἔοικεν.

ΣΩ. οὐκοῦν οὐδενὸς διδάξαντος ἀλλ' ἐρωτήσαντος ἐπιστήσεται, ἀναλαβὼν αὐτὸς ἐξ αὑτοῦ τὴν ἐπιστήμην;

ΜΕΝ. ναί. 5

ΣΩ. τὸ δὲ ἀναλαμβάνειν αὐτὸν ἐν αὑτῷ ἐπιστήμην οὐκ ἀναμιμνήσκεσθαί ἐστιν;

ΜΕΝ. πάνυ γε.

ΣΩ. ἆρ' οὖν οὐ τὴν ἐπιστήμην, ἣν νῦν οὗτος ἔχει, ἤτοι ἔλαβέν ποτε ἢ ἀεὶ εἶχεν; 10

ΜΕΝ. ναί.

ΣΩ. οὐκοῦν εἰ μὲν ἀεὶ εἶχεν, ἀεὶ καὶ ἦν ἐπιστήμων· εἰ δὲ ἔλαβέν ποτε, οὐκ ἂν ἔν γε τῷ νῦν βίῳ εἰληφὼς εἴη. ἢ δεδίδαχέν τις τοῦτον γεωμετρεῖν; οὗτος γὰρ ποιήσει περὶ e πάσης γεωμετρίας ταὐτὰ ταῦτα, καὶ τῶν ἄλλων μαθημάτων ἁπάντων. ἔστιν οὖν ὅστις τοῦτον πάντα δεδίδαχεν; δίκαιος γάρ που εἶ εἰδέναι, ἄλλως τε ἐπειδὴ ἐν τῇ σῇ οἰκίᾳ γέγονεν καὶ τέθραπται. 5

ΜΕΝ. ἀλλ' οἶδα ἔγωγε ὅτι οὐδεὶς πώποτε ἐδίδαξεν.

ΣΩ. ἔχει δὲ ταύτας τὰς δόξας, ἢ οὐχί;

ΜΕΝ. ἀνάγκη, ὦ Σώκρατες, φαίνεται.

ΣΩ. εἰ δὲ μὴ ἐν τῷ νῦν βίῳ λαβών, οὐκ ἤδη τοῦτο δῆλον, ὅτι ἐν ἄλλῳ τινὶ χρόνῳ εἶχε καὶ ἐμεμαθήκει; 86

ΜΕΝ. φαίνεται.

ΣΩ. οὐκοῦν οὗτός γέ ἐστιν ὁ χρόνος ὅτ' οὐκ ἦν ἄνθρωπος;

ΜΕΝ. ναί. 5

ΣΩ. εἰ οὖν ὅν τ' ἂν ᾖ χρόνον καὶ ὃν ἂν μὴ ᾖ ἄνθρωπος, ἐνέσονται αὐτῷ ἀληθεῖς δόξαι, αἳ ἐρωτήσει ἐπεγερθεῖσαι

ἐπιστῆμαι γίγνονται, ἆρ' οὖν τὸν ἀεὶ χρόνον μεμαθηκυῖα
ἔσται ἡ ψυχὴ αὐτοῦ; δῆλον γὰρ ὅτι τὸν πάντα χρόνον ἔστιν
ἢ οὐκ ἔστιν ἄνθρωπος. 5

ΜΕΝ. φαίνεται.

ΣΩ. οὐκοῦν εἰ ἀεὶ ἡ ἀλήθεια ἡμῖν τῶν ὄντων ἐστὶν ἐν b
τῇ ψυχῇ, ἀθάνατος ἂν ἡ ψυχὴ εἴη, ὥστε θαρροῦντα χρὴ ὃ
μὴ τυγχάνεις ἐπιστάμενος νῦν—τοῦτο δ' ἐστὶν ὃ μὴ μεμνη-
μένος—ἐπιχειρεῖν ζητεῖν καὶ ἀναμιμνῄσκεσθαι;

ΜΕΝ. εὖ μοι δοκεῖς λέγειν, ὦ Σώκρατες, οὐκ οἶδ' ὅπως. 5

ΣΩ. καὶ γὰρ ἐγὼ ἐμοί, ὦ Μένων. καὶ τὰ μέν γε ἄλλα
οὐκ ἂν πάνυ ὑπὲρ τοῦ λόγου διισχυρισαίμην· ὅτι δ' οἰόμενοι
δεῖν ζητεῖν ἃ μή τις οἶδεν βελτίους ἂν εἶμεν καὶ ἀνδρικώ-
τεροι καὶ ἧττον ἀργοὶ ἢ εἰ οἰοίμεθα ἃ μὴ ἐπιστάμεθα μηδὲ
δυνατὸν εἶναι εὑρεῖν μηδὲ δεῖν ζητεῖν, περὶ τούτου πάνυ ἂν c
διαμαχοίμην, εἰ οἷός τε εἴην, καὶ λόγῳ καὶ ἔργῳ.

ΜΕΝ. καὶ τοῦτο μέν γε δοκεῖς μοι εὖ λέγειν, ὦ Σώκρατες.

ΣΩ. βούλει οὖν, ἐπειδὴ ὁμονοοῦμεν ὅτι ζητητέον περὶ
οὗ μή τις οἶδεν, ἐπιχειρήσωμεν κοινῇ ζητεῖν τί ποτ' ἐστὶν 5
ἀρετή;

ΜΕΝ. πάνυ μὲν οὖν. οὐ μέντοι, ὦ Σώκρατες, ἀλλ'
ἔγωγε ἐκεῖνο ἂν ἥδιστα, ὅπερ ἠρόμην τὸ πρῶτον, καὶ σκεψαί-
μην καὶ ἀκούσαιμι, πότερον ὡς διδακτῷ ὄντι αὐτῷ δεῖ ἐπι-
χειρεῖν, ἢ ὡς φύσει ἢ ὡς τίνι ποτὲ τρόπῳ παραγιγνομένης d
τοῖς ἀνθρώποις τῆς ἀρετῆς.

ΣΩ. ἀλλ' εἰ μὲν ἐγὼ ἦρχον, ὦ Μένων, μὴ μόνον ἐμαυ-
τοῦ ἀλλὰ καὶ σοῦ, οὐκ ἂν ἐσκεψάμεθα πρότερον εἴτε διδακτὸν
εἴτε οὐ διδακτὸν ἡ ἀρετή, πρὶν ὅ τι ἐστὶν πρῶτον ἐζητήσαμεν 5
αὐτό· ἐπειδὴ δὲ σὺ σαυτοῦ μὲν οὐδ' ἐπιχειρεῖς ἄρχειν, ἵνα

δὴ ἐλεύθερος ἦς, ἐμοῦ δὲ ἐπιχειρεῖς τε ἄρχειν καὶ ἄρχεις, συγχωρήσομαί σοι—τί γὰρ χρὴ ποιεῖν; —ἔοικεν οὖν σκεπτέον εἶναι ποῖόν τί ἐστιν ὃ μήπω ἴσμεν ὅ τι ἐστίν. εἰ μή τι οὖν e ἀλλὰ σμικρόν γέ μοι τῆς ἀρχῆς χάλασον, καὶ συγχώρησον ἐξ ὑποθέσεως αὐτὸ σκοπεῖσθαι, εἴτε διδακτόν ἐστιν εἴτε ὁπωσοῦν. λέγω δὲ τὸ ἐξ ὑποθέσεως ὧδε, ὥσπερ οἱ γεωμέ- τραι πολλάκις σκοποῦνται, ἐπειδάν τις ἔρηται αὐτούς, οἶον 5 περὶ χωρίου, εἰ οἷόν τε ἐς τόνδε τὸν κύκλον τόδε τὸ χωρίον τρίγωνον ἐνταθῆναι, εἴποι ἄν τις ὅτι 'οὔπω οἶδα εἰ ἔστιν 87 τοῦτο τοιοῦτον, ἀλλ᾽ ὥσπερ μέν τινα ὑπόθεσιν προὔργου οἶμαι ἔχειν πρὸς τὸ πρᾶγμα τοιάνδε· εἰ μέν ἐστιν τοῦτο τὸ χωρίον τοιοῦτον οἶον παρὰ τὴν δοθεῖσαν αὐτοῦ γραμμὴν παρατείναντα ἐλλείπειν τοιούτῳ χωρίῳ οἶον ἂν αὐτὸ τὸ 5 παρατεταμένον ᾖ, ἄλλο τι συμβαίνειν μοι δοκεῖ, καὶ ἄλλο αὖ, εἰ ἀδύνατόν ἐστιν ταῦτα παθεῖν. ὑποθέμενος οὖν ἐθέλω εἰπεῖν σοι τὸ συμβαῖνον περὶ τῆς ἐντάσεως αὐτοῦ εἰς τὸν b κύκλον, εἴτε ἀδύνατον εἴτε μή.᾽ οὕτω δὴ καὶ περὶ ἀρετῆς ἡμεῖς, ἐπειδὴ οὐκ ἴσμεν οὔθ᾽ ὅ τι ἐστὶν οὔθ᾽ ὁποῖόν τι, ὑπο- θέμενοι αὐτὸ σκοπῶμεν εἴτε διδακτὸν εἴτε οὐ διδακτόν ἐστιν, ὧδε λέγοντες· εἰ ποῖόν τί ἐστιν τῶν περὶ τὴν ψυχὴν ὄντων 5 ἀρετή, διδακτὸν ἂν εἴη ἢ οὐ διδακτόν; πρῶτον μὲν δὴ εἰ ἔστιν ἀλλοῖον ἢ οἶον ἐπιστήμη, ἆρα διδακτὸν ἢ οὔ, ἢ ὃ νυνδὴ ἐλέγομεν, ἀναμνηστόν—διαφερέτω δὲ μηδὲν ἡμῖν ὁποτέρῳ ἂν τῷ ὀνόματι χρώμεθα—ἀλλ᾽ ἆρα διδακτόν; ἢ c τοῦτό γε παντὶ δῆλον, ὅτι οὐδὲν ἄλλο διδάσκεται ἄνθρωπος ἢ ἐπιστήμην;

ΜΕΝ. ἔμοιγε δοκεῖ.

ΣΩ. εἰ δέ γ᾽ ἐστὶν ἐπιστήμη τις ἡ ἀρετή, δῆλον ὅτι 5 διδακτὸν ἂν εἴη.

ΜΕΝ. πῶς γὰρ οὔ;

ΣΩ. τούτου μὲν ἄρα ταχὺ ἀπηλλάγμεθα, ὅτι τοιοῦδε μὲν ὄντος διδακτόν, τοιοῦδε δ᾽ οὔ.

ΜΕΝ. πάνυ γε. 10

ΣΩ. τὸ δὴ μετὰ τοῦτο, ὡς ἔοικε, δεῖ σκέψασθαι πότερόν ἐστιν ἐπιστήμη ἡ ἀρετὴ ἢ ἀλλοῖον ἐπιστήμης.

ΜΕΝ. ἔμοιγε δοκεῖ τοῦτο μετὰ τοῦτο σκεπτέον εἶναι. d

ΣΩ. τί δὲ δή; ἄλλο τι ἢ ἀγαθὸν αὐτό φαμεν εἶναι τὴν ἀρετήν, καὶ αὕτη ἡ ὑπόθεσις μένει ἡμῖν, ἀγαθὸν αὐτὸ εἶναι;

ΜΕΝ. πάνυ μὲν οὖν. ΣΩ. οὐκοῦν εἰ μέν τί ἐστιν ἀγαθὸν καὶ ἄλλο χωριζόμενον ἐπιστήμης, τάχ᾽ ἂν εἴη ἡ 5 ἀρετὴ οὐκ ἐπιστήμη τις· εἰ δὲ μηδέν ἐστιν ἀγαθὸν ὃ οὐκ ἐπιστήμη περιέχει, ἐπιστήμην ἄν τιν᾽ αὐτὸ ὑποπτεύοντες εἶναι ὀρθῶς ὑποπτεύοιμεν. ΜΕΝ. ἔστι ταῦτα. ΣΩ. καὶ μὴν ἀρετῇ γ᾽ ἐσμὲν ἀγαθοί; ΜΕΝ. ναί. ΣΩ. εἰ δὲ ἀγαθοί, e ὠφέλιμοι· πάντα γὰρ τἀγαθὰ ὠφέλιμα. οὐχί; ΜΕΝ. ναί.

ΣΩ. καὶ ἡ ἀρετὴ δὴ ὠφέλιμόν ἐστιν; ΜΕΝ. ἀνάγκη ἐκ τῶν ὡμολογημένων.

ΣΩ. σκεψώμεθα δὴ καθ᾽ ἕκαστον ἀναλαμβάνοντες ποῖά 5 ἐστιν ἃ ἡμᾶς ὠφελεῖ. ὑγίεια, φαμέν, καὶ ἰσχὺς καὶ κάλλος καὶ πλοῦτος δή· ταῦτα λέγομεν καὶ τὰ τοιαῦτα ὠφέλιμα. οὐχί; ΜΕΝ. ναί. ΣΩ. ταὐτὰ δὲ ταῦτά φαμεν ἐνίοτε 88 καὶ βλάπτειν· ἢ σὺ ἄλλως φῇς ἢ οὕτως; ΜΕΝ. οὐκ, ἀλλ᾽ οὕτως. ΣΩ. σκόπει δή, ὅταν τί ἑκάστου τούτων ἡγῆται, ὠφελεῖ ἡμᾶς, καὶ ὅταν τί, βλάπτει; ἆρ᾽ οὐχ ὅταν μὲν ὀρθὴ χρῆσις, ὠφελεῖ, ὅταν δὲ μή, βλάπτει; ΜΕΝ. πάνυ γε. 5

ΣΩ. ἔτι τοίνυν καὶ τὰ κατὰ τὴν ψυχὴν σκεψώμεθα. σωφροσύνην τι καλεῖς καὶ δικαιοσύνην καὶ ἀνδρείαν καὶ

εὐμαθίαν καὶ μνήμην καὶ μεγαλοπρέπειαν καὶ πάντα τὰ
τοιαῦτα; ΜΕΝ. ἔγωγε. ΣΩ. σκόπει δή, τούτων ἄττα b
σοι δοκεῖ μὴ ἐπιστήμη εἶναι ἀλλ᾽ ἄλλο ἐπιστήμης, εἰ οὐχὶ
τοτὲ μὲν βλάπτει, τοτὲ δὲ ὠφελεῖ; οἷον ἀνδρεία, εἰ μὴ ἔστι
φρόνησις ἡ ἀνδρεία ἀλλ᾽ οἷον θάρρος τι· οὐχ ὅταν μὲν
ἄνευ νοῦ θαρρῇ ἄνθρωπος, βλάπτεται, ὅταν δὲ σὺν νῷ, 5
ὠφελεῖται; ΜΕΝ. ναί. ΣΩ. οὐκοῦν καὶ σωφροσύνη
ὡσαύτως καὶ εὐμαθία· μετὰ μὲν νοῦ καὶ μανθανόμενα καὶ
καταρτυόμενα ὠφέλιμα, ἄνευ δὲ νοῦ βλαβερά; ΜΕΝ. πάνυ
σφόδρα. ΣΩ. οὐκοῦν συλλήβδην πάντα τὰ τῆς ψυχῆς c
ἐπιχειρήματα καὶ καρτερήματα ἡγουμένης μὲν φρονήσεως εἰς
εὐδαιμονίαν τελευτᾷ, ἀφροσύνης δ᾽ εἰς τοὐναντίον; ΜΕΝ.
ἔοικεν. ΣΩ. εἰ ἄρα ἀρετὴ τῶν ἐν τῇ ψυχῇ τί ἐστιν καὶ
ἀναγκαῖον αὐτῷ ὠφελίμῳ εἶναι, φρόνησιν αὐτὸ δεῖ εἶναι, 5
ἐπειδήπερ πάντα τὰ κατὰ τὴν ψυχὴν αὐτὰ μὲν καθ᾽ αὑτὰ
οὔτε ὠφέλιμα οὔτε βλαβερά ἐστιν, προσγενομένης δὲ φρο-
νήσεως ἢ ἀφροσύνης βλαβερά τε καὶ ὠφέλιμα γίγνεται. d
κατὰ δὴ τοῦτον τὸν λόγον ὠφέλιμόν γε οὖσαν τὴν ἀρετὴν
φρόνησιν δεῖ τιν᾽ εἶναι. ΜΕΝ. ἔμοιγε δοκεῖ.

ΣΩ. καὶ μὲν δὴ καὶ τἆλλα ἃ νυνδὴ ἐλέγομεν, πλοῦτόν
τε καὶ τὰ τοιαῦτα, τοτὲ μὲν ἀγαθὰ τοτὲ δὲ βλαβερὰ εἶναι, 5
ἆρα οὐχ ὥσπερ τῇ ἄλλῃ ψυχῇ ἡ φρόνησις ἡγουμένη ὠφέλιμα τὰ
τῆς ψυχῆς ἐποίει, ἡ δὲ ἀφροσύνη βλαβερά, οὕτως αὖ
καὶ τούτοις ἡ ψυχὴ ὀρθῶς μὲν χρωμένη καὶ ἡγουμένη ὠφέ- e
λιμα αὐτὰ ποιεῖ, μὴ ὀρθῶς δὲ βλαβερά; ΜΕΝ. πάνυ γε.
ΣΩ. ὀρθῶς δέ γε ἡ ἔμφρων ἡγεῖται, ἡμαρτημένως δ᾽ ἡ
ἄφρων; ΜΕΝ. ἔστι ταῦτα. ΣΩ. οὐκοῦν οὕτω δὴ κατὰ
πάντων εἰπεῖν ἔστιν, τῷ ἀνθρώπῳ τὰ μὲν ἄλλα πάντα εἰς τὴν 5

ψυχὴν ἀνηρτῆσθαι, τὰ δὲ τῆς ψυχῆς αὐτῆς εἰς φρόνησιν, εἰ
μέλλει ἀγαθὰ εἶναι· καὶ τούτῳ τῷ λόγῳ φρόνησις ἂν εἴη 89
τὸ ὠφέλιμον· φαμὲν δὲ τὴν ἀρετὴν ὠφέλιμον εἶναι;
ΜΕΝ. πάνυ γε. ΣΩ. φρόνησιν ἄρα φαμὲν ἀρετὴν εἶναι,
ἤτοι σύμπασαν ἢ μέρος τι; ΜΕΝ. δοκεῖ μοι καλῶς λέγε-
σθαι, ὦ Σώκρατες, τὰ λεγόμενα. ΣΩ. οὐκοῦν εἰ ταῦτα 5
οὕτως ἔχει, οὐκ ἂν εἶεν φύσει οἱ ἀγαθοί. ΜΕΝ. οὔ μοι
δοκεῖ.

ΣΩ. καὶ γὰρ ἄν που καὶ τόδ᾽ ἦν· εἰ φύσει οἱ ἀγαθοὶ b
ἐγίγνοντο, ἦσάν που ἂν ἡμῖν οἳ ἐγίγνωσκον τῶν νέων τοὺς
ἀγαθοὺς τὰς φύσεις, οὓς ἡμεῖς ἂν παραλαβόντες ἐκείνων
ἀποφηνάντων ἐφυλάττομεν ἂν ἐν ἀκροπόλει, κατασημηνά-
μενοι πολὺ μᾶλλον ἢ τὸ χρυσίον, ἵνα μηδεὶς αὐτοὺς διέ- 5
φθειρεν, ἀλλ᾽ ἐπειδὴ ἀφίκοιντο εἰς τὴν ἡλικίαν, χρήσιμοι
γίγνοιντο ταῖς πόλεσι.

ΜΕΝ. εἰκός γέ τοι, ὦ Σώκρατες.

ΣΩ. ἆρ᾽ οὖν ἐπειδὴ οὐ φύσει οἱ ἀγαθοὶ ἀγαθοὶ γίγνονται,
ἆρα μαθήσει; c

ΜΕΝ. δοκεῖ μοι ἤδη ἀναγκαῖον εἶναι· καὶ δῆλον, ὦ
Σώκρατες, κατὰ τὴν ὑπόθεσιν, εἴπερ ἐπιστήμη ἐστὶν ἀρετή,
ὅτι διδακτόν ἐστιν.

ΣΩ. ἴσως νὴ Δία· ἀλλὰ μὴ τοῦτο οὐ καλῶς ὡμολογή- 5
σαμεν;

ΜΕΝ. καὶ μὴν ἐδόκει γε ἄρτι καλῶς λέγεσθαι.

ΣΩ. ἀλλὰ μὴ οὐκ ἐν τῷ ἄρτι μόνον δέῃ αὐτὸ δοκεῖν
καλῶς λέγεσθαι, ἀλλὰ καὶ ἐν τῷ νῦν καὶ ἐν τῷ ἔπειτα, εἰ
μέλλει τι αὐτοῦ ὑγιὲς εἶναι. 10

ΜΕΝ. τί οὖν δή; πρὸς τί βλέπων δυσχεραίνεις αὐτὸ d
καὶ ἀπιστεῖς μὴ οὐκ ἐπιστήμη ᾖ ἡ ἀρετή;

ΣΩ. ἐγώ σοι ἐρῶ, ὦ Μένων. τὸ μὲν γὰρ διδακτὸν
αὐτὸ εἶναι, εἴπερ ἐπιστήμη ἐστίν, οὐκ ἀνατίθεμαι μὴ οὐ
καλῶς λέγεσθαι· ὅτι δὲ οὐκ ἔστιν ἐπιστήμη, σκέψαι ἐάν σοι 5
δοκῶ εἰκότως ἀπιστεῖν. τόδε γάρ μοι εἰπέ· εἰ ἔστιν διδα-
κτὸν ὁτιοῦν πρᾶγμα, μὴ μόνον ἀρετή, οὐκ ἀναγκαῖον αὐτοῦ
καὶ διδασκάλους καὶ μαθητὰς εἶναι;

ΜΕΝ. ἔμοιγε δοκεῖ.

ΣΩ. οὐκοῦν τοὐναντίον αὖ, οὗ μήτε διδάσκαλοι μήτε e
μαθηταὶ εἶεν, καλῶς ἂν αὐτὸ εἰκάζοντες εἰκάζοιμεν μὴ
διδακτὸν εἶναι;

ΜΕΝ. ἔστι ταῦτα· ἀλλ᾽ ἀρετῆς διδάσκαλοι οὐ δοκοῦσί
σοι εἶναι; 5

ΣΩ. πολλάκις γοῦν ζητῶν εἴ τινες εἶεν αὐτῆς διδά-
σκαλοι, πάντα ποιῶν οὐ δύναμαι εὑρεῖν. καίτοι μετὰ πολλῶν
γε ζητῶ, καὶ τούτων μάλιστα οὓς ἂν οἴωμαι ἐμπειροτάτους
εἶναι τοῦ πράγματος. καὶ δὴ καὶ νῦν, ὦ Μένων, εἰς καλὸν
ἡμῖν Ἄνυτος ὅδε παρεκαθέζετο, ᾧ μεταδῶμεν τῆς ζητήσεως. 10
εἰκότως δ᾽ ἂν μεταδοῖμεν· Ἄνυτος γὰρ ὅδε πρῶτον μέν ἐστι **90**
πατρὸς πλουσίου τε καὶ σοφοῦ Ἀνθεμίωνος, ὃς ἐγένετο
πλούσιος οὐκ ἀπὸ τοῦ αὐτομάτου οὐδὲ δόντος τινός, ὥσπερ
ὁ νῦν νεωστὶ εἰληφὼς τὰ Πολυκράτους χρήματα Ἰσμηνίας
ὁ Θηβαῖος, ἀλλὰ τῇ αὑτοῦ σοφίᾳ κτησάμενος καὶ ἐπιμελείᾳ, 5
ἔπειτα καὶ τὰ ἄλλα οὐχ ὑπερήφανος δοκῶν εἶναι πολίτης
οὐδὲ ὀγκώδης τε καὶ ἐπαχθής, ἀλλὰ κόσμιος καὶ εὐσταλὴς
ἀνήρ· ἔπειτα τοῦτον εὖ ἔθρεψεν καὶ ἐπαίδευσεν, ὡς δοκεῖ b
Ἀθηναίων τῷ πλήθει· αἱροῦνται γοῦν αὐτὸν ἐπὶ τὰς μεγί-
στας ἀρχάς. δίκαιον δὴ μετὰ τοιούτων ζητεῖν ἀρετῆς πέρι
διδασκάλους, εἴτ᾽ εἰσὶν εἴτε μή, καὶ οἵτινες. σὺ οὖν ἡμῖν,
ὦ Ἄνυτε, συζήτησον, ἐμοί τε καὶ τῷ σαυτοῦ ξένῳ Μένωνι 5

τῷδε, περὶ τούτου τοῦ πράγματος τίνες ἂν εἶεν διδάσκαλοι.
ὧδε δὲ σκέψαι· εἰ βουλοίμεθα Μένωνα τόνδε ἀγαθὸν ἰατρὸν
γενέσθαι, παρὰ τίνας ἂν αὐτὸν πέμποιμεν διδασκάλους; ἆρ᾽ c
οὐ παρὰ τοὺς ἰατρούς;
ΑΝ. πάνυ γε.
ΣΩ. τί δ᾽ εἰ σκυτοτόμον ἀγαθὸν βουλοίμεθα γενέσθαι,
ἆρ᾽ οὐ παρὰ τοὺς σκυτοτόμους; 5
ΑΝ. ναί.
ΣΩ. καὶ τἆλλα οὕτως;
ΑΝ. πάνυ γε.
ΣΩ. ὧδε δή μοι πάλιν περὶ τῶν αὐτῶν εἰπέ. παρὰ τοὺς
ἰατρούς, φαμέν, πέμποντες τόνδε καλῶς ἂν ἐπέμπομεν, βου- 10
λόμενοι ἰατρὸν γενέσθαι· ἆρ᾽ ὅταν τοῦτο λέγωμεν, τόδε
λέγομεν, ὅτι παρὰ τούτους πέμποντες αὐτὸν σωφρονοῖμεν d
ἄν, τοὺς ἀντιποιουμένους τε τῆς τέχνης μᾶλλον ἢ τοὺς μή,
καὶ τοὺς μισθὸν πραττομένους ἐπ᾽ αὐτῷ τούτῳ, ἀποφήναντας
αὐτοὺς διδασκάλους τοῦ βουλομένου ἰέναι τε καὶ μανθάνειν;
ἆρ᾽ οὐ πρὸς ταῦτα βλέψαντες καλῶς ἂν πέμποιμεν; 5
ΑΝ. ναί.
ΣΩ. οὐκοῦν καὶ περὶ αὐλήσεως καὶ τῶν ἄλλων τὰ αὐτὰ
ταῦτα; πολλὴ ἄνοιά ἐστι βουλομένους αὐλητήν τινα ποιῆσαι e
παρὰ μὲν τοὺς ὑπισχνουμένους διδάξειν τὴν τέχνην καὶ
μισθὸν πραττομένους μὴ ἐθέλειν πέμπειν, ἄλλοις δέ τισιν
πράγματα παρέχειν, ζητοῦντα μανθάνειν παρὰ τούτων, οἳ
μήτε προσποιοῦνται διδάσκαλοι εἶναι μήτ᾽ ἔστιν αὐτῶν μαθη- 5
τὴς μηδεὶς τούτου τοῦ μαθήματος ὃ ἡμεῖς ἀξιοῦμεν μανθά-
νειν παρ᾽ αὐτῶν ὃν ἂν πέμπωμεν. οὐ πολλή σοι δοκεῖ
ἀλογία εἶναι;
ΑΝ. ναὶ μὰ Δία ἔμοιγε, καὶ ἀμαθία γε πρός.
ΣΩ. καλῶς λέγεις. νῦν τοίνυν ἔξεστί σε μετ᾽ ἐμοῦ 10

κοινῇ βουλεύεσθαι περὶ τοῦ ξένου τουτουῒ Μένωνος. οὗτος 91
γάρ, ὦ Ἄνυτε, πάλαι λέγει πρός με ὅτι ἐπιθυμεῖ ταύτης
τῆς σοφίας καὶ ἀρετῆς ᾗ οἱ ἄνθρωποι τάς τε οἰκίας καὶ τὰς
πόλεις καλῶς διοικοῦσι, καὶ τοὺς γονέας τοὺς αὑτῶν θερα-
πεύουσι, καὶ πολίτας καὶ ξένους ὑποδέξασθαί τε καὶ ἀπο- 5
πέμψαι ἐπίστανται ἀξίως ἀνδρὸς ἀγαθοῦ. ταύτην οὖν τὴν
ἀρετὴν σκόπει παρὰ τίνας ἂν πέμποντες αὐτὸν ὀρθῶς πέμ- b
ποιμεν. ἢ δῆλον δὴ κατὰ τὸν ἄρτι λόγον ὅτι παρὰ τούτους
τοὺς ὑπισχνουμένους ἀρετῆς διδασκάλους εἶναι καὶ ἀποφή-
ναντας αὑτοὺς κοινοὺς τῶν Ἑλλήνων τῷ βουλομένῳ μανθάνειν,
μισθὸν τούτου ταξαμένους τε καὶ πραττομένους; 5

ΑΝ. καὶ τίνας λέγεις τούτους, ὦ Σώκρατες;

ΣΩ. οἶσθα δήπου καὶ σὺ ὅτι οὗτοί εἰσιν οὓς οἱ ἄνθρωποι
καλοῦσι σοφιστάς.

ΑΝ. Ἡράκλεις, εὐφήμει, ὦ Σώκρατες. μηδένα τῶν γ᾽ c
ἐμῶν μήτε οἰκείων μήτε φίλων, μήτε ἀστὸν μήτε ξένον,
τοιαύτη μανία λάβοι, ὥστε παρὰ τούτους ἐλθόντα λωβηθῆναι,
ἐπεὶ οὗτοί γε φανερά ἐστι λώβη τε καὶ διαφθορὰ τῶν
συγγιγνομένων. 5

ΣΩ. πῶς λέγεις, ὦ Ἄνυτε; οὗτοι ἄρα μόνοι τῶν ἀντι-
ποιουμένων τι ἐπίστασθαι εὐεργετεῖν τοσοῦτον τῶν ἄλλων
διαφέρουσιν, ὅσον οὐ μόνον οὐκ ὠφελοῦσιν, ὥσπερ οἱ ἄλλοι,
ὅ τι ἄν τις αὐτοῖς παραδῷ, ἀλλὰ καὶ τὸ ἐναντίον διαφθεί-
ρουσιν; καὶ τούτων φανερῶς χρήματα ἀξιοῦσι πράττεσθαι; d
ἐγὼ μὲν οὖν οὐκ ἔχω ὅπως σοι πιστεύσω· οἶδα γὰρ ἄνδρα
ἕνα Πρωταγόραν πλείω χρήματα κτησάμενον ἀπὸ ταύτης
τῆς σοφίας ἢ Φειδίαν τε, ὃς οὕτω περιφανῶς καλὰ ἔργα

ἠργάζετο, καὶ ἄλλους δέκα τῶν ἀνδριαντοποιῶν. καίτοι 5
τέρας λέγεις εἰ οἱ μὲν τὰ ὑποδήματα ἐργαζόμενοι τὰ παλαιὰ
καὶ τὰ ἱμάτια ἐξακούμενοι οὐκ ἂν δύναιντο λαθεῖν τριάκονθ'
ἡμέρας μοχθηρότερα ἀποδιδόντες ἢ παρέλαβον τὰ ἱμάτιά τε e
καὶ ὑποδήματα, ἀλλ' εἰ τοιαῦτα ποιοῖεν, ταχὺ ἂν τῷ λιμῷ
ἀποθάνοιεν, Πρωταγόρας δὲ ἄρα ὅλην τὴν Ἑλλάδα ἐλάν-
θανεν διαφθείρων τοὺς συγγιγνομένους καὶ μοχθηροτέρους
ἀποπέμπων ἢ παρελάμβανεν πλέον ἢ τετταράκοντα ἔτη— 5
οἶμαι γὰρ αὐτὸν ἀποθανεῖν ἐγγὺς καὶ ἑβδομήκοντα ἔτη γεγο-
νότα, τετταράκοντα δὲ ἐν τῇ τέχνῃ ὄντα—καὶ ἐν ἅπαντι
τῷ χρόνῳ τούτῳ ἔτι εἰς τὴν ἡμέραν ταυτηνὶ εὐδοκιμῶν
οὐδὲν πέπαυται, καὶ οὐ μόνον Πρωταγόρας, ἀλλὰ καὶ
ἄλλοι πάμπολλοι, οἱ μὲν πρότερον γεγονότες ἐκείνου, οἱ 92
δὲ καὶ νῦν ἔτι ὄντες. πότερον δὴ οὖν φῶμεν κατὰ τὸν
σὸν λόγον εἰδότας αὐτοὺς ἐξαπατᾶν καὶ λωβᾶσθαι τοὺς
νέους, ἢ λεληθέναι καὶ ἑαυτούς; καὶ οὕτω μαίνεσθαι
ἀξιώσομεν τούτους, οὓς ἔνιοί φασι σοφωτάτους ἀνθρώπων 5
εἶναι;

ΑΝ. πολλοῦ γε δέουσι μαίνεσθαι, ὦ Σώκρατες, ἀλλὰ
πολὺ μᾶλλον οἱ τούτοις διδόντες ἀργύριον τῶν νέων, τούτων δ'
ἔτι μᾶλλον οἱ τούτοις ἐπιτρέποντες, οἱ προσήκοντες, πολὺ b
δὲ μάλιστα πάντων αἱ πόλεις, ἐῶσαι αὐτοὺς εἰσαφικνεῖσθαι
καὶ οὐκ ἐξελαύνουσαι, εἴτε τις ξένος ἐπιχειρεῖ τοιοῦτόν τι
ποιεῖν εἴτε ἀστός.

ΣΩ. πότερον δέ, ὦ Ἄνυτε, ἠδίκηκέ τίς σε τῶν σοφιστῶν, 5
ἢ τί οὕτως αὐτοῖς χαλεπὸς εἶ;

ΑΝ. οὐδὲ μὰ Δία ἔγωγε συγγέγονα πώποτε αὐτῶν οὐδενί, οὐδ᾽ ἂν ἄλλον ἐάσαιμι τῶν ἐμῶν οὐδένα.

ΣΩ. ἄπειρος ἄρ᾽ εἶ παντάπασι τῶν ἀνδρῶν;

ΑΝ. καὶ εἴην γε. 10

ΣΩ. πῶς οὖν ἄν, ὦ δαιμόνιε, εἰδείης περὶ τούτου τοῦ c πράγματος, εἴτε τι ἀγαθὸν ἔχει ἐν αὐτῷ εἴτε φλαῦρον, οὐ παντάπασιν ἄπειρος εἴης;

ΑΝ. ῥᾳδίως· τούτους γοῦν οἶδα οἵ εἰσιν, εἴτ᾽ οὖν ἄπειρος αὐτῶν εἰμι εἴτε μή. 5

ΣΩ. μάντις εἶ ἴσως, ὦ Ἄνυτε· ἐπεὶ ὅπως γε ἄλλως οἶσθα τούτων πέρι, ἐξ ὧν αὐτὸς λέγεις θαυμάζοιμ᾽ ἄν. ἀλλὰ γὰρ οὐ τούτους ἐπιζητοῦμεν τίνες εἰσίν, παρ᾽ οὓς ἂν Μένων ἀφικόμενος μοχθηρὸς γένοιτο—οὗτοι μὲν γάρ, εἰ σὺ d βούλει, ἔστων οἱ σοφισταί—ἀλλὰ δὴ ἐκείνους εἰπὲ ἡμῖν, καὶ τὸν πατρικὸν τόνδε ἑταῖρον εὐεργέτησον φράσας αὐτῷ παρὰ τίνας ἀφικόμενος ἐν τοσαύτῃ πόλει τὴν ἀρετὴν ἣν νυνδὴ ἐγὼ διῆλθον γένοιτ᾽ ἂν ἄξιος λόγου. 5

ΑΝ. τί δὲ αὐτῷ οὐ σὺ ἔφρασας;

ΣΩ. ἀλλ᾽ οὓς μὲν ἐγὼ ᾤμην διδασκάλους τούτων εἶναι, εἶπον, ἀλλὰ τυγχάνω οὐδὲν λέγων, ὡς σὺ φῄς· καὶ ἴσως τι λέγεις. ἀλλὰ σὺ δὴ ἐν τῷ μέρει αὐτῷ εἰπὲ παρὰ τίνας e ἔλθῃ Ἀθηναίων· εἰπὲ ὄνομα ὅτου βούλει.

ΑΝ. τί δὲ ἑνὸς ἀνθρώπου ὄνομα δεῖ ἀκοῦσαι; ὅτῳ γὰρ ἂν ἐντύχῃ Ἀθηναίων τῶν καλῶν κἀγαθῶν, οὐδεὶς ἔστιν ὃς οὐ βελτίω αὐτὸν ποιήσει ἢ οἱ σοφισταί, ἐάνπερ ἐθέλῃ 5 πείθεσθαι.

ΣΩ. πότερον δὲ οὗτοι οἱ καλοὶ κἀγαθοὶ ἀπὸ τοῦ αὐτομάτου ἐγένοντο τοιοῦτοι, παρ᾽ οὐδενὸς μαθόντες ὅμως

μέντοι ἄλλους διδάσκειν οἷοί τε ὄντες ταῦτα ἃ αὐτοὶ οὐκ
ἔμαθον;   93

ΑΝ. καὶ τούτους ἔγωγε ἀξιῶ παρὰ τῶν προτέρων μαθεῖν,
ὄντων καλῶν κἀγαθῶν· ἢ οὐ δοκοῦσί σοι πολλοὶ καὶ ἀγαθοὶ
γεγονέναι ἐν τῇδε τῇ πόλει ἄνδρες;

ΣΩ. ἔμοιγε, ὦ Ἄνυτε, καὶ εἶναι δοκοῦσιν ἐνθάδε ἀγαθοὶ   5
τὰ πολιτικά, καὶ γεγονέναι ἔτι οὐχ ἧττον ἢ εἶναι· ἀλλὰ
μῶν καὶ διδάσκαλοι ἀγαθοὶ γεγόνασιν τῆς αὐτῶν ἀρετῆς;
τοῦτο γάρ ἐστιν περὶ οὗ ὁ λόγος ἡμῖν τυγχάνει ὤν· οὐκ εἰ
εἰσὶν ἀγαθοὶ ἢ μὴ ἄνδρες ἐνθάδε, οὐδ' εἰ γεγόνασιν ἐν τῷ
πρόσθεν, ἀλλ' εἰ διδακτόν ἐστιν ἀρετὴ πάλαι σκοποῦμεν.   b
τοῦτο δὲ σκοποῦντες τόδε σκοποῦμεν, ἆρα οἱ ἀγαθοὶ ἄνδρες
καὶ τῶν νῦν καὶ τῶν προτέρων ταύτην τὴν ἀρετὴν ἣν αὐτοὶ
ἀγαθοὶ ἦσαν ἠπίσταντο καὶ ἄλλῳ παραδοῦναι, ἢ οὐ παρα-
δοτὸν τοῦτο ἀνθρώπῳ οὐδὲ παραληπτὸν ἄλλῳ παρ' ἄλλου·   5
τοῦτ' ἔστιν ὃ πάλαι ζητοῦμεν ἐγώ τε καὶ Μένων. ὧδε οὖν
σκόπει ἐκ τοῦ σαυτοῦ λόγου· Θεμιστοκλέα οὐκ ἀγαθὸν ἂν
φαίης ἄνδρα γεγονέναι;   c

ΑΝ. ἔγωγε, πάντων γε μάλιστα.

ΣΩ. οὐκοῦν καὶ διδάσκαλον ἀγαθόν, εἴπερ τις ἄλλος τῆς
αὐτοῦ ἀρετῆς διδάσκαλος ἦν, κἀκεῖνον εἶναι;

ΑΝ. οἶμαι ἔγωγε, εἴπερ ἐβούλετό γε.   5

ΣΩ. ἀλλ', οἴει, οὐκ ἂν ἐβουλήθη ἄλλους τέ τινας
καλοὺς κἀγαθοὺς γενέσθαι, μάλιστα δέ που τὸν υἱὸν τὸν
αὐτοῦ; ἢ οἴει αὐτὸν φθονεῖν αὐτῷ καὶ ἐξεπίτηδες οὐ παρα-
διδόναι τὴν ἀρετὴν ἣν αὐτὸς ἀγαθὸς ἦν; ἢ οὐκ ἀκήκοας ὅτι   d
Θεμιστοκλῆς Κλεόφαντον τὸν υἱὸν ἱππέα μὲν ἐδιδάξατο
ἀγαθόν; ἐπέμενεν γοῦν ἐπὶ τῶν ἵππων ὀρθὸς ἑστηκώς, καὶ

ἠκόντιζεν ἀπὸ τῶν ἵππων ὀρθός, καὶ ἄλλα πολλὰ καὶ θαυ-
μαστὰ ἠργάζετο ἃ ἐκεῖνος αὐτὸν ἐπαιδεύσατο καὶ ἐποίησε 5
σοφόν, ὅσα διδασκάλων ἀγαθῶν εἴχετο· ἢ ταῦτα οὐκ ἀκήκοας
τῶν πρεσβυτέρων;

ΑΝ. ἀκήκοα.

ΣΩ. οὐκ ἂν ἄρα τήν γε φύσιν τοῦ ὑέος αὐτοῦ ᾐτιάσατ᾽
ἄν τις εἶναι κακήν. 10

ΑΝ. ἴσως οὐκ ἄν. e

ΣΩ. τί δὲ τόδε; ὡς Κλεόφαντος ὁ Θεμιστοκλέους ἀνὴρ
ἀγαθὸς καὶ σοφὸς ἐγένετο ἅπερ ὁ πατὴρ αὐτοῦ, ἤδη του
ἀκήκοας ἢ νεωτέρου ἢ πρεσβυτέρου;

ΑΝ. οὐ δῆτα. 5

ΣΩ. ἆρ᾽ οὖν ταῦτα μὲν οἰόμεθα βούλεσθαι αὐτὸν τὸν
αὑτοῦ ὑὸν παιδεῦσαι, ἣν δὲ αὐτὸς σοφίαν ἦν σοφός, οὐδὲν
τῶν γειτόνων βελτίω ποιῆσαι, εἴπερ ἦν γε διδακτὸν ἡ ἀρετή;

ΑΝ. ἴσως μὰ Δί᾽ οὔ.

ΣΩ. οὗτος μὲν δή σοι τοιοῦτος διδάσκαλος ἀρετῆς, ὃν 10
καὶ σὺ ὁμολογεῖς ἐν τοῖς ἄριστον τῶν προτέρων εἶναι· ἄλλον
δὲ δὴ σκεψώμεθα, Ἀριστείδην τὸν Λυσιμάχου· ἢ τοῦτον 94
οὐχ ὁμολογεῖς ἀγαθὸν γεγονέναι;

ΑΝ. ἔγωγε, πάντως δήπου.

ΣΩ. οὐκοῦν καὶ οὗτος τὸν ὑὸν τὸν αὑτοῦ Λυσίμαχον,
ὅσα μὲν διδασκάλων εἴχετο, κάλλιστα Ἀθηναίων ἐπαίδευσε, 5
ἄνδρα δὲ βελτίω δοκεῖ σοι ὁτουοῦν πεποιηκέναι; τούτῳ γάρ
που καὶ συγγέγονας καὶ ὁρᾷς οἷός ἐστιν. εἰ δὲ βούλει,
Περικλέα, οὕτως μεγαλοπρεπῶς σοφὸν ἄνδρα, οἶσθ᾽ ὅτι δύο b
ὑεῖς ἔθρεψε, Πάραλον καὶ Ξάνθιππον;

ΑΝ. ἔγωγε.

ΣΩ. τούτους μέντοι, ὡς οἶσθα καὶ σύ, ἱππέας μὲν ἐδί-

δαξεν οὐδενὸς χείρους Ἀθηναίων, καὶ μουσικὴν καὶ ἀγωνίαν 5
καὶ τᾶλλα ἐπαίδευσεν ὅσα τέχνης ἔχεται οὐδενὸς χείρους·
ἀγαθοὺς δὲ ἄρα ἄνδρας οὐκ ἐβούλετο ποιῆσαι; δοκῶ μέν,
ἐβούλετο, ἀλλὰ μὴ οὐκ ᾖ διδακτόν. ἵνα δὲ μὴ ὀλίγους οἴῃ
καὶ τοὺς φαυλοτάτους Ἀθηναίων ἀδυνάτους γεγονέναι τοῦτο
τὸ πρᾶγμα, ἐνθυμήθητι ὅτι Θουκυδίδης αὖ δύο ὑεῖς ἔθρεψεν, c
Μελησίαν καὶ Στέφανον, καὶ τούτους ἐπαίδευσεν τά τε ἄλλα
εὖ καὶ ἐπάλαισαν κάλλιστα Ἀθηναίων—τὸν μὲν γὰρ Ξανθίᾳ
ἔδωκε, τὸν δὲ Εὐδώρῳ· οὗτοι δέ που ἐδόκουν τῶν τότε
κάλλιστα παλαίειν—ἢ οὐ μέμνησαι; 5
ΑΝ. ἔγωγε, ἀκοῇ.
ΣΩ. οὐκοῦν δῆλον ὅτι οὗτος οὐκ ἄν ποτε, οὗ μὲν ἔδει
δαπανώμενον διδάσκειν, ταῦτα μὲν ἐδίδαξε τοὺς παῖδας τοὺς d
αὑτοῦ, οὗ δὲ οὐδὲν ἔδει ἀναλώσαντα ἀγαθοὺς ἄνδρας ποιῆσαι,
ταῦτα δὲ οὐκ ἐδίδαξεν, εἰ διδακτὸν ἦν; ἀλλὰ γὰρ ἴσως ὁ
Θουκυδίδης φαῦλος ἦν, καὶ οὐκ ἦσαν αὐτῷ πλεῖστοι φίλοι
Ἀθηναίων καὶ τῶν συμμάχων; καὶ οἰκίας μεγάλης ἦν καὶ 5
ἐδύνατο μέγα ἐν τῇ πόλει καὶ ἐν τοῖς ἄλλοις Ἕλλησιν, ὥστε
εἴπερ ἦν τοῦτο διδακτόν, ἐξευρεῖν ἂν ὅστις ἔμελλεν αὐτοῦ
τοὺς ὑεῖς ἀγαθοὺς ποιήσειν, ἢ τῶν ἐπιχωρίων τις ἢ τῶν
ξένων, εἰ αὐτὸς μὴ ἐσχόλαζεν διὰ τὴν τῆς πόλεως ἐπιμέλειαν. e
ἀλλὰ γάρ, ὦ ἑταῖρε Ἄνυτε, μὴ οὐκ ᾖ διδακτὸν ἀρετή.
ΑΝ. ὦ Σώκρατες, ῥᾳδίως μοι δοκεῖς κακῶς λέγειν ἀν-
θρώπους. ἐγὼ μὲν οὖν ἄν σοι συμβουλεύσαιμι, εἰ ἐθέλεις
ἐμοὶ πείθεσθαι, εὐλαβεῖσθαι· ὡς ἴσως μὲν καὶ ἐν ἄλλῃ πόλει 5

ῥᾷόν ἐστιν κακῶς ποιεῖν ἀνθρώπους ἢ εὖ, ἐν τῇδε δὲ καὶ
πάνυ· οἶμαι δὲ σὲ καὶ αὐτὸν εἰδέναι.   95

ΣΩ. ὦ Μένων, Ἄνυτος μέν μοι δοκεῖ χαλεπαίνειν, καὶ
οὐδὲν θαυμάζω· οἴεται γάρ με πρῶτον μὲν κακηγορεῖν τούτους
τοὺς ἄνδρας, ἔπειτα ἡγεῖται καὶ αὐτὸς εἶναι εἷς τούτων. ἀλλ'
οὗτος μὲν ἐάν ποτε γνῷ οἷόν ἐστιν τὸ κακῶς λέγειν, παύσεται 5
χαλεπαίνων, νῦν δὲ ἀγνοεῖ· σὺ δέ μοι εἰπέ, οὐ καὶ παρ' ὑμῖν
εἰσιν καλοὶ κἀγαθοὶ ἄνδρες;

ΜΕΝ. πάνυ γε.

ΣΩ. τί οὖν; ἐθέλουσιν οὗτοι παρέχειν αὑτοὺς διδασκά- b
λους τοῖς νέοις, καὶ ὁμολογεῖν διδάσκαλοί τε εἶναι καὶ
διδακτὸν ἀρετήν;

ΜΕΝ. οὐ μὰ τὸν Δία, ὦ Σώκρατες, ἀλλὰ τοτὲ μὲν ἂν
αὐτῶν ἀκούσαις ὡς διδακτόν, τοτὲ δὲ ὡς οὔ.   5

ΣΩ. φῶμεν οὖν τούτους διδασκάλους εἶναι τούτου τοῦ
πράγματος, οἷς μηδὲ αὐτὸ τοῦτο ὁμολογεῖται;

ΜΕΝ. οὔ μοι δοκεῖ, ὦ Σώκρατες.

ΣΩ. τί δὲ δή; οἱ σοφισταί σοι οὗτοι, οἵπερ μόνοι
ἐπαγγέλλονται, δοκοῦσι διδάσκαλοι εἶναι ἀρετῆς;   10

ΜΕΝ. καὶ Γοργίου μάλιστα, ὦ Σώκρατες, ταῦτα ἄγαμαι, c
ὅτι οὐκ ἄν ποτε αὐτοῦ τοῦτο ἀκούσαις ὑπισχνουμένου, ἀλλὰ
καὶ τῶν ἄλλων καταγελᾷ, ὅταν ἀκούσῃ ὑπισχνουμένων· ἀλλὰ
λέγειν οἴεται δεῖν ποιεῖν δεινούς.

ΣΩ. οὐδ' ἄρα σοὶ δοκοῦσιν οἱ σοφισταὶ διδάσκαλοι 5
εἶναι;

ΜΕΝ. οὐκ ἔχω λέγειν, ὦ Σώκρατες. καὶ γὰρ αὐτὸς
ὅπερ οἱ πολλοὶ πέπονθα· τοτὲ μέν μοι δοκοῦσιν, τοτὲ δὲ οὔ.

ΣΩ. οἶσθα δὲ ὅτι οὐ μόνον σοί τε καὶ τοῖς ἄλλοις τοῖς
πολιτικοῖς τοῦτο δοκεῖ τοτὲ μὲν εἶναι διδακτόν, τοτὲ δ' οὔ, 10
ἀλλὰ καὶ Θέογνιν τὸν ποιητὴν οἶσθ' ὅτι ταὐτὰ ταῦτα λέγει; d
ΜΕΝ. ἐν ποίοις ἔπεσιν;
ΣΩ. ἐν τοῖς ἐλεγείοις, οὗ λέγει—

    καὶ παρὰ τοῖσιν πῖνε καὶ ἔσθιε, καὶ μετὰ τοῖσιν
    ἵζε, καὶ ἄνδανε τοῖς, ὧν μεγάλη δύναμις.   5
    ἐσθλῶν μὲν γὰρ ἄπ' ἐσθλὰ διδάξεαι· ἢν δὲ κακοῖσιν
    συμμίσγῃς, ἀπολεῖς καὶ τὸν ἐόντα νόον.   e

οἶσθ' ὅτι ἐν τούτοις μὲν ὡς διδακτοῦ οὔσης τῆς ἀρετῆς λέγει;
ΜΕΝ. φαίνεταί γε.
ΣΩ. ἐν ἄλλοις δέ γε ὀλίγον μεταβάς,—

    εἰ δ' ἦν ποιητόν, φησί, καὶ ἔνθετον ἀνδρὶ νόημα,   5

λέγει πως ὅτι—

    πολλοὺς ἂν μισθοὺς καὶ μεγάλους ἔφερον

οἱ δυνάμενοι τοῦτο ποιεῖν, καὶ—

    οὔ ποτ' ἂν ἐξ ἀγαθοῦ πατρὸς ἔγεντο κακός,
    πειθόμενος μύθοισι σαόφροσιν. ἀλλὰ διδάσκων   96
    οὔ ποτε ποιήσεις τὸν κακὸν ἄνδρ' ἀγαθόν.

ἐννοεῖς ὅτι αὐτὸς αὑτῷ πάλιν περὶ τῶν αὐτῶν τἀναντία
λέγει;
ΜΕΝ. φαίνεται.   5
ΣΩ. ἔχεις οὖν εἰπεῖν ἄλλου ὁτουοῦν πράγματος, οὗ οἱ
μὲν φάσκοντες διδάσκαλοι εἶναι οὐχ ὅπως ἄλλων διδάσκαλοι
ὁμολογοῦνται, ἀλλ' οὐδὲ αὐτοὶ ἐπίστασθαι, ἀλλὰ πονηροὶ
εἶναι περὶ αὐτὸ τοῦτο τὸ πρᾶγμα οὗ φασι διδάσκαλοι εἶναι, b
οἱ δὲ ὁμολογούμενοι αὐτοὶ καλοὶ κἀγαθοὶ τοτὲ μέν φασιν
αὐτὸ διδακτὸν εἶναι, τοτὲ δὲ οὔ; τοὺς οὖν οὕτω τεταραγμένους
περὶ ὁτουοῦν φαίης ἂν σὺ κυρίως διδασκάλους εἶναι;

w   ΜΕΝ. μὰ Δί᾽ οὐκ ἔγωγε.   5

ΣΩ. οὐκοῦν εἰ μήτε οἱ σοφισταὶ μήτε οἱ αὐτοὶ καλοὶ
κἀγαθοὶ ὄντες διδάσκαλοί εἰσι τοῦ πράγματος, δῆλον ὅτι οὐκ
ἂν ἄλλοι γε;

ΜΕΝ. οὔ μοι δοκεῖ.

ΣΩ. εἰ δέ γε μὴ διδάσκαλοι, οὐδὲ μαθηταί;   c

ΜΕΝ. δοκεῖ μοι ἔχειν ὡς λέγεις.

ΣΩ. ὡμολογήκαμεν δέ γε, πράγματος οὗ μήτε διδάσκαλοι
μήτε μαθηταὶ εἶεν, τοῦτο μηδὲ διδακτὸν εἶναι;

ΜΕΝ. ὡμολογήκαμεν.   5

ΣΩ. οὐκοῦν ἀρετῆς οὐδαμοῦ φαίνονται διδάσκαλοι;

ΜΕΝ. ἔστι ταῦτα.

ΣΩ. εἰ δέ γε μὴ διδάσκαλοι, οὐδὲ μαθηταί;

ΜΕΝ. φαίνεται οὕτως.

ΣΩ. ἀρετὴ ἄρα οὐκ ἂν εἴη διδακτόν;   10

ΜΕΝ. οὐκ ἔοικεν, εἴπερ ὀρθῶς ἡμεῖς ἐσκέμμεθα. ὥστε   d
καὶ θαυμάζω δή, ὦ Σώκρατες, πότερόν ποτε οὐδ᾽ εἰσὶν ἀγαθοὶ
ἄνδρες, ἢ τίς ἂν εἴη τρόπος τῆς γενέσεως τῶν ἀγαθῶν
γιγνομένων.

ΣΩ. κινδυνεύομεν, ὦ Μένων, ἐγώ τε καὶ σὺ φαῦλοί τινες   5
εἶναι ἄνδρες, καὶ σέ τε Γοργίας οὐχ ἱκανῶς πεπαιδευκέναι
καὶ ἐμὲ Πρόδικος. παντὸς μᾶλλον οὖν προσεκτέον τὸν νοῦν
ἡμῖν αὐτοῖς, καὶ ζητητέον ὅστις ἡμᾶς ἑνί γέ τῳ τρόπῳ βελτίους
ποιήσει· λέγω δὲ ταῦτα ἀποβλέψας πρὸς τὴν ἄρτι ζήτησιν,   e
ὡς ἡμᾶς ἔλαθεν καταγελάστως ὅτι οὐ μόνον ἐπιστήμης
ἡγουμένης ὀρθῶς τε καὶ εὖ τοῖς ἀνθρώποις πράττεται τὰ
πράγματα, ᾗ ἴσως καὶ διαφεύγει ἡμᾶς τὸ γνῶναι τίνα ποτὲ
τρόπον γίγνονται οἱ ἀγαθοὶ ἄνδρες.   5

ΜΕΝ. πῶς τοῦτο λέγεις, ὦ Σώκρατες;

ΣΩ. ὧδε· ὅτι μὲν τοὺς ἀγαθοὺς ἄνδρας δεῖ ὠφελίμους εἶναι, ὀρθῶς ὡμολογήκαμεν τοῦτό γε ὅτι οὐκ ἂν ἄλλως ἔχοι· ἦ γάρ; 97

ΜΕΝ. ναί.

ΣΩ. καὶ ὅτι γε ὠφέλιμοι ἔσονται, ἂν ὀρθῶς ἡμῖν ἡγῶνται τῶν πραγμάτων, καὶ τοῦτό που καλῶς ὡμολογοῦμεν;

ΜΕΝ. ναί. 5

ΣΩ. ὅτι δ᾽ οὐκ ἔστιν ὀρθῶς ἡγεῖσθαι, ἐὰν μὴ φρόνιμος ᾖ, τοῦτο ὅμοιοί ἐσμεν οὐκ ὀρθῶς ὡμολογηκόσιν.

ΜΕΝ. πῶς δὴ ὀρθῶς λέγεις;

ΣΩ. ἐγὼ ἐρῶ. εἰ εἰδὼς τὴν ὁδὸν τὴν εἰς Λάρισαν ἢ ὅποι βούλει ἄλλοσε βαδίζοι καὶ ἄλλοις ἡγοῖτο, ἄλλο τι ὀρθῶς 10 ἂν καὶ εὖ ἡγοῖτο;

ΜΕΝ. πάνυ γε.

ΣΩ. τί δ᾽ εἴ τις ὀρθῶς μὲν δοξάζων ἥτις ἐστὶν ἡ ὁδός, b ἐληλυθὼς δὲ μὴ μηδ᾽ ἐπιστάμενος, οὐ καὶ οὗτος ἂν ὀρθῶς ἡγοῖτο;

ΜΕΝ. πάνυ γε.

ΣΩ. καὶ ἕως γ᾽ ἄν που ὀρθὴν δόξαν ἔχῃ περὶ ὧν ὁ ἕτερος 5 ἐπιστήμην, οὐδὲν χείρων ἡγεμὼν ἔσται, οἰόμενος μὲν ἀληθῆ, φρονῶν δὲ μή, τοῦ τοῦτο φρονοῦντος.

ΜΕΝ. οὐδὲν γάρ.

ΣΩ. δόξα ἄρα ἀληθὴς πρὸς ὀρθότητα πράξεως οὐδὲν χείρων ἡγεμὼν φρονήσεως· καὶ τοῦτό ἐστιν ὃ νυνδὴ παρε- 10 λείπομεν ἐν τῇ περὶ τῆς ἀρετῆς σκέψει ὁποῖόν τι εἴη, λέγοντες ὅτι φρόνησις μόνον ἡγεῖται τοῦ ὀρθῶς πράττειν· τὸ δὲ ἄρα c καὶ δόξα ἦν ἀληθής.

ΜΕΝ. ἔοικέ γε.

ΣΩ. οὐδὲν ἄρα ἧττον ὠφέλιμόν ἐστιν ὀρθὴ δόξα ἐπι- 5
στήμης.

ΜΕΝ. τοσούτῳ γε, ὦ Σώκρατες, ὅτι ὁ μὲν τὴν ἐπιστήμην
ἔχων ἀεὶ ἂν ἐπιτυγχάνοι, ὁ δὲ τὴν ὀρθὴν δόξαν τοτὲ μὲν ἂν
τυγχάνοι, τοτὲ δ' οὔ.

ΣΩ. πῶς λέγεις; ὁ ἀεὶ ἔχων ὀρθὴν δόξαν οὐκ ἀεὶ ἂν
τυγχάνοι, ἕωσπερ ὀρθὰ δοξάζοι; 10

ΜΕΝ. ἀνάγκη μοι φαίνεται· ὥστε θαυμάζω, ὦ Σώ-
κρατες, τούτου οὕτως ἔχοντος, ὅ τι δή ποτε πολὺ τιμιωτέρα d
ἡ ἐπιστήμη τῆς ὀρθῆς δόξης, καὶ δι' ὅ τι τὸ μὲν ἕτερον, τὸ δὲ
ἕτερόν ἐστιν αὐτῶν.

ΣΩ. οἶσθα οὖν δι' ὅ τι θαυμάζεις, ἢ ἐγώ σοι εἴπω;

ΜΕΝ. πάνυ γ' εἰπέ. 5

ΣΩ. ὅτι τοῖς Δαιδάλου ἀγάλμασιν οὐ προσέσχηκας τὸν
νοῦν· ἴσως δὲ οὐδ' ἔστιν παρ' ὑμῖν.

ΜΕΝ. πρὸς τί δὲ δὴ τοῦτο λέγεις;

ΣΩ. ὅτι καὶ ταῦτα, ἐὰν μὲν μὴ δεδεμένα ᾖ, ἀποδιδράσκει
καὶ δραπετεύει, ἐὰν δὲ δεδεμένα, παραμένει. 10

ΜΕΝ. τί οὖν δή; e

ΣΩ. τῶν ἐκείνου ποιημάτων λελυμένον μὲν ἐκτῆσθαι οὐ
πολλῆς τινος ἄξιόν ἐστι τιμῆς, ὥσπερ δραπέτην ἄνθρωπον
—οὐ γὰρ παραμένει—δεδεμένον δὲ πολλοῦ ἄξιον· πάνυ γὰρ
καλὰ τὰ ἔργα ἐστίν. πρὸς τί οὖν δὴ λέγω ταῦτα; πρὸς 5
τὰς δόξας τὰς ἀληθεῖς. καὶ γὰρ αἱ δόξαι αἱ ἀληθεῖς, ὅσον
μὲν ἂν χρόνον παραμένωσιν, καλὸν τὸ χρῆμα καὶ πάντ'
ἀγαθὰ ἐργάζονται· πολὺν δὲ χρόνον οὐκ ἐθέλουσι παρα- 98
μένειν, ἀλλὰ δραπετεύουσιν ἐκ τῆς ψυχῆς τοῦ ἀνθρώπου,

ὥστε οὐ πολλοῦ ἄξιαί εἰσιν, ἕως ἄν τις αὐτὰς δήσῃ αἰτίας
λογισμῷ. τοῦτο δ' ἐστίν, ὦ Μένων ἑταῖρε, ἀνάμνησις, ὡς
ἐν τοῖς πρόσθεν ἡμῖν ὡμολόγηται. ἐπειδὰν δὲ δεθῶσιν, 5
πρῶτον μὲν ἐπιστῆμαι γίγνονται, ἔπειτα μόνιμοι· καὶ διὰ
ταῦτα δὴ τιμιώτερον ἐπιστήμη ὀρθῆς δόξης ἐστίν, καὶ διαφέρει
δεσμῷ ἐπιστήμη ὀρθῆς δόξης.

ΜΕΝ. νὴ τὸν Δία, ὦ Σώκρατες, ἔοικεν τοιούτῳ τινί.

ΣΩ. καὶ μὴν καὶ ἐγὼ ὡς οὐκ εἰδὼς λέγω, ἀλλὰ εἰκάζων· b
ὅτι δέ ἐστίν τι ἀλλοῖον ὀρθὴ δόξα καὶ ἐπιστήμη, οὐ πάνυ
μοι δοκῶ τοῦτο εἰκάζειν, ἀλλ' εἴπερ τι ἄλλο φαίην ἂν
εἰδέναι—ὀλίγα δ' ἂν φαίην—ἓν δ' οὖν καὶ τοῦτο ἐκείνων
θείην ἂν ὧν οἶδα. 5

ΜΕΝ. καὶ ὀρθῶς γε, ὦ Σώκρατες, λέγεις.

ΣΩ. τί δέ; τόδε οὐκ ὀρθῶς, ὅτι ἀληθὴς δόξα ἡγουμένη
τὸ ἔργον ἑκάστης τῆς πράξεως οὐδὲν χεῖρον ἀπεργάζεται ἢ
ἐπιστήμη;

ΜΕΝ. καὶ τοῦτο δοκεῖς μοι ἀληθῆ λέγειν. 10

ΣΩ. οὐδὲν ἄρα ὀρθὴ δόξα ἐπιστήμης χεῖρον οὐδὲ ἧττον c
ὠφελίμη ἔσται εἰς τὰς πράξεις, οὐδὲ ἀνὴρ ὁ ἔχων ὀρθὴν
δόξαν ἢ ὁ ἐπιστήμην.

ΜΕΝ. ἔστι ταῦτα.

ΣΩ. καὶ μὴν ὅ γε ἀγαθὸς ἀνὴρ ὠφέλιμος ἡμῖν ὡμο- 5
λόγηται εἶναι.

ΜΕΝ. ναί.

ΣΩ. ἐπειδὴ τοίνυν οὐ μόνον δι' ἐπιστήμην ἀγαθοὶ ἄνδρες
ἂν εἶεν καὶ ὠφέλιμοι ταῖς πόλεσιν, εἴπερ εἶεν, ἀλλὰ καὶ δι'
ὀρθὴν δόξαν, τούτοιν δὲ οὐδέτερον φύσει ἐστὶν τοῖς ἀνθρώ- 10

ποις, οὔτε ἐπιστήμη οὔτε δόξα ἀληθής, †οὔτ᾽ ἐπίκτητα—ἢ d
δοκεῖ σοι φύσει ὁποτερονοῦν αὐτοῖν εἶναι;

ΜΕΝ. οὐκ ἔμοιγε.

ΣΩ. οὐκοῦν ἐπειδὴ οὐ φύσει, οὐδὲ οἱ ἀγαθοὶ φύσει
εἶεν ἄν. 5

ΜΕΝ. οὐ δῆτα.

ΣΩ. ἐπειδὴ δέ γε οὐ φύσει, ἐσκοποῦμεν τὸ μετὰ τοῦτο
εἰ διδακτόν ἐστιν.

ΜΕΝ. ναί. 10

ΣΩ. οὐκοῦν διδακτὸν ἔδοξεν εἶναι, εἰ φρόνησις ἡ ἀρετή;

ΜΕΝ. ναί.

ΣΩ. κἂν εἴ γε διδακτὸν εἴη, φρόνησις ἂν εἶναι;

ΜΕΝ. πάνυ γε.

ΣΩ. καὶ εἰ μέν γε διδάσκαλοι εἶεν, διδακτὸν ἂν εἶναι, e
μὴ ὄντων δὲ οὐ διδακτόν;

ΜΕΝ. οὕτω.

ΣΩ. ἀλλὰ μὴν ὡμολογήκαμεν μὴ εἶναι αὐτοῦ διδασκά-
λους; 5

ΜΕΝ. ἔστι ταῦτα.

ΣΩ. ὡμολογήκαμεν ἄρα μήτε διδακτὸν αὐτὸ μήτε φρό-
νησιν εἶναι;

ΜΕΝ. πάνυ γε.

ΣΩ. ἀλλὰ μὴν ἀγαθόν γε αὐτὸ ὁμολογοῦμεν εἶναι; 10

ΜΕΝ. ναί.

ΣΩ. ὠφέλιμον δὲ καὶ ἀγαθὸν εἶναι τὸ ὀρθῶς ἡγούμενον;

ΜΕΝ. πάνυ γε.

ΣΩ. ὀρθῶς δέ γε ἡγεῖσθαι δύο ὄντα ταῦτα μόνα, δόξαν 99
τε ἀληθῆ καὶ ἐπιστήμην, ἃ ἔχων ἄνθρωπος ὀρθῶς ἡγεῖται—

τὰ γὰρ ἀπὸ τύχης τινὸς ὀρθῶς γιγνόμενα οὐκ ἀνθρωπίνῃ
ἡγεμονίᾳ γίγνεται—ὧν δὲ ἄνθρωπος ἡγεμών ἐστιν ἐπὶ τὸ
ὀρθόν, δύο ταῦτα, δόξα ἀληθὴς καὶ ἐπιστήμη.   5

ΜΕΝ. δοκεῖ μοι οὕτω.

ΣΩ. οὐκοῦν ἐπειδὴ οὐ διδακτόν ἐστιν, οὐδ᾽ ἐπιστήμη δὴ
ἔτι γίγνεται ἡ ἀρετή;

ΜΕΝ. οὐ φαίνεται.

ΣΩ. δυοῖν ἄρα ὄντοιν ἀγαθοῖν καὶ ὠφελίμοιν τὸ μὲν   b
ἕτερον ἀπολέλυται, καὶ οὐκ ἂν εἴη ἐν πολιτικῇ πράξει
ἐπιστήμη ἡγεμών.

ΜΕΝ. οὔ μοι δοκεῖ.

ΣΩ. οὐκ ἄρα σοφίᾳ τινὶ οὐδὲ σοφοὶ ὄντες οἱ τοιοῦτοι   5
ἄνδρες ἡγοῦντο ταῖς πόλεσιν, οἱ ἀμφὶ Θεμιστοκλέα τε καὶ
οὓς ἄρτι Ἄνυτος ὅδε ἔλεγεν· διὸ δὴ καὶ οὐχ οἷοί τε ἄλλους
ποιεῖν τοιούτους οἷοι αὐτοί εἰσι, ἅτε οὐ δι᾽ ἐπιστήμην ὄντες
τοιοῦτοι.

ΜΕΝ. ἔοικεν οὕτως ἔχειν, ὦ Σώκρατες, ὡς λέγεις.   10

ΣΩ. οὐκοῦν εἰ μὴ ἐπιστήμη, εὐδοξίᾳ δὴ τὸ λοιπὸν
γίγνεται· ᾗ οἱ πολιτικοὶ ἄνδρες χρώμενοι τὰς πόλεις ὀρ-   c
θοῦσιν, οὐδὲν διαφερόντως ἔχοντες πρὸς τὸ φρονεῖν ἢ οἱ
χρησμῳδοί τε καὶ οἱ θεομάντεις· καὶ γὰρ οὗτοι ἐνθου-
σιῶντες λέγουσιν μὲν ἀληθῆ καὶ πολλά, ἴσασι δὲ οὐδὲν ὧν
λέγουσιν.   5

ΜΕΝ. κινδυνεύει οὕτως ἔχειν.

ΣΩ. οὐκοῦν, ὦ Μένων, ἄξιον τούτους θείους καλεῖν
τοὺς ἄνδρας, οἵτινες νοῦν μὴ ἔχοντες πολλὰ καὶ μεγάλα
κατορθοῦσιν ὧν πράττουσι καὶ λέγουσι;

ΜΕΝ. πάνυ γε.　　　　　　　　　　　　　　　　　　　10

ΣΩ. ὀρθῶς ἄρ' ἂν καλοῖμεν θείους τε οὓς νυνδὴ ἐλέγομεν
χρησμῳδοὺς καὶ μάντεις καὶ τοὺς ποιητικοὺς ἅπαντας· καὶ　d
τοὺς πολιτικοὺς οὐχ ἥκιστα τούτων φαῖμεν ἂν θείους τε εἶναι
καὶ ἐνθουσιάζειν, ἐπίπνους ὄντας καὶ κατεχομένους ἐκ τοῦ
θεοῦ, ὅταν κατορθῶσι λέγοντες πολλὰ καὶ μεγάλα πράγματα,
μηδὲν εἰδότες ὧν λέγουσιν.　　　　　　　　　　　　　　5

ΜΕΝ. πάνυ γε.

ΣΩ. καὶ αἵ γε γυναῖκες δήπου, ὦ Μένων, τοὺς ἀγαθοὺς
ἄνδρας θείους καλοῦσι· καὶ οἱ Λάκωνες ὅταν τινὰ ἐγκωμιά-
ζωσιν ἀγαθὸν ἄνδρα, 'θεῖος ἀνήρ,' φασίν, 'οὗτος.'

ΜΕΝ. καὶ φαίνονταί γε, ὦ Σώκρατες, ὀρθῶς λέγειν.　e
καίτοι ἴσως Ἄνυτος ὅδε σοι ἄχθεται λέγοντι.

ΣΩ. οὐδὲν μέλει ἔμοιγε. τούτῳ μέν, ὦ Μένων, καὶ αὖθις
διαλεξόμεθα· εἰ δὲ νῦν ἡμεῖς ἐν παντὶ τῷ λόγῳ τούτῳ καλῶς
ἐζητήσαμέν τε καὶ ἐλέγομεν, ἀρετὴ ἂν εἴη οὔτε φύσει οὔτε　5
διδακτόν, ἀλλὰ θείᾳ μοίρᾳ παραγιγνομένη ἄνευ νοῦ οἷς ἂν
παραγίγνηται, εἰ μή τις εἴη τοιοῦτος τῶν πολιτικῶν ἀνδρῶν　**100**
οἷος καὶ ἄλλον ποιῆσαι πολιτικόν. εἰ δὲ εἴη, σχεδὸν ἄν τι
οὗτος λέγοιτο τοιοῦτος ἐν τοῖς ζῶσιν οἷον ἔφη Ὅμηρος ἐν
τοῖς τεθνεῶσιν τὸν Τειρεσίαν εἶναι, λέγων περὶ αὐτοῦ, ὅτι
οἶος πέπνυται τῶν ἐν Ἅιδου, τοὶ δὲ σκιαὶ ἀΐσσουσι.　5
ταὐτὸν ἂν καὶ ἐνθάδε ὁ τοιοῦτος ὥσπερ παρὰ σκιὰς ἀληθὲς
ἂν πρᾶγμα εἴη πρὸς ἀρετήν.

ΜΕΝ. κάλλιστα δοκεῖς μοι λέγειν, ὦ Σώκρατες.　　　　b

ΣΩ. ἐκ μὲν τοίνυν τούτου τοῦ λογισμοῦ, ὦ Μένων, θείᾳ
μοίρᾳ ἡμῖν φαίνεται παραγιγνομένη ἡ ἀρετὴ οἷς ἂν παρα-

γίγνηται· τὸ δὲ σαφὲς περὶ αὐτοῦ εἰσόμεθα τότε, ὅταν πρὶν
ᾧτινι τρόπῳ τοῖς ἀνθρώποις παραγίγνεται ἀρετή, πρότερον 5
ἐπιχειρήσωμεν αὐτὸ καθ' αὑτὸ ζητεῖν τί ποτ' ἐστιν ἀρετή.
νῦν δ' ἐμοὶ μὲν ὥρα ποι ἰέναι, σὺ δὲ ταὐτὰ ταῦτα ἅπερ
αὐτὸς πέπεισαι πεῖθε καὶ τὸν ξένον τόνδε Ἄνυτον, ἵνα
πρᾳότερος ᾖ· ὡς ἐὰν πείσῃς τοῦτον, ἔστιν ὅτι καὶ Ἀθη- c
ναίους ὀνήσεις.

143

Glossary

Declensions

ἡ κρήνη, τῆς κρήνης - spring		ὁ ἀγρός, τοῦ ἀργοῦ - field		ὁ παῖς, τοῦ παιδός - child	
Nom. ἡ κρήνη	αἱ κρῆναι	ὁ ἀγρός	οἱ ἀγροί	ὁ παῖς	οἱ παῖδ-ες
Gen. τῆς κρήνης	τῶν κρηνῶν	τοῦ ἀγροῦ	τῶν ἀγρῶν	τοῦ παιδ-ός	τῶν παίδ-ων
Dat. τῇ κρήνῃ	ταῖς κρήναις	τῷ ἀγρῷ	τοῖς ἀγροῖς	τῷ παιδ-ί	τοῖς παι-σί(ν)
Acc. τὴν κρήνην	τὰς κρήνᾱς	τὸν ἀγρόν	τοὺς ἀγρούς	τὸν παῖδ-α	τοὺς παῖδ-ας
Voc. ὦ κρήνη	ὦ κρῆναι	ὦ ἀγρέ	ὦ ἀγροί		

Personal Pronouns

Nom.	ἐγώ		I	ἡμεῖς	we
Gen.	ἐμοῦ	μου	my	ἡμῶν	our
Dat.	ἐμοί	μοι	to me	ἡμῖν	to us
Acc.	ἐμέ		me	ἡμᾶς	us

Nom.	σύ		you	ὑμεῖς	you
Gen.	σοῦ	σου	your	ὑμῶν	your
Dat.	σοί	σοι	to you	ὑμῖν	to you
Acc.	σέ		you	ὑμᾶς	you

Nom.	αὐτός	(himself)	αὐτή	(herself)	αὐτό	(itself)
Gen.	αὐτοῦ	his	αὐτῆς	her	αὐτοῦ	its
Dat.	αὐτῷ	to him	αὐτῇ	to her	αὐτῷ	to it
Acc.	αὐτόν	him	αὐτήν	her	αὐτό	it

Nom.	αὐτοί	(themselves)	αὐταί	(themselves)	αὐτά	(themselves)
Gen.	αὐτῶν	their	αὐτῶν	their	αὐτῶν	their
Dat.	αὐτοῖς	to them	αὐταῖς	to them	αὐτοῖς	to them
Acc.	αὐτούς	them	αὐτάς	them	αὐτά	them

Relative Pronoun – who, which, that

	m.	f.	n.	m.	f.	n.
Nom.	ὅς	ἥ	ὅ	οἵ	αἵ	ἅ
Gen.	οὗ	ἧς	οὗ	ὧν	ὧν	ὧν
Dat.	ᾧ	ᾗ	ᾧ	οἷς	αἷς	οἷς
Acc.	ὅν	ἥν	ὅ	οὕς	ἅς	ἅ

Indefinite Relative Pronoun – whoever, anyone who; whatever, anything which

Nom.	ὅστις	ἥτις	ὅτι (ὅ τι)
Gen.	οὗτινος (ὅτου)	ἧστινος	οὗτινος (ὅτου)
Dat.	ᾧτινι (ὅτῳ)	ᾗτινι	ᾧτινι (ὅτῳ)
Acc.	ὅντινα	ἥντινα	ὅτι (ὅ τι)

Nom.	οἵτινες	αἵτινες	ἅτινα
Gen.	ὧντινων (ὅτων)	ὧντινων	ὧντινων (ὅτων)
Dat.	οἷστισιν (ὅτοις)	αἷστισιν	οἷστισιν (ὅτοις)
Acc.	οὕστινας	ἅστινας	ἅτινα

Correlative Adverbs and their Frequencies in *Meno*

Interrogative	Indefinite	Demonstrative	Relative	Indefinite Relative
ποῦ *where?*	που [14 times] *somewhere (I suppose)*	ἐνθάδε [7] *here* ἐκεῖ *there*	οὗ [4] *where*	ὅπου *where(ver)*
ποῖ *to where?*	ποι [1] *to somewhere*	δεῦρο [1] *to here* ἐκείσε *to there*	οἷ *to where*	ὅποι [1 time] *to where(ver)*
πόθεν *from where?*	ποθεν *from anywhere*	ἐνθένδε [3] *from here* (ἐ)κεῖθεν *from there*	ὅθεν *from where*	ὁπόθεν *from where(ver)*
πότε *when?*	ποτέ [19] *at some time ever, then*	τότε [6] *at that time, then*	ὅτε [3] *when* ὅταν [14]	ὁπότε *when(ever)*
πῇ *which way?*	πή *some way*	τῇ [1] τῇδε [2] ταύτῃ [6] *in this way*	ᾗ [2] *in which way*	ὅπη [2] *in which way*
πῶς [14 times] *how?*	πως [5] *somehow*	ὧδε [7], οὕτως [36] *thus, so in this way*	ὡς [48] *how, as*	ὅπως [5] *how(ever)* ὁπωσοῦν [1] *howsoever*

Correlative Pronouns and their Frequencies in *Meno*

Interrogative	Indefinite	Demonstrative	Relative	Indefinite Relative
τίς, τί [82 times] *who, what?*	τις, τι [93] *someone/thing anyone/thing*	ὅδε [37] οὗτος [271] *this* (ἐ)κεῖνος [22] *there*	ὅς, ἥ, ὅ [140] *who, which*	ὅστις, ἥτις, ὅ τι [20] *anyone who, whoever* ὅστισ-οῦν [11] *whosoever, what-*
πότερος [12] *which of two?*	ποτερος *one of two*	ἕτερος [15] *one (of two)*	ὁπότερος *which of two*	ὁπότερος [2] *whichever of two* ὁπότεροσ-οῦν [1] *whichsoever of two*
πόσος [8] *how much?*	ποσός *of some amount*	τοσόσδε [1] *so much/many* τοσοῦτος [9] *so much/many*	ὅσος [8] *as much/ many as*	ὁπόσος *of whatever size/ number*
ποῖος [10] *of what sort?*	ποιός *of some sort*	τοιόσδε [5] *such, this sort* τοιοῦτος [39] *such*	οἷος [33] *of which sort, such as, as*	ὁποῖος [5] *of whatever sort*
πηλίκος [3] *how old/large?*	πηλικος *of some age, size*	τηλικόσδε τηλικοῦτος [1] *of such an age, size*	ἡλίκος *of which age, size*	ὁπηλίκος *of whatever age/ size*

λύω, λύσω, ἔλυσα, λέλυκα, λέλυμαι, ἐλύθην: loosen, ransom

	PRESENT		FUTURE		
	Active	Middle/Pass.	Active	Middle	Passive
Primary Indicative	λύω λύεις λύει λύομεν λύετε λύουσι(ν)	λύομαι λύε(σ)αι λύεται λυόμεθα λύεσθε λύονται	λύσω λύσεις λύσει λύσομεν λύσετε λύσουσι(ν)	λύσομαι λύσε(σ)αι λύσεται λυσόμεθα λύσεσθε λύσονται	λυθήσομαι λυθήσε(σ)αι λυθήσεται λυθησόμεθα λυθήσεσθε λυθήσονται
Secondary Indicative	ἔλυον ἔλυες ἔλυε(ν) ἐλύομεν ἐλύετε ἔλυον	ἐλυόμην ἐλύε(σ)ο ἐλύετο ἐλυόμεθα ἐλύεσθε ἐλύοντο			
Subjunctive	λύω λύῃς λύῃ λύωμεν λύητε λύωσι(ν)	λύωμαι λύῃ λύηται λυώμεθα λύησθε λύωνται			
Optative	λύοιμι λύοις λύοι λύοιμεν λύοιτε λύοιεν	λυοίμην λύοιο λύοιτο λυοίμεθα λύοισθε λύοιντο	λύσοιμι λύσοις λύσοι λύσοιμεν λύσοιτε λύσοιεν	λυσοίμην λύσοιο λύσοιτο λυσοίμεθα λύσοισθε λύσοιντο	λυθησοίμην λυθήσοιο λυθήσοιτο λυθησοίμεθα λυθήσοισθε λυθήσοιντο
Imp	λῦε λύετε	λύε(σ)ο λύεσθε			
Pple	λύων, λύουσα, λύον	λυόμενος, λυομένη, λυόμενον	λύσων, λύσουσα, λύσον	λυσόμενος, λυσομένη, λυσόμενον	λυθησόμενος, λυθησομένη, λυθησόμενον
Inf.	λύειν	λύεσθαι	λύσειν	λύσεσθαι	λυθήσεσθαι

2nd sg. mid/pass -σ is often dropped except in pf. and plpf. tenses: ε(σ)αι → ῃ,ει   ε(σ)ο → ου

AORIST			PERFECT		
Active	Middle	Passive	Active	Middle/Passive	
			λέλυκα λέλυκας λέλυκε λελύκαμεν λελύκατε λελύκασι(ν)	λέλυμαι λέλυσαι λέλυται λελύμεθα λέλυσθε λελύνται	**Primary Indicative**
ἔλυσα ἔλυσας ἔλυε(ν) ἐλύσαμεν ἐλύσατε ἔλυσαν	ἐλυσάμην ἐλύσα(σ)ο ἐλύσατο ἐλυσάμεθα ἐλύσασθε ἐλύσαντο	ἐλύθην ἐλύθης ἐλύθη ἐλύθημεν ἐλύθητε ἐλύθησαν	ἐλελύκη ἐλελύκης ἐλελύκει ἐλελύκεμεν ἐλελύκετε ἐλελύκεσαν	ἐλελύμην ἐλέλυσο ἐλέλυτο ἐλελύμεθα ἐλέλυσθε ἐλέλυντο	**Secondary Indicative**
λύσω λύσῃς λύσῃ λύσωμεν λύσητε λύσωσι(ν)	λυσώμαι λύσῃ λύσηται λυσώμεθα λύσησθε λύσωνται	λυθῶ λυθῇς λυθῇ λυθῶμεν λυθῆτε λυθῶσι(ν)	λελύκω λελύκῃς λελύκῃ λελύκωμεν λελύκητε λελύκωσι(ν)	λελυμένος ὦ —— ᾖς —— ᾖ —— ὦμεν —— ἦτε —— ὦσιν	**Subjunctive**
λύσαιμι λύσαις λύσαι λύσαιμεν λύσαιτε λύσαιεν	λυσαίμην λύσαιο λύσαιτο λυσαίμεθα λύσαισθε λύσαιντο	λυθείην λυθείης λυθείη λυθεῖμεν λυθεῖτε λυθεῖεν	λελύκοιμι λελύκοις λελύκοι λελύκοιμεν λελύκοιτε λελύκοιεν	λελυμένος εἴην —— εἴης —— εἴη —— εἴημεν —— εἴητε —— εἴησαν	**Optative**
λῦσον λύσατε	λῦσαι λύσασθε	λύθητι λύθητε		λέλυσο λέλυσθε	**Imp**
λύσᾱς, λύσᾱσα, λῦσαν	λυσάμενος, λυσαμένη, λυσάμενον	λυθείς, λυθεῖσα, λυθέν	λελυκώς, λελυκυῖα, λελυκός	λελυμένος, λελυμένη, λελυμένον	**Pple**
λῦσαι	λύσασθαι	λυθῆναι	λελυκέναι	λελύσθαι	**Inf.**

Adapted from a handout by Dr. Helma Dik (http://classics.uchicago.edu/faculty/dik/niftygreek)

οἶδα: to know (pf. with pres. sense) [79 times]

	Perfect		Pluperfect		Future	
Active	οἶδα[10] ἴσμεν[2]		ᾔδη ᾖσμεν		εἴσομαι[1] εἰσόμεθα	
	οἶσθα[11] ἴστε		ᾔδησθα[2] ᾖστε		εἴσῃ[1] εἴσεσθε	
	οἶδε[13] ἴσασι[1]		ᾔδει[3] ᾖσαν		εἴσεται εἴσονται	
Imp	ἴσθι ἴστε					
Pple	εἰδώς, εἰδυῖα, εἰδός[16]					
	εἰδότος, εἰδυίας, εἰδότος					
Inf.	εἰδέναι[16]					
subj/opt	εἰδῶ εἰδῶμεν		εἰδείην[1] εἰδεῖμεν			
	εἰδῇς εἰδῆτε		εἰδείης[1] εἰδεῖτε			
	εἰδῇ[1] εἰδῶσι		εἰδείη εἰδεῖεν			

εἰμί: to be, exist [445]

	Present		Imperfect		Future	
Active	εἰμί[3] ἐσμέν[2]		ἦ, ἦν ἦμεν		ἔσομαι[1] ἐσόμεθα	
	εἶ[9] ἐστέ		ἦσθα ἦτε		ἔσῃ ἔσεσθε	
	ἐστίν[153] εἰσίν[23]		ἦν[18] ἦσαν[5]		ἔσται[11] ἔσονται[1]	
Imp	2nd ἴσθι ἔστε					
	3rd ἔστω[3]					
Pple	ὤν, οὖσα, ὄν[34]					
	ὄντος, οὔσης, ὄντος					
Inf.	εἶναι[119]				ἔσεσθαι[1]	
subj/opt	ὦ[2] ὦμεν		εἴην[2] εἶμεν[1]			
	ᾖς[1] ἦτε		εἴης[1] εἶτε			
	ᾖ[19] ὦσιν[1]		εἴη[23] εἶεν[12]			

φημί, φήσω, ἔφησα: to say, assent [51]

	Present		Imperfect		Future	
Active	φημί[2] φαμέν[6]		ἔφην ἔφαμεν[2]		φήσω φήσομεν	
	φῂς[22] φατέ		ἔφης ἔφατε		φήσεις φήσετε	
	φησί(ν)[3] φασί(ν)[6]		ἔφη[2] ἔφασαν		φήσει φήσουσι(ν)	
Imp	φάθι φάτε					
Pple						
Inf.	φάναι					
subj/opt	φῶ φῶμεν[2]		φαίην[2] φαῖμεν[1]			
	φῇς φῆτε		φαίης[2] φαίητε			
	φῇ φῶσι(ν)		φαίη[1] φαῖεν			

Uses of the Subjunctive in Plato's *Meno*

There are 80 instances of the subjunctive identified in the commentary. Most independent subjunctives are hortatory (e.g. *Let us...*) or deliberative (*Are we to...?*). Most dependent uses are generalizing clauses (i.e. subj. + ἄν) where the verb is translated in the present and ἄν, if translated, is translated "ever."

11	hortatory (main verb, 1s or 1p)
6	deliberative (main verb in a question)
3	doubtful assertion/negation (main verb, μή + pres. subj.)
1	prohibitive (main verb, μή + aor. subj.)
12	future more vivid conditions (εἰ ἄν + subj., fut.)
12	general/indefinite relative clause (ἄν + subj.)
8	present general condition (εἰ ἄν + subj., pres.)
8	purpose clauses (ἵνα + subj.)
5	general/indefinite temporal clauses (ἄν + subj.)
2	deliberative (ind. question)
1	fearing clauses (μή + subj.)

Hortatory Subjunctive[11 times]
The most common independent subjunctive in the dialogue is a form of command (Lat. hortārī: *urge*) employed in the 1st person singular or plural:

> τοῦτο ποιῶμεν   *Let us do this! We should do this!*

Deliberative Subjunctive[6]
Used in questions without ἄν, the deliberative expresses a question still under active consideration. Translate as 'am I to...?' or 'are we to...?'.

> τοῦτο ποιῶμεν;   *Are we to do this?*

Doubtful Assertion or Negation[3]
Introduced by μή (neg. μὴ οὐ) + pres. subj. (note: the prohibitive subj. is aor. subj.), this subjunctive suggests that the speaker is uncertain:

> μὴ τοῦτο ποιῇς   *I suspect/surely you are doing this.*
> μὴ οὐ τοῦτο ποιῇς   *I suspect/surely you are not doing this.*

Prohibitive Subjunctive[1]
Introduced by μή + aor. subj., the prohibitive subj. is a common way to form a negative command in the 1st or 2nd person.

> μὴ τοῦτο ποιήσῃς *Don't do this!*

Type of Condition	Protasis (if-clause)	Apodosis (then-clause)
Present General	εἰ ἄν + subjunctive (*if ever*)	present indicative
Future More Vivid	εἰ ἄν + subjunctive	future indicative

Future More Vivid Condition[12 times] and Present General Condition[8]

In a future more vivid condition (εἰ ἄν subj., fut.) the subjunctive is typically translated in the present with future sense. ἄν is often left untranslated.

ἐάν...ποιῇς, εὖ ποιήσεις.   *If you do this, you will do well.*

A present general condition (εἰ ἄν subj., pres.), however, expresses a conclusion that holds true at any or all time. As all general clauses, this subjunctive takes a generalizing μή and is often translated with 'ever.'

ἐάν...ποιῇς, εὖ ποιεῖς.   *If (ever) you do this, you are doing well.*

General/Indefinite Relative Clauses[12]

When the antecedent of a relative clause is indefinite, the relative clause may govern ἄν + subjunctive in primary sequence. This clause takes a generalizing μή instead of οὐ and is translated with the adverb 'ever.'

ἃ ἄν ποιῇς   *whatever you do...*

Purpose Clauses[8]

Introduced by ἵνα in the *Meno*, purpose clauses govern a subjunctive in primary sequence and, as a type of wish, governs a μή instead of οὐ.

ἵνα τοῦτο ποιῇς   *so that/in order that you may do this*

General/Indefinite Temporal Clauses[6]

A temporal clause with ἄν + subjunctive in primary sequence expresses either (a) a repeated or customary action (equiv. to a pres. general condition) or (b) a future action (equiv. to a future more vivid). Translate ἄν as 'ever.'

ὅταν τοῦτο ποιῇς   *whenever you do this...*

Deliberative Subjunctive In Indirect Question[3]   see previous pg.

Fearing Clause[1]

This clause follows a verb of fearing and is introduced by μή or neg. μή οὐ. Translate the initial μή as "lest" or "that."

μή τοῦτο ποιῇς   *(I fear) lest/that you may do this.*

All Uses of the Subjunctive **Hortatory**: p. 4, 15, 25. 39, 50, 52, 54, 54, 60,72, 76; **Deliberative**: p. 3, 15, 19, 50, 66, 83 (ind. question 30, 68); **Doubtful Assertion**: p. 58; **Doubtful Negation**: p. 73, 74; **Prohibitive**: p. 4; **Future More Vivid**: 2, 5, 6, 9, 12, 39, 41, 43, 46, 48, 75, 81; **Present General Condition**: 7, 8, 28, 35, 39, 41, 81, 84; **General Relative**: 17, 23, 23, 23, 26, 27; **Purpose**: p. 4, 15, 31, 36, 36, 51, 73, 93; **General Temporal Clause**: 19, 82, 85; 18, 51, 85; 14, 26, 28, 54, 55, 61, 76, 91, 91, 93; **Deliberative**: 30, 68; **Fearing**: 58;

Uses of the Optative in Plato's *Meno*

There are 84 uses of the optative mood identified in the commentary, 49 are independent optatives and 34 are dependent optatives. Most independent optatives are potential optatives (e.g. *would..., might...*), and most dependent optatives are either in future less vivid conditions (e.g. *should...would*) or in general relative clauses (translate as simple past).

> 46 potential optatives (main verb, with ἄν)
> 4   optatives of wish (main verb, without ἄν)
>
> 16 future less vivid conditions (εἰ opt., ἄν + opt.)
> 12 general/indefinite relative clauses, secondary sequence
> 2   mixed conditions
> 2   indirect questions, secondary sequence
> 1   general/indefinite temporal clause, secondary sequence
> 1   purpose clauses, secondary sequence

Potential Optative[46 times]

Potential optatives are often the main verb. They (a) may be included in short or long clauses, (b) employ an ἄν, and (c) govern οὐ instead of μή.

> ἂν τοῦτο ποιοῖς   *You would/might/could do this.*
> οὐ ἂν τοῦτο ποιοῖς   *You would/might/could not do this.*

Optative of Wish[4]

Optatives of wish are easy to identify because, in addition to being the main verb, they (a) are often expressed in short clauses, (b) do not employ ἄν, and (c) govern μή instead of οὐ when expressing negative wishes.

> τοῦτο ποιοῖς   *May/Would that you do this!*
> μὴ τοῦτο ποιοῖς   *May/Would that you not do this!*

Future Less Vivid (16 times, 2 optatives each)

The future less vivid (εἰ opt., ἄν opt.) employs a pair of optatives. The protasis contains an optative of wish which governs μή instead of οὐ, while the apodosis contains a potential optative which governs οὐ instead of μή. While we identify the entire construction as future less vivid, knowing that one optative is a wish and the other a potential optative will help you explain the different uses of οὐ and μή:

εἰ ποιοῖς, εὖ ἂν ποιοῖς.   *If you should do this, you would do well.*
εἰ μὴ ποιοῖς, οὐ εὖ ἂν ποιοῖς. *If you should not do this, you would not do well.*

Type of Condition	Protasis (if-clause)	Apodosis (then-clause)
Simple	εἰ + any indicative	any indicative
Present General	εἰ ἄν + subjunctive (*if ever*)	present indicative
Past General	εἰ + optative (*if ever*)	past indicative
Future More Vivid	εἰ ἄν + subjunctive	future indicative
Future Less Vivid	εἰ + optative (*should*)	ἄν + optative (*would*)
Contrafactual, present	εἰ + imperfect ind. (*were*)	ἄν + imperfect (*would*)
Contrafactual, past	εἰ + aorist ind. (*had*)	ἄν + optative (*would have*)

The four optatives below use a subjunctive (often with generaliing ἄν) in primary sequence and just an optative in secondary sequence. Purpose clauses are the only form below that requires a special translation.

General/Indefinite Relative Clauses, Secondary Sequence[12 times]

When the antecedent of a relative clause is indefinite, the relative clause may govern ἄν + subj. in primary sequence (equiv. to a pres. general condition) and opt. without ἄν in secondary sequence (equiv. to past general condition). Translate the opt. in the simple past and add "ever" to the relative pronoun.

    ἃ ποιοῖς   ...*whatever you did*

Indirect Question, Secondary Sequence[2]

In secondary sequence, an optative may replace an indicative or subjunctive in indirect questions.

    ὅ τι ποιοῖς   ...*what you did.*

General/Indefinite Temporal Clauses, Secondary Sequence[1]

A general/indefinite temporal clause governs ἄν + subjunctive in primary sequence and optative without ἄν in secondary sequence. Translate the optative in the simple past and add the adverb "ever" to the main clause:

    ὅταν τοῦτο ποιοῖς   *whenever you did this...*

Purpose (Final) Clause, Secondary Sequence[1]

In secondary sequence, an optative often replaces a subjunctive in purpose clauses. In the *Meno*, there is one purpose clause with an optative:

    ἵνα τοῦτο ποιοῖς   ...*so that you might do this.*

All Uses of the Optative **Opt. of wish**: 16, 40, 64, 76; **Potential Opt.**: 3, 9, 10, 17, 18, 18, 20, 24, 26, 26, 37, 38, 43, 44, 45, 47, 49, 49, 49, 50, 50, 53, 53, 57, 57, 59, 60, 61, 61, 62, 63, 67, 67, 67, 67, 68, 70, 74, 76, 78, 79, 80, 81, 81, 83, 86; **Future Less Vivid Condition**: 11, 15, 16, 16, 16, 21, 28, 31, 50, 61, 65, 81, 85; **Mixed Conditions**: 12, 32; **General Relative**: 27, 59, 67, 79; **Indirect Question**: 59, 82; **General Temporal Clause**: 83; **Purpose**: p. 57

Uses of ἄν and Past Indicative in Plato's *Meno*

There are 36 instances of ἄν with an imperfect or aorist indicative verb:

13 present contrary to fact condition (εἰ + impf., ἄν + impf.)
12 past contrary to fact condition (εἰ + aor., ἄν + aor.)
3 mixed contrary to fact condition

5 past unreal potential (ἄν + aor. indicative)
3 present unreal potential (ἄν + impf. indicative)

Type of Condition	Protasis (if-clause)	Apodosis (then-clause)
Simple	εἰ + any indicative	any indicative
Present General	εἰ ἄν + subjunctive (*if ever*)	present indicative
Past General	εἰ + optative (*if ever*)	past indicative
Future More Vivid	εἰ ἄν + subjunctive	future indicative
Future Less Vivid	εἰ + optative (*should*)	ἄν + optative (*would*)
Contrary to fact, present	εἰ + imperfect ind. (*were*)	**ἄν + imperfect (*would*)**
Contrary to fact, past	εἰ + aorist ind. (*had*)	**ἄν + aor. ind. (*would have*)**

Contrary to Fact Conditions (27 times)

There are two conditions that employ ἄν + past indicative: a present contrary to fact (εἰ impf., ἄν + impf.), otherwise called the 'were-would' condition, and a past contrary-to-fact (εἰ aor., ἄν + aor.), called the 'had-would have' condition. Mixed conditions contain variations of both tenses.

εἰ ἐποίεις, εὖ ἄν ἐποίεις.　　*If you were doing this, you would do well.*

εἰ ἐποίησας, εὖ ἄν ἐποίησας.　　*If you had done this, you would have done well.*

These conditions are also called 'contrafactual conditions.'

Present (3 times) and Past (3 times) Unreal Potential

ἄν + imperfect indicative denotes a possible action in the *present* that is not in fact occurring. ἄν + aorist indicative denotes a possible action in the *past* that did not in fact occur. Both of these constructions are main verbs and govern an οὐ instead of μή. Use the modal verbs "would" with the imperfect and "would have" with the aorist:

ἄν τοῦτο ἐποιεῖς　　*You would do this.*
ἄν τοῦτο ἐποίησας　　*You would have done this.*

Present Contrary to Fact: 6, 12, 13, 37, 57; Past Contrary to Fact: 12, 13, 14, 50; Mixed Contrary to Fact: 6, 74, 74; Present Unreal Potential: p. 57, 61; Past Unreal Potential: 12, 43, 70, 71, 73;

Conditions in Plato's *Meno*

There are 72 complete conditions identified in the *Meno* with the following frequency:

16	future less vivid
12	future more vivid
13	present contrary to fact
12	past contrary to fact
9	present general
6	mixed
4	simple

While ἄν + subj. is often translated as present with future sense, ἄν + opt. and ἄν + impf. use the modal verb 'would,' and ἄν + aorist uses the modal "would have."

Type of Condition	Protasis (if-clause)	Apodosis (then-clause)
Simple[4]	εἰ+ any indicative	any indicative
	εἰ τοῦτο ποιεῖς, *if you are doing this,*	εὖ ποιεῖς. *you are doing well.*
Present General (Indefinite)[9]	εἰ + ἄν + subj. (*if ever*)	present indicative
	εἰ ἄν τοῦτο ποιῇς, *if (ever) you do this,*	εὖ ποιεῖς. *you are doing well.*
Past General (Indefinite)[0]	εἰ + optative (*if ever*)	past indicative
	εἰ τοῦτο ποιοῖς *if (ever) you did this,*	εὖ ἐποίησας. *you did well.*
Future More Vivid[12]	εἰ + ἄν + subjunctive	future indicative
	εἰ ἄν τοῦτο ποιῇς *if you do this,*	εὖ ποιήσεις. *you will do well.*
Future Less Vivid[16+ 3 mixed]	εἰ+ optative	ἄν + optative
	εἰ τοῦτο ποιοῖς *if you should do this,*	εὖ ἄν ποιοῖς. *you would do well.*
Present Contrary to Fact[13]	εἰ + impf. indicative	ἄν + impf. indicative
,	εἰ ἄν τοῦτο ἐποίεις *if you were doing this,*	εὖ ἐποίεις. *you would do well.*
Past Contrary to Fact[12+3]	εἰ + aor. indicative	ἄν + aor. indicative
	εἰ ἄν τοῦτο ἐποίησας *if you had done this,*	εὖ ἐποίησας. *you would have done well.*

Simple Condition: 36, 47, 48; **Present General Condition**: 7, 8, 28, 35, 39, 41, 81, 84; **Future More Vivid**: 2, 5, 6, 9, 12, 39, 41, 43, 46, 48, 75, 81; **Future Less Vivid**: 11, 15, 16, 16, 16, 21, 28, 31, 37, 50, 61, 65, 81, 85, 92, 92; **Mixed Opt. Condition**: 12, 32, 49; **Present Contrary to Fact**: 6, 12, 13, 37, 57; **Past Contrary to Fact**: 12, 13, 14, 50; **Mixed Contrary to Fact**: 6, 74, 74

Plato's *Meno*
Alphabetized Vocabulary (10 or more times)

The following is a running list of all 165 words that occur ten or more times in the *Meno*. A running list is found in the introduction to this volume. These words are not included in the commentary and therefore must be reviewed as soon as possible. The number of occurrences, indicated at the end of the dictionary entry, were tabulated by the author.

ἀγαθός, -ή, -όν: good, brave, capable, 76
ἀεί: always, forever, in every case, 12
ἀκούω: to hear, listen to, 12
ἀληθής, -ές: true, 25
ἀλλά: but, 115
ἄλλος, -η, -ο: other, one...another, 92
ἄν: modal adv., 153
ἀνα-μιμνήσκω: remind; *mid.* recall, remember, 11
ἀνήρ, ἀνδρός, ὁ: a man, 46
ἄνθρωπος, ὁ: human being, man, 30
Ἄνυτος, ὁ: Anytus, 13
ἀπό: from, away from. (+ gen.), 25
ἀπο-κρίνομαι: to answer, reply, 15
ἆρα: introduces a yes/no question, 21
ἄρα: then, therefore, it seems, it turns out 32
ἀρετή, ἡ: excellence, goodness, virtue, 120
αὐτός, -ή, -ό: he, she, it; same; -self, 166

βλάπτω: to hurt, harm, 12
βούλομαι: to wish, be willing, desire, 40

γάρ: for, (yes) for; since, because, 83
γε: at least, indeed, at any rate, 115
γίγνομαι: come to be, become, be born, 65
γιγνώσκω: to learn, realize; know, 14
γραμμή, ἡ: line, 14
γυνή, γυναικός ἡ: woman, wife, 11

δέ: but, and, on the other hand, 198
δέω (1), δέησω: need, lack (gen.); *mid.* ask; *impers.* δεῖ, it is necessary (inf.) 34
δή: indeed, certainly; just, exactly, 65
δῆλος, -η, -ον: clear, evident, 12
δή-που: perhaps, I suppose, 11
διά: through (gen); on account of, 17
δια-φέρω: differ; surpass, be superior to, 12
διδακτός, -όν: acquired through teaching 42
διδάσκαλος, ὁ: a teacher, instructor, 33
διδάσκω: to teach, instruct, 20
δικαιοσύνη, ἡ: justice, righteousness, 11

διπλάσιος, -α, -ον: double, two-times, 19
δοκέω: to seem (good); think, decide, 88
δόξα, ἡ: opinion, reputation, 27
δύο: two, 19

ἐάν (ἤν): εἰ ἄν, if (+ subj.), 11
ἑαυτοῦ, -ῆς, -οῦ: himself, her-, it-, them-, 22
ἔγω-γε: I for my part, 58
ἐγώ: I, 124
ἐθέλω: to be willing, wish, want, 12
εἰ: if, whether, 104
εἴ-περ: if really, 13
εἴ-τε: either...or; whether...or, 22
εἰμί: to be, exist, 423
εἷς, μία, ἕν: one, single, alone, 14
εἰς: into, to, in regard to (acc.), 21
ἐκ, ἐξ: out of, from (+ gen.), 22
ἕκαστος, -η, -ον: each, every one, 13
ἐκεῖνος, -η, -ον: that, those, 22
ἐν: in, on, among. (+ dat.), 56
ἔοικα: to seem, seem likely, be like (dat.), 16
ἐπει-δή: when, after, since, because, 14
ἐπί: upon (gen.), to (acc.), near, at (dat.), 12
ἐπι-θυμέω: to desire, long for (gen), 12
ἐπι-χειρέω: to attempt, try´ put a hand on, 10
ἐπίσταμαι: to know (how), understand. 10
ἐπιστήμη, ἡ: knowledge, understanding, 40
ἐρωτάω: to ask, inquire, question, 12
ἕτερος, -α, -ον: other, different, 15
ἔτι: still, besides, further; in addition, 12
εὖ: well, 15
ἔχω: to have, hold; be able; be disposed, 50

Ζεύς, ὁ: Zeus, 10
ζητέω: to seek, look for, investigate, 32

ἤ: or (either...or); than, 110
ἡγέομαι: to be a leader, lead (gen); believe 25
ἡμεῖς: we, 31

ἴσος, -η, -ον: equal to, the same as, like, 10
ἴσως: perhaps, probably; equally, likely, 18

καί: and; also, even, too; in fact, actually 461
κακός, -ή, -όν: bad, base, cowardly, evil, 27
καλέω: to call, summon, invite, 19
καλός, -ή, -όν: beautiful, fair, noble, fine, 21
καλῶς: well, nobly, 19

κατά: according to, over (acc); down, against (gen), 25

λαμβάνω: to take, receive, catch, grasp, 10
λέγω: to say, speak (aor. εἶπον) 206
λόγος ὁ: word, speech, account, 21

μάλιστα: most of all; certainly, especially 10
μᾶλλον: more, rather, 11
μανθάνω: to learn, understand, 27
μέν: on the one hand, 115
Μένων, Μένωνος ὁ: Meno, 48
μετά: with (gen.); after (acc.), 20
μή: not, lest, 73
μή-τε: and not; neither...nor, 16
μήν: truly, surely, 10
μόνος, -η, -ον: alone, only, solitary, 19
μόριον, τό: piece, portion, section, 10

ναί: yes, yea, 41
νοῦς, ὁ: mind, sense, attention, understanding, 10
νῦν: now; as it is, 27

ξένος, ὁ: guest, foreigner, stranger, 10

ὁ, ἡ, τό: the, 679
ὅδε, ἥδε, τόδε: this, this here, 37
οἶδα: to know, 79
οἴομαι (οἶμαι): suppose, think, imagine, 38
οἷος, -α, -ον: of what sort, who, 33
ὀκτώ-πους, ὀκτώ-πουν: of eight feet 10
ὅλος, -η, -ον: whole, entire, complete, 10
ὁμο-λογέω: to agree, 20
ὀρθός, -ή, -όν: straight, upright, right, 16
ὀρθῶς: rightly, correctly, 28
ὅς, ἥ, ὅ: who, which, that, 140
ὅσπερ, ἥπερ, ὅπερ: the very one who, very thing which, 12
ὅστισ-οῦν, ἥτισουν, ὅτι-οῦν: whosoever, 11
ὅστις, ἥτις, ὅ τι: whoever, whichever, whatever, 54
ὅταν: ὅτε ἄν, whenever, 14
ὅτι: that; because, 34
οὐ, οὐκ, οὐχ, οὐχί: not, 230
οὐ-δέ: and not, but not, nor; not even, 33
οὐδ-είς, οὐδε-μία, οὐδ-έν: no one, nothing, 51
οὐκοῦν: therefore, then, accordingly, 42
οὖν: and so, then; at all events, 65
οὔ-τε: and not, neither...nor, 15
οὗτος, αὕτη, τοῦτο: this, these, 271
οὕτως: in this way, thus, so, 36

πάνυ: quite, entirely, exceedingly, 44
παρά: from, at, to (the side of); contrary, 26
πᾶς, πᾶσα, πᾶν: every, all, the whole, 41
περί: around, about, concerning (acc/gen) 55
ποιέω: to do, make; bring about, treat, 37
ποῖος, -α, -ον: of a some sort or kind, 10
πόλις, -εως ἡ: a city-state, city, 17
πολύς, πολλή, πολύ: much, many, 35
ποτέ: ever, at some time, once, 19
πότερος, -α, -ον: whether, which (of two)? 12
που: anywhere, somewhere; I suppose, 14
πούς, ποδός, ὁ: a foot, 14
πρᾶγμα, τό: deed, act; matter, affair, 20
πράττω: to do, accomplish; exact (money), 12
πρός: to (acc.), near, in addition to (dat.), 23
πρότερος, -α, -ον: previous, earlier, 11
πῶς: how? in what way?, 16

σκέπτομαι: to examine, consider, look at, 11
σκοπέω: to look at, examine, consider, 16
σοφία, ἡ: wisdom, skill, intelligence 11
σύ: you, 128
σχῆμα, -ατος τό: form, figure, appearance 17
Σωκράτης, -ους ὁ: Socrates, 57

τε: and, both, 65
τέτταρες, -α: four, 12
τις, τι: anyone, -thing, someone, -thing, 93
τίς, τί: who? which?; why? 82
τοί-νυν: well then; therefore, accordingly 13
τοιοῦτος, -αύτη, -οῦτο: such, this sort 39
τοτέ: at one time, 16
τρόπος, ὁ: manner, way; turn, direction, 12
τυγχάνω: to chance upon, get; meet; happen, 11

φαίνω: show; *mid.* appear, seem, 19
φημί: to say, claim, assert, 51
φρόνησις, -εως ἡ: prudence, intelligence, 14
φύσις, -εως ἡ: nature, natural qualities, 14

χωρίον, τό: area, space; figure, 25

ψυχή, ἡ: breath, life, spirit, soul, 19

ὦ: O, oh, 122
ὡς: as, thus, so, that; when, since, 48
ὥσπερ: as, just as, as if, 22
ὥστε: so that, that, so as to, 14
ὠφέλιμος, -η, -ον: profitable, beneficial, helpful, 21

89463108R00101

Made in the USA
Lexington, KY
29 May 2018